Edgar A Poe

EDGAR ALLAN POE

O ESCARAVELHO DE OURO
E OUTROS CONTOS

Todos os direitos reservados para Editora Pé da Letra
www.editorapedaletra.com.br
(11) 3733-0404 / 3687-7198

Projeto gráfico: Quatria Comunicação
Tradução: Lívia Bono

Equipe editorial
Ricardo Mesquita - Capa
Ricardo Mesquita - Diagramação
Marcelo Paradizo - Revisão

Dados Internacionais de Catalogação na Publicação (CIP)
(eDOC BRASIL, Belo Horizonte/MG)

P743e Poe, Edgar Allan, 1809-1849.
      Escaravelho de ouro / Edgar Allan Poe. – Barueri, SP: Pé da Letra, 2020.
      288 p. : 16 x 23 cm

   Título original: The Gold-Bug
   ISBN 978-65-86181-10-4

   1. Contos americanos. I. Título.
                                                    CDD 813

Elaborado por Maurício Amormino Júnior – CRB6/2422

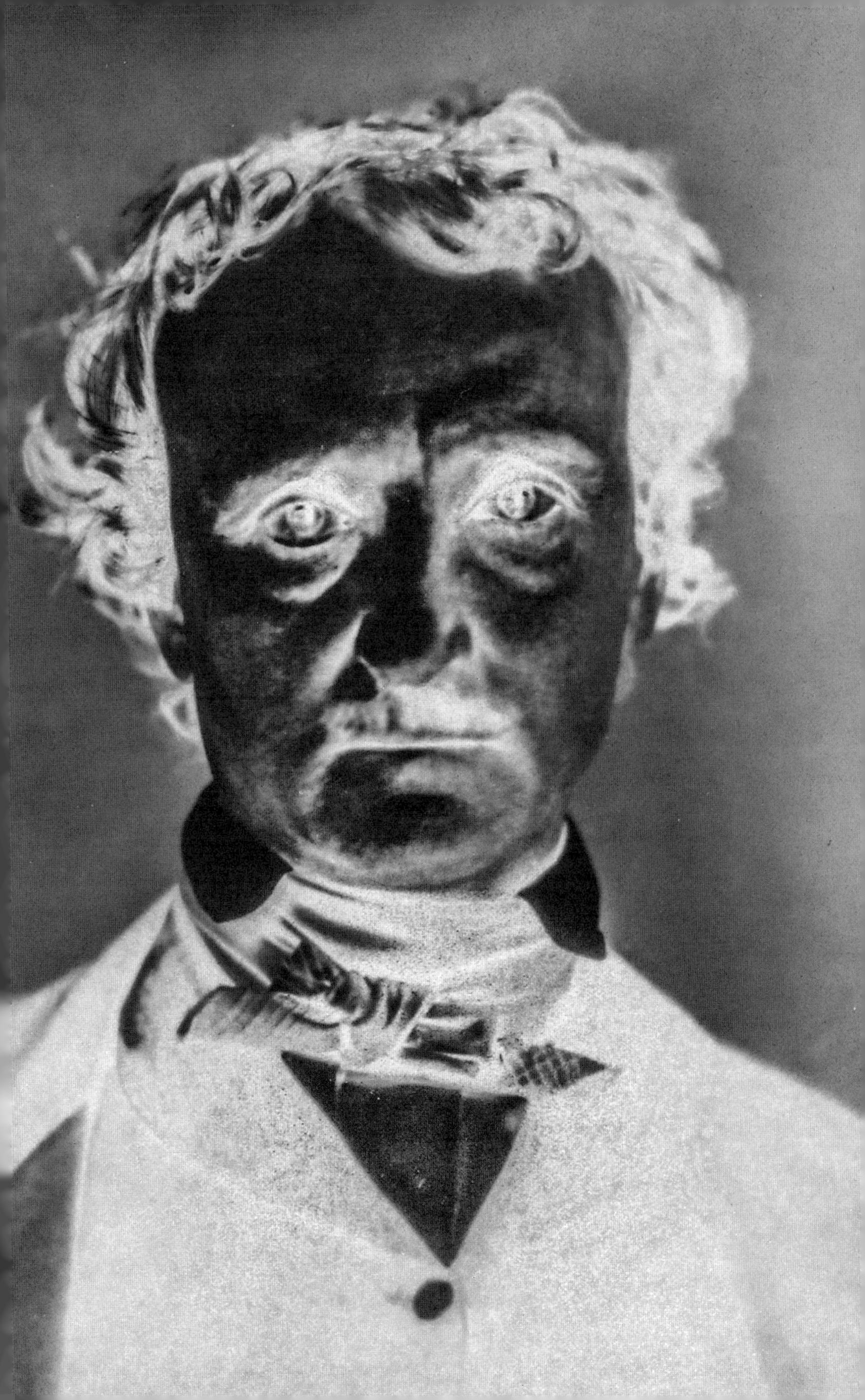

SUMÁRIO

Elogio a Edgar Allan Poe	09
A Vida de Poe, por James Russell Lowell	19
A Morte de Poe, por N.P. Willis	31
As Aventuras Inigualáveis de Um Tal Hans Pfaall	43
O Escaravelho de Ouro	101
Quatro Feras em Uma	145
Os Assassinatos na Rua Morgue	157
O Mistério de Marie Rogêt	197
O Embuste do Balão	251
Mensagem Encontrada em uma Garrafa	267
O Retrato Oval	281

ELOGIO A EDGAR ALLAN POE

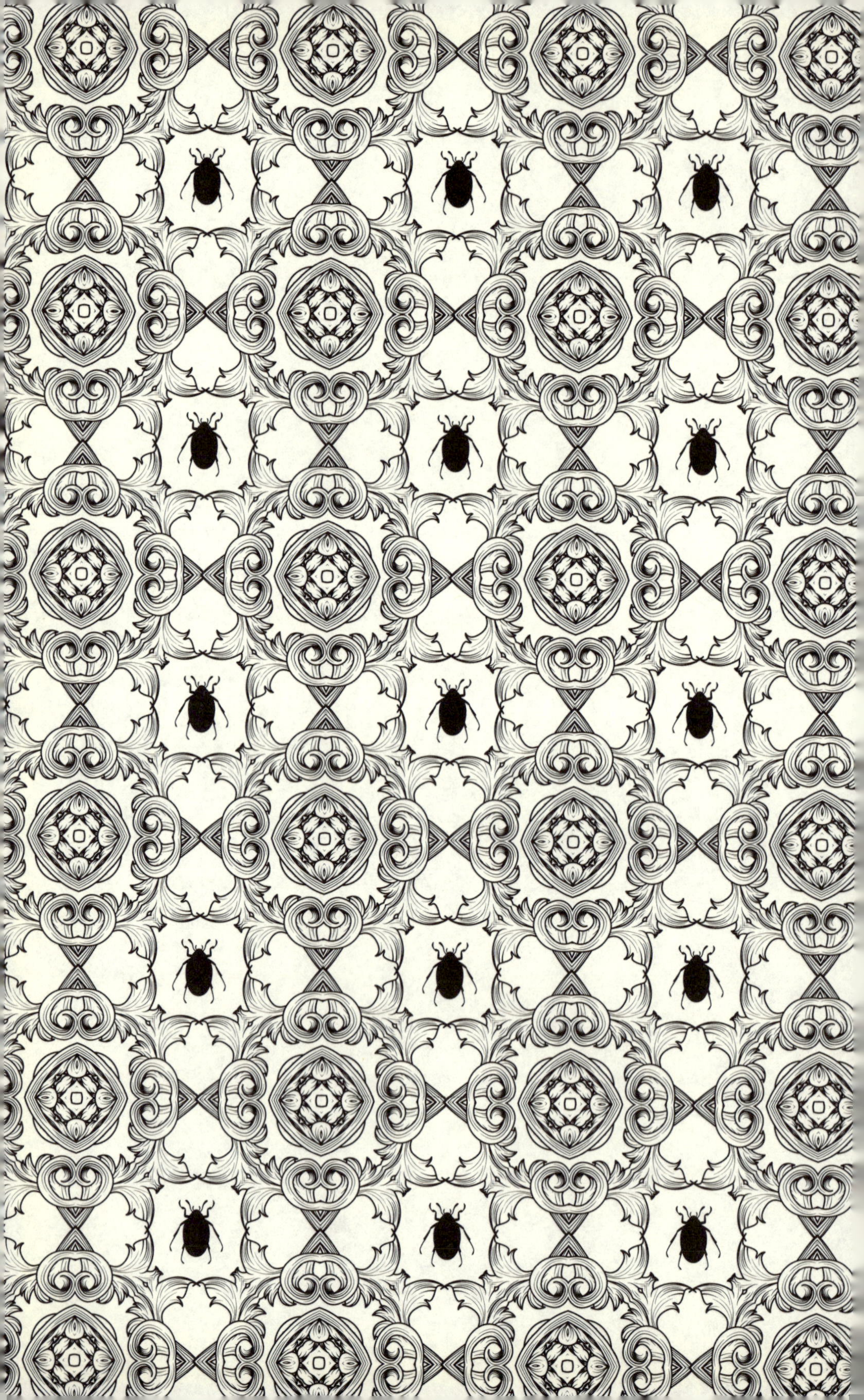

> *"De algum mestre acabrunhado*
> *Pelo destino castigado*
> *Cada vez mais apressado, deixando com seus cantos um único fardo*
> *Até que os lamentos de sua Esperança levassem o melancólico fardo*
> *Que dizia 'nunca mais'."*

ESTA estância do poema "O Corvo" foi recomendada por James Russell Lowell para que fosse gravada no monumento, em Baltimore, que marca o local de descanso de Edgar Allan Poe, a figura mais interessante e original da literatura americana. E, para demonstrar aquela qualidade musical peculiar do gênio de Poe, que hipnotiza todos os leitores, o sr. Lowell sugeriu mais este verso, do poema "O Palácio Assombrado":

> *"E, cheio de pérolas e rubis reluzindo,*
> *Estava o portão resplandecente*
> *Pelo qual entrava, fluindo, fluindo, fluindo,*
> *E com fulgor crescente,*
> *Uma tropa de ecos, cujo dever mais agradável*
> *Resumia-se ao louvor,*
> *Em vozes de beleza inigualável,*
> *À astúcia e à sabedoria de seu imperador."*

Nascido em família pobre de Boston, no dia 19 de janeiro de 1809, e morto sob circunstâncias dolorosas, em Baltimore, no dia 7 de outubro de 1849, com sua carreira inteira, de menos de quinze anos, resumindo-se a uma luta lamentável pela mera subsistência, e com sua memória malignamente desvirtuada por seu primeiro biógrafo, Griswold, a verdade por fim prevaleceu completamente à falsidade e Poe ocupou seu lugar de direito, de forma magnífica. Pelo poema "O Corvo", publicado pela primeira vez em 1845, e lido, recitado e parodiado, dentro de alguns meses, em todos os cantos onde a língua inglesa era falada, o poeta à beira da fome recebeu US$ 10! Menos de 1 ano depois, seu poeta-irmão, N.P. Willis, fez um tocante apelo aos admiradores da genialidade, em nome do autor negligenciado, sua esposa moribunda e sua mãe devotada, que viviam, na época, em circunstâncias bastante difíceis, em um pequeno chalé na cidade de Fordham, no estado de Nova York:

"Temos aqui um dos melhores eruditos, um dos gênios mais originais, e um dos mais industriosos da profissão literária de nosso país, cuja suspensão temporária de trabalho, devido a problemas de saúde, o rebaixa imediatamente ao mesmo nível dos costumeiros alvos da caridade pública. Não há nenhuma parada intermediária, nenhum abrigo respeitoso, onde ele possa, com a delicadeza devida à genialidade e à cultura, obter ajuda até que, recuperando sua saúde, consiga retomar seus trabalhos e sua independência, sem necessidade de sentir vergonha."

E esse foi o tributo do público americano ao mestre que lhe presenteara com os contos de encanto, bruxaria e mistério, como "A Queda da Casa de Usher" e "Ligeia"; farsas fascinantes, como "A Aventura sem Paralelos de um Tal Hans Pfaall", "Mensagem Encontrada em uma Garrafa", "A Descida ao Maelström" e "A Farsa do Balão"; contos de consciência, como "William Wilson", "O Gato Preto" e "O Coração Delator", em que a retribuição do remorso é retratada com terrível fidelidade; contos de beleza natural, como "A Ilha das Fadas" e "O Domínio de Arnheim"; estudos maravilhosos sobre o raciocínio, como "o Escaravelho de Ouro", "Os Assassinatos na Rua Morgue", "A Carta Roubada" e "O Mistério de Marie Rogêt", este último sendo uma narração de fatos, demonstrando a maravilhosa capacidade do autor de analisar corretamente os mistérios da mente humana; contos de ilusão e gracejo, como "O Enterro Prematuro" e "O Sistema do dr. Tarr e do prof. Fether"; pequenas extravagâncias, como "O Diabo no Campanário" e "O Anjo do Bizarro"; histórias de aventura, como "A Narrativa de Arthur Gordon Pym"; textos de críticas e análises afiadas, com os quais Poe conquistou a admiração entusiasmada de Charles Dickens, apesar de também ter conseguido muitos inimigos em meio aos autores americanos menos importantes e arrogantes, os quais expôs de forma tão implacável; poemas de beleza e melodia, como "Os Sinos", "O Palácio Assombrado", "Tamerlane", "A Cidade no Mar" e "O Corvo". Que deleite para os sentidos fatigados do leitor é esse reino encantado de maravilhas! Que atmosfera de beleza, música e cor! Que recursos da imaginação, interpretação, análise e arte absoluta! Pode-se quase que simpatizar com Sarah Helen Whitman, quem, confessando ter um pouco de fé na antiga superstição sobre os significados dos anagramas, descobriu, nas letras transpostas do nome de Edgar Poe, as palavras *"a God-peer"* ("semelhante a Deus"). A mente dele, diz ela, era mesmo um "Palácio Assombrado", onde ecoavam os passos de anjos e demônios.

"Ninguém", o próprio Poe escreveu, "registrou, ninguém ousou registrar as maravilhas de sua própria vida interna".

Nesses dias do século 20, de reconhecimento generoso – artístico, popular e material –, dias de genialidade, que recompensas um Poe não poderia reivindicar!

O pai de Edgar, filho do general David Poe, patriota revolucionário americano e amigo de Lafayette, casara-se com a sra. Hopkins, uma atriz inglesa, e, devido à desaprovação do casamento por seus pais, adotara o palco como sua própria profissão. Não obstante a beleza e o talento da sra. Poe, o jovem casal enfrentou inúmeras dificuldades para se sustentar. Quando Edgar ficou órfão, aos 2 anos de idade, a família já estava em um estado de penúria absoluta. Parecia que o futuro poeta seria lançado ao mundo, sem lar e sem amigos. Mas quis o destino que alguns raios de sol iluminassem sua vida, pois o pequeno foi adotado por John Allan, um mercador rico de Richmond, estado da Virgínia. Um irmão e uma irmã, as outras crianças que restaram, foram adotados por outras pessoas.

Em seu novo lar, Edgar encontrou todo o luxo e vantagens que o dinheiro propicia. Foi acarinhado, mimado e exibido para os outros. Com a sra. Allan, descobriu todo o afeto que uma mulher sem filhos tem para oferecer. O sr. Allan orgulhava-se muito do garoto cativante e precoce. Aos 5 anos, o menino recitava, de forma admirável, trechos de poesia inglesa para os que visitavam o lar da família Allan.

Dos 8 aos 13 anos de idade, frequentou a escola Manor House, em Stoke-Newington, um subúrbio de Londres. Foi o Rev. dr. Bransby, diretor da escola, que Poe retratou tão singularmente em "William Wilson". Voltando para Richmond em 1820, Edgar foi enviado para a escola do prof. Joseph H. Clarke. Demonstrou ser um aluno adequado. Anos mais tarde, o prof. Clarke escreveu o seguinte:

"Enquanto os outros meninos escreviam versos meramente mecânicos, Poe escrevia poesia de verdade; o garoto nascera poeta. Como erudito, sua ambição era distinguir-se. Era notável por sua dignidade, sem arrogância. Tinha um coração sensível e terno, e faria de tudo por um amigo. Sua natureza era inteiramente livre de egoísmo."

Aos 17 anos, Poe entrou na Universidade da Virgínia, em Charlottesville. Abandonou a instituição após um semestre. Os registros oficiais provam que não foi expulso. Pelo contrário, criou um histórico escolar honroso, apesar de este admitir que contraiu dívidas e que tinha "uma paixão incontrolável por jogar cartas". Essas dívidas podem ter levado à sua briga com o sr. Allan, que acabou por levá-lo a viver por conta própria.

No início de 1827, Poe fez sua primeira empreitada literária. Induziu Calvin Thomas, um impressor pobre e jovem, a publicar um pequeno volume de seus versos, sob o título *Tamerlane e Outros Poemas* Em 1829, encontramos Poe em Baltimore, com outro volume manuscrito de versos, que logo foi publicado. Seu título era *Al Aaraaf, Tamerlane e Outros Poemas*. Nenhuma dessas empreitadas parece ter atraído muita atenção.

Logo após a morte da sra. Allan, que ocorreu em 1829, Poe, com ajuda do sr. Allan, foi aceito na Academia Militar dos Estados Unidos, em West Point. Qualquer glamour que ele possa ter imaginado em relação à vida de cadete foi rapidamente dissipado, pois a disciplina em West Point não era tão severa, e as acomodações tampouco eram tão ruins. As inclinações de Poe eram cada vez mais para a literatura. A vida diária na academia tornou-se cada vez mais desagradável. Logo começou a negligenciar seus estudos e desconsiderar seus deveres de propósito, com a intenção de ser dispensado do serviço militar. Nisso, foi bem-sucedido. No dia 7 de março de 1831, Poe viu-se livre. O segundo casamento do sr. Allan fez com que o jovem tivesse que se virar sozinho. Sua carreira literária estava prestes a começar.

A primeira vitória genuína de Poe ocorreu em 1833, quando ganhou um prêmio de US$ 100, oferecido por um periódico de Baltimore, pela melhor prosa. "Mensagem Encontrada em uma Garrafa" foi o conto vencedor. Poe enviara 6 histórias, em um volume. "Nossa única dificuldade", disse o sr. Latrobe, um dos juízes, "foi escolher uma entre o rico conteúdo daquele volume".

Durante os 15 anos de sua carreira literária, Poe relacionou-se com vários jornais e revistas em Richmond, Filadélfia e Nova York. Era leal, pontual, diligente e minucioso. N.P. Willis, que empregou Poe por algum tempo como crítico e subeditor no jornal *Evening Mirror*, escreveu o seguinte:

"Com a maior admiração pela genialidade de Poe, e dispostos a ignorar irregularidades mais do que comuns, os relatos corriqueiros nos levaram a esperar uma atenção bastante caprichosa com seus deveres, e a ocasional cena de violência e dificuldade. O tempo passou, contudo, e ele foi invariavelmente pontual e diligente. Vimos apenas um sinal do que ele era: uma pessoa quieta, paciente, diligente e extremamente educada.

Ouvimos, de alguém que o conhecia bem (o que deveria ser incluído em qualquer menção de suas lamentáveis irregularidades), que com uma única taça de vinho toda a sua natureza mudava, o demônio aparecia e, apesar de nenhum dos sinais usuais de intoxicação ficar visível, ele se tornava palpavelmente insano. Essa personalidade mudada, repetimos, nunca tivemos a oportunidade de conhecer."

No dia 22 de setembro de 1835, Poe casou-se com sua prima, Virginia Clemm, em Baltimore. Ela acabara de fazer 13 anos, e o próprio Poe tinha 26. Na época, ele morava em Richmond e era um colaborador regular do jornal *Southern Literary Messenger*. Passou-se mais um ano, até que a noiva e sua mãe viúva o seguissem até lá.

A devoção de Poe à sua esposa criança era uma das mais belas características de sua vida. Muitas de suas produções poéticas famosas foram inspiradas por sua beleza e charme. A tuberculose a marcara como sua vítima, e seu marido e sua mãe esforçavam-se constantemente para que tivesse todo o conforto e a felicidade que seus poucos recursos permitiam. Virginia morreu no dia 30 de janeiro de 1847, quando tinha apenas 25 anos. Um amigo da família descreve a cena de seu falecimento – mãe e marido tentando aquecê-la, massageando suas mãos e seus pés, enquanto seu gato deitava-se sobre seu peito, para transmitir mais calor.

Estes versos, do poema "Annabel Lee", escrito por Poe em 1849, o último ano de sua vida, contam sua tristeza com a perda de sua esposa criança:

"Eu era criança, e ela também,
No reino costeiro onde vivi;

Mas nos amávamos com um amor que era mais do que amor,
Eu e minha Annabel Lee;
Com um amor que despertava nos serafins do céu
Uma cobiça como jamais vi.
E foi por este motivo que, há muito tempo,
No reino costeiro onde vivi,
Um vendaval soprou dos céus, congelando
Minha linda Annabel Lee.
De modo que seus parentes nobres vieram

E a levaram daqui,
Para fechá-la em um sepulcro,
No reino costeiro onde vivi."

Poe teve diversos vínculos, em várias qualidades, com o *Southern Literary Messenger*, na cidade de Richmond, Virgínia; com as revistas *Graham's Magazine* e *The Gentleman's Magazine*, na Filadélfia; com o *Evening Mirror*, *Broadway Journal* e *Godey's Lady's Book*, em Nova York. Em todos os lugares, a vida de Poe era de labuta incessante. Nenhum conto ou poema foi produzido a um preço tão grande, pago pela mente e pelo espírito.

O salário inicial de Poe, no *Southern Literary Messenger*, ao qual enviou os primeiros rascunhos de vários de seus contos mais famosos, era de US$ 10 por semana! Dois anos mais tarde, seu salário era de apenas US$ 600 ao ano. Mesmo em 1844, quando sua reputação literária já havia sido solidamente estabelecida, ele escreveu para um amigo, expressando seu prazer por uma revista para a qual contribuiria ter concordado em pagar-lhe US$ 20 por mês, por duas páginas de críticas.

Era uma época desencorajadora para a literatura americana, mas Poe jamais perdeu as esperanças. Finalmente triunfaria onde talentos preeminentes conquistam admiradores. Sua genialidade não pode ser melhor descrita do que nesta estância do poema de William Winter, lido durante a dedicatória do Monumento dos Atores para Poe, no dia 4 de maio de 1885, em Nova York:

"Foi a voz da beleza e do pesar,
Mistérios, temores e paixões;
Puro como montes onde sempre está a nevar.
Frio como os ventos gélidos que sopram suas lamentações,
Sombrio como as cavernas onde ressoam os trovões,
Selvagem como as tempestades nos altos confins,
Doce como as notas tênues e celestiais
De sussurros longínquos, como de um querubim

E terno como uma lágrima de amor, quando juventude e beleza chegam ao fim."

Nos 45 anos desde a morte de Poe, ele finalmente passou a ocupar seu lugar de direito. Por algum tempo, a deturpação maligna de Griswold afetou a opinião pública sobre Poe, como homem e como escritor. Porém, graças a J.H. Ingram, W.F. Gill, Eugene Didier, Sarah Helen Whitman e outros, esses escândalos foram desmentidos e Poe é visto como realmente foi; um homem que teve seus defeitos, é verdade, mas também como o gênio mais afiado e original da literatura americana. Conforme o tempo passa, sua fama aumenta. Suas obras foram traduzidas para diversos idiomas estrangeiros. É famoso na França e na Inglaterra; na verdade, esta última costuma repreender a pátria de Poe por ter demorado para apreciá-lo. Mas essa repreensão, se é que já foi merecida, é certamente inverídica.

W.H.R.

A VIDA DE POE
Por James Russell Lowell

A situação da literatura americana é anômala. Não tem centro, ou, se o tem, é como o da esfera de Hermes. Divide-se em vários sistemas, cada um girando em volta de seus muitos sóis, frequentemente mostrando para o resto apenas o mais tênue brilho de um caminho insípido. Nossa capital, diferentemente de Londres ou Paris, não é um grande coração central, do qual a vida e o vigor irradiam para as extremidades, assemelhando-se mais com um umbigo isolado, colocado o mais próximo possível do centro do território, que parece mais contar uma lenda de antiga utilidade do que servir algum propósito atual. Boston, Nova York, Filadélfia, cada uma tem sua literatura, quase tão distinta das outras quanto os diferentes dialetos da Alemanha; e a Jovem Rainha do Oeste também tem a sua própria, sobre a qual alguns rumores articulados mal chegaram a nós, moradores da beira do Atlântico.

Talvez não haja tarefa mais difícil do que uma crítica justa da literatura contemporânea. É ainda mais gratificante fazer elogios necessários do que merecidos, e a amizade seduz com tanta frequência a pena de ferro da justiça, rumo a floreios vagos, que ela acaba escrevendo o que mais parece um epitáfio do que uma crítica. Ainda assim, se elogios forem feitos como esmolas, nada mais venenoso que isso poderia ser colocado no chapéu de alguém. A tinta do crítico pode sofrer igualmente de uma infusão grande demais de bugalhos ou de açúcar. Mas é mais fácil ser generoso do que justo, e podemos colocar fé prontamente no fabuloso caminho que leva ao esconderijo da verdade, se julgarmos a quantidade de água que costumamos encontrar misturada nela.

Experiências marcantes costumam estar confinadas à vida interior das pessoas imaginativas, mas a biografia do sr. Poe exibe vicissitudes e interesses peculiares que raramente encontramos. O fruto de um casamento por amor, que ficou órfão em uma tenra idade, foi adotado pelo sr. Allan, um homem rico da Virgínia, cuja união sem filhos parecia ser a garantia de uma grande herança para o jovem poeta.

Após receber uma educação clássica na Inglaterra, voltou para casa e ingressou na Universidade da Virgínia, onde, após um semestre de extravagâncias, seguido de correção no último segundo, formou-se com as mais altas notas de sua classe. Então sobreveio uma tentativa infantil de juntar-se ao destino dos gregos insurgentes, que terminou em São Petersburgo, onde meteu-se em dificuldades pela falta de passaporte, das quais foi resgatado pelo cônsul americano e mandado para casa. Em seguida, entrou na academia militar de West Point, onde obteve uma licença ao ficar sabendo do nascimento de um filho de seu pai adotivo, resultado de um segundo casamento, evento este que pôs fim a suas esperanças como herdeiro. A morte do sr. Allan, cujo testamento não mencionava seu nome, logo depois disso, encerrou todas as suas dúvidas nesse sentido, de modo que ele imediatamente dedicou-se à escrita para se sustentar. Antes disso, contudo, havia publicado (em 1827) um pequeno volume de poemas, que logo chegou à terceira edição, e despertou grandes expectativas sobre a futura distinção de seu autor na mente de muitos juízes competentes.

Há exemplos suficientes para provar que nenhum augúrio definitivo pode ser inferido com base nos primeiros balbucios de um poeta. Os primeiros poemas de Shakespeare, ainda que cheios de vigor, juventude e unicidade, são apenas uma promessa muito tênue de quão diretos, condensados e transbordantes de moral suas obras mais maduras seriam. Entretanto, Shakespeare talvez não seja um bom exemplo, visto que acredita-se que seu "Vênus e Adônis" tenha sido publicado quando tinha 26 anos. Os versos latinos de Milton demonstram ternura, um olhar aguçado para a natureza e uma apreciação delicada dos modelos clássicos, mas não deixam entrever o autor de um novo estilo de poesia. As obras da juventude de Pope são cheias de cadência, sem o alívio da malignidade resplandecente e irreligião eloquente de suas produções mais tardias.

A insipidez inexperiente de Collins esvaiu-se e não deu sinal da genialidade vigorosa e original demonstrada por ele subsequentemente. Nunca pensamos que o mundo perdeu, com o "garoto prodígio", Chatterton, nada mais do que um ótimo imitador de um enfado obscuro e antiquado. Quando ele se torna original (como costumam dizer), o interesse da engenhosidade cessa, e ele se torna estúpido. As promessas de Kirke White foram endossadas pelo nome respeitável do sr. Southey, mas certamente sem a autoridade de Apolo. Têm o mérito de uma devoção tradicional, que, para nossa mente, se é que precisavam ser escritas, em primeiro lugar, seria melhor que tivessem se restringido a um diário ou sido envoltas pelas vestes sóbrias da prosa. Não grudam na memória com a pertinácia de um Watts; tampouco têm o interesse de sua ocasional beleza simples e afortunada.

Burns, tendo sido felizmente resgatado, por sua classe humilde, da sociedade contagiosa dos "melhores modelos", escreveu bem e naturalmente, logo de início. Se tivesse tido a sorte de ter gostos educados, teríamos uma série de poemas, dentre os quais, assim como suas cartas, conseguiríamos achar, aqui e acolá, um pequeno trigo em meio ao joio.

Os esforços juvenis de Coleridge não prometem nada da genialidade poética que produziu os poemas mais selvagens, ternos, originais e puramente imaginativos da época moderna. O poema "Horas de Ócio", de Byron, nunca teria encontrado um leitor, a não ser que fosse devido a uma curiosidade intrépida e infatigável. Nos primeiros prelúdios de Wordsworth, há apenas um presságio difuso do criador de uma era. Com base nos primeiros poemas de Southey, um augúrio mais certeiro poderia ter sido vislumbrado. Mostram o investigador paciente, o estudante atento da história e o incansável explorador das belezas dos predecessores, mas não dão nenhuma garantia de um homem que acrescentaria alguma coisa ao estoque do vocabulário mais comum ou dos mais raros e sagrados deleites da leitura ao pé da lareira ou debaixo de uma árvore. Os primeiros exemplos da mente poética de Shelley também já demonstravam aquela sublimação etérea que parece fazer a alma voar sobre as regiões das palavras, mas deixa seu corpo, o verso, para ser enterrado, sem esperança de ressurreição, em uma massa delas. Cowley costuma ser usado de exemplo de precocidade surpreendente. Mas sua insipidez inicial mostra apenas uma capacidade de rimar e de arranjar metricamente certas combinações convencionais de palavras, capacidade esta que é inteiramente dependente de uma organização física delicada e de uma memória infeliz. Um poema juvenil só é marcante quando demonstra um esforço da *razão*, e os versos mais rudes, nos quais podemos encontrar alguma concepção dos objetivos da poesia, valem todos os milagres de uma suave versificação juvenil. Um jovem aluno, poderíamos dizer, conseguiria adquirir a cadência regular de Pope apenas associando-a com os movimentos de uma gangorra do parquinho.

As primeiras produções do sr. Poe mostram que ele conseguia enxergar através dos versos e ver o espírito subjacente, e que já tinha a sensação de que toda a vivacidade e a graça de um dependem e são moduladas pela vontade do outro. Referimo-nos a eles como os poemas juvenis mais surpreendentes que já lemos. Não conhecemos ninguém que possa se comparar a eles, quanto à maturidade de seu propósito e uma bela compreensão dos efeitos da linguagem e da métrica. Essas obras só são valiosas quando demonstram o que só conseguimos expressar com a expressão contraditória "experiência inata". Copiamos um dos poemas mais curtos, escrito quando o autor tinha apenas 14 anos. Falta um pouco de clareza em seu preenchimento, mas a graça e a simetria de sua delineação são tais que poucos poetas conseguirão atingir. O poema tem um leve sabor de ambrósia.

"*Para Helena*

Helena, para mim, o seu semblante
É como as tábuas antigas de Niceia,
Que carregaram pelo mar fragrante
O andarilho cansado de sua epopeia
À terra natal daquele andante.
Por mares desesperados acostumado a vagar,
Seu cabelo de jacinto, seu rosto que instiga,
Seus ares de náiade me trouxeram de volta ao lar
Para a glória da Grécia antiga
E Roma como costumava brilhar.

Veja! Em sua janela iluminada
Vejo-a como uma estátua parada
A lamparina de ágata levantada
Ah! Psique, vinda de onde
A terra é mais sagrada!"

É tendência do jovem poeta que nos impressiona. Em seu poema não há sinal de "desprezo doloroso", nenhum coração "partido" antes de ter entrado completamente na adolescência, nada do radicalismo elegante que Byron colocara em voga. Tudo é límpido e sereno, com um agradável toque do Monte Hélicon. A melodia do conjunto, também, é notável. Não é do tipo que pode ser demonstrada aritmeticamente, nas pontas dos dedos. É daquele tipo mais fino, que só o ouvido consegue estimar. Parece simples, como uma coluna grega, por causa de sua perfeição. Em um poema chamado "Ligeia", cujo título ele pretendia que personificasse a música da natureza, nosso jovem poeta nos pinta o seguinte quadro maravilhoso:

"Ligeia! Ligeia!
Meu belo amor
Cuja mais bruta ideia
Se transforma em candor,
Diga, é seu querer
Seguir da brisa a rota
Ou, sem se mover,
Como a solitária gaivota,
Sobre a noite a deitar,
Como ela sobre os ares,
Com prazer vigiar
A harmonia de alhures?"

John Neal, ele mesmo um gênio, e cuja lira tem estado voluvelmente calada por tempo demais, apreciou o grande mérito deste e de outros trechos semelhantes, e fez previsões de grandeza para seu autor.

O sr. Poe tinha aquela característica indescritível, que convencionou-se chamar de "genialidade". Ninguém consegue dizer precisamente o que é, mas não existe uma única pessoa que não esteja inevitavelmente consciente de sua presença e de seu poder. Deixemos que o talento se debata e contorça como puder, não tem o mesmo magnetismo. Pode ter ossos e tendões maiores, mas lhe faltam asas. O talento é grudado à terra, e suas obras mais perfeitas continuam tendo um pé de barro. A genialidade é parenta do funcionamento da própria natureza, de modo que um pôr do sol parece uma citação de Dante, e, se Shakespeare for visto na presença do próprio mar, seus versos parecerão ainda mais nobres pela crítica sublime do oceano. O talento pode conquistar amigos, mas é só a genialidade que consegue dar, às suas criações, o poder divino de cativar o amor e a veneração. O entusiasmo não consegue agarrar-se ao que contém desentusiasmo intrínseco, tampouco terá discípulos aquele que não tem zelo impulsivo o suficiente para ser um discípulo. Grandes inteligências são aliadas da loucura somente à medida que sejam possuídas e levadas embora por seus demônios, enquanto o talento as mantém, como fez Paracelso, ferrenhamente presas ao punhal de sua espada. Aos olhos da genialidade, o véu do mundo espiritual está sempre aberto para que possa perceber os representantes do bem e do mal, que passam por ali continuamente. Nenhuma pessoa de mero talento já arremessou, alguma vez, seu pote de tinta no diabo.

Quando dizemos que o sr. Poe tinha genialidade, não queremos dizer que produziu evidências da maior de todas. Porém, dizer que a possuía significa, por si só, dizer que precisava apenas de zelo, aplicação e reverência pela confiança nele depositada para atingir os maiores triunfos e os mais verdes louros. Se podemos acreditar nos Longinos e nos Aristóteles de nossos jornais, temos gênios demais, da mais alta ordem, para que um lugar entre eles seja algo desejável, seja pela dificuldade de alcançá-lo ou por sua solidão. O mais alto pico de nosso Parnaso é, de acordo com esses cavalheiros, de longe a parte mais populosa do país, circunstância esta que deve fazer com que seja uma residência desconfortável para indivíduos de temperamento poético, se o amor à solidão for, como diz a tradição imemorial, uma parte necessária de sua idiossincrasia.

O sr. Poe tem duas das principais qualidades da genialidade, o poder de análise vigorosa, porém minuciosa, e uma maravilhosa fecundidade de imaginação. A primeira é tão necessária para o artista de palavras quanto o conhecimento de anatomia é para o artista de cores ou pedra. Isso permite que ele verdadeiramente conceba, mantenha uma adequada relação de partes e delineie corretamente, enquanto a segunda agrupa, preenche e colore. O sr. Poe demonstrou ter ambas, com distinção singular, em suas obras em prosa, a última predominando em seus primeiros contos, e a primeira em seus mais recentes. Ao julgar o mérito de um autor, e designar a ele seu nicho entre nossos deuses estabelecidos, temos o direito de olhar para ele de nosso próprio ponto de vista, e de medi-lo por nossos próprios padrões. Porém, ao estimar a quantidade de poder exibida por suas obras, precisamos ser regidos por seus desígnios e, colocando-o lado a lado com seu próprio ideal, descobrir quanto falta. Diferimos do sr. Poe quanto a suas opiniões sobre os objetos da arte. Ele considerava tal objeto a criação da Beleza, e talvez seja apenas quanto à definição desta palavra que discordamos dele. Mas em relação ao que diremos de sua escrita, usaremos os padrões dele como nossos guias. O templo do deus da música é igualmente acessível por todos os lados, e há espaço o suficiente nele para todos os que trazem oferendas ou buscam um oráculo.

Em suas histórias, o sr. Poe decidiu exibir seus poderes principalmente naquela região turva, que se estende dos limites mais longínquos do provável até os estranhos domínios da superstição e da irrealidade. Ele combina, de forma notável, duas faculdades, que raramente são vistas juntas: o poder de influenciar a mente do leitor, pelas sombras impalpáveis do mistério, e uma riqueza de detalhes, que não deixa que nem um alfinete ou um botão passem despercebidos. Ambas são, na verdade, os resultados naturais da qualidade predominante de sua mente, à qual aludimos anteriormente, a análise. É isso que distingue o artista. Sua mente imediatamente alcança o efeito a ser produzido. Tendo decidido despertar certas emoções no leitor, ele faz com que todas as partes subordinadas dirijam-se estritamente para o centro comum. Até mesmo seu mistério é matemático, para sua própria mente. Para ele, o X é um número conhecido o tempo todo. Em qualquer quadro que pinte, compreende as propriedades químicas de todas as suas cores. Por mais vagas que algumas de suas figuras possam parecer, por mais disformes que sejam as sombras, para ele, os contornos são tão claros e distintos quanto os de um diagrama geométrico. Por esse motivo, o sr. Poe não simpatiza com o misticismo. O místico vive no mistério, é cercado por ele; este colore todos os seus pensamentos, afeta seus nervos ópticos especificamente, e as coisas mais comuns ganham beiradas coloridas. O sr. Poe, por outro lado, é um espectador *ab extra*. Analisa, disseca, observa,

*"com um olhar pacato,
a própria pulsação do aparato"*,

pois é isso que significa para ele, com rodas, engrenagens e pistões, tudo trabalhando para produzir um determinado fim.

Essa tendência analítica de sua mente equilibra a poética, e, dando a ele a paciência de ser minucioso, permite que cubra suas imaginações mais irreais com uma maravilhosa realidade. Pinta uma monomania com grande poder. Adora dissecar um daqueles cânceres da mente, e traçar todas as ramificações sutis de suas raízes. Também ao evocar imagens de horror tem um estranho sucesso, transmitindo-nos, às vezes, por uma sugestão crepuscular, alguma terrível *dúvida*, que é o segredo de todo o horror. Deixa para a imaginação a tarefa de terminar a pintura, na qual somente ela é competente.

*"Pois havia muito trabalho da imaginação;
Presunção enganosa, tão compacta, tão aprazente,
Que a lança de Aquiles era sua representação,
Erguida em sua mão; e ele mesmo, com ela à frente,
Não era visto, exceto pelos olhos da mente."*

Além do mérito da concepção, a escrita do sr. Poe também o tem em relação à forma.

Seu estilo é altamente acabado, gracioso e verdadeiramente clássico. Seria difícil encontrar um autor vivo que demonstre poderes tão variados. Como um exemplo de seu estilo, recomendaríamos um de seus contos, "A Queda da Casa de Usher", no primeiro volume de seus *Contos do Grotesco e do Arabesco*. Tem um encanto singular, para nós, e pensamos que ninguém seria capaz de lê-lo sem ser fortemente tocado por sua beleza serena e sombria. Ainda que seu autor não houvesse escrito mais nada, apenas ele seria o suficiente para marcá-lo como um gênio, e o mestre de um estilo clássico. Este conto contém, talvez, o mais belo de seus poemas.

Os grandes mestres da imaginação raramente recorrem ao vago e ao irreal como fontes de efeito. Não usam o medo e o horror sozinhos, mas somente em combinação com outras qualidades, como um meio de subjugar a imaginação de seus leitores. A mais sublime musa tem sempre um charme caseiro e acolhedor. O segredo do sr. Poe é principalmente a habilidade com a qual empregou a estranha fascinação do mistério e do terror. Nesse quesito, seu sucesso é tão grande e notável, que merece o nome de arte, e não artifício. Não podemos chamar seus materiais dos mais nobres, ou mais puros, mas podemos conceder a ele o mais alto mérito da construção.

Na qualidade de crítico, o sr. Poe era esteticamente deficiente. Certeiro em sua análise de dicções, métricas e enredos, parecia faltar-lhe a faculdade de perceber as éticas mais profundas da arte. Suas críticas são, contudo, distinguidas por sua precisão científica e coerência lógica. Têm a exatidão e, ao mesmo tempo, a frieza de demonstrações matemáticas. Ainda assim, formam um contraste surpreendentemente revigorante com as generalizações vagas e personalidades afiadas da época. Apesar de deficientes em calidez, tampouco têm o calor do partidarismo. São especialmente valiosas como ilustração da grande verdade, ignorada com demasiada frequência, de que o poder analítico é uma qualidade subordinada do crítico.

No geral, pode-se considerar certo que o sr. Poe alcançou uma eminência individual em nossa literatura, que manterá. Provou seu poder e sua originalidade. Fez aquilo que só pode ser feito uma vez com sucesso ou segurança, e a imitação ou repetição do qual seria enfadonha.

A Morte de Edgar A. Poe
Por N.P. Willis

A antiga fábula de dois espíritos antagônicos aprisionados em um corpo, igualmente poderosos e possuidores do controle, cada um por vez; um homem, por assim dizer, habitado por um demônio e um anjo, parece ter se tornado realidade, se tudo o que ouvimos for verdadeiro, na pessoa extraordinária, cujo nome escrevemos acima. Nossa própria impressão da natureza de Edgar A. Poe difere, contudo, em um grau de alguma importância, daquela que é geralmente transmitida nos anúncios de seu falecimento. Permitam-nos, antes de contarmos o que sabemos pessoalmente sobre ele, copiar uma descrição gráfica e altamente acabada, escrita pelo dr. Rufus W. Griswold, que apareceu em uma edição recente do jornal *Tribune:*

"Edgar Allan Poe faleceu. Finou-se em Baltimore, no domingo, dia 7 de outubro. Este anúncio surpreenderá muitos, mas entristecerá poucos. O poeta era conhecido, pessoalmente ou por reputação, em todo o país; tinha leitores da Inglaterra e em diversos países da Europa Continental. Mas tinha poucos amigos, ou nenhum, e as lágrimas por sua morte serão sugeridas, principalmente, pela consideração de que a arte literária perdeu, com sua morte, uma de suas estrelas mais brilhantes, porém erráticas.

Suas conversas eram, às vezes, quase que supramortais quanto à sua eloquência. Sua voz era modulada com uma habilidade surpreendente, e seus olhos grandes, e variavelmente expressivos, pareciam estar em repouso ou lançavam um tumulto ardente nos de seus ouvintes, enquanto sua expressão brilhava ou permanecia em uma palidez inalterada, conforme sua imaginação fazia seu sangue acelerar ou o mandava de volta, congelado, para seu coração. Sua imagística vinha de mundos que nenhum mortal consegue ver, mas com a visão de um gênio. Iniciando, repentinamente, com uma proposição, exata e precisamente definida, em termos da maior simplicidade e clareza, rejeitava as formas da lógica costumeira, e, com um processo cristalino de acreção, construía suas demonstrações oculares com a mais sombria e medonha grandeza ou com a mais etérea e deliciosa beleza, tão detalhada e distintamente, porém tão rapidamente, que a atenção dada a ele ficava acorrentada, até que estivesse em meio a suas maravilhosas criações, até que ele mesmo dissolvesse o feitiço e trouxesse seus ouvintes de volta para a existência comum e banal, por imaginações vulgares ou exibições da paixão mais ignóbil.

Ele foi, o tempo todo, um sonhador que vivia em reinos imaginários, no céu ou no inferno, habitado pelas criaturas e acidentes de seu cérebro. Perambulava pelas ruas, em loucura ou melancolia, com os lábios movendo-se em maldições indistintas ou com os olhos voltados para cima, em preces fervorosas (nunca por si mesmo, pois sentia, ou declarava sentir, que já estava condenado, e sim pela felicidade daqueles que eram, no momento, os objetos de sua idolatria), ou, com o olhar voltado para dentro, para seu coração roído pela angústia, e com o rosto coberto pela melancolia ele desbravava as piores tempestades, e passava a noite, com as roupas molhadas e os braços afastando o vento e a chuva, falando com os espíritos, que, naquelas ocasiões, só podiam ser evocados por ele do Aidenn,[1] perto de cujos portais sua alma perturbada buscava esquecer os males aos quais sua constituição o sujeitava, perto do Aidenn, onde estavam seus entes queridos, o Aidenn que ele poderia nunca ver, apenas entrever ocasionalmente, quando seus portões se abriam para receber as personalidades menos ardentes e mais alegres, cujos destinos pecadores não envolviam a perdição da morte.

Parecia, exceto quando alguma busca caprichosa subjugava sua vontade e tomava conta de suas faculdades, carregar sempre a lembrança de alguma tristeza contida. O notável poema "O Corvo" foi provavelmente um reflexo e um eco muito mais próximo de sua própria história do que se supôs, até mesmo por seus amigos mais íntimos. Era ele o

"Mestre acabrunhado
Pelo destino castigado
Cada vez mais apressado, deixando com seus cantos um único fardo
Até que os lamentos de sua Esperança levassem o melancólico fardo

---

1 N. da T.: Grafia poética de "Éden", usada por Poe no poema "O Corvo".

Que dizia 'nunca mais'."

Todo autor genuíno, em maior ou menor grau, deixa em suas obras, quaisquer que sejam seus objetivos, traços de sua personalidade: elementos de seu ser imortal, nos quais o indivíduo sobrevive à pessoa. Ao lermos as páginas do conto "A Queda da Casa de Usher", ou de "Revelação Mesmeriana", vemos, na melancolia solene e imponente que perpassa o primeiro, e na análise metafísica sutil que ambos contêm, indicações das idiossincrasias do que havia de mais notável e peculiar na natureza intelectual do autor. Mas vemos, aqui, somente as melhores fases de sua natureza, apenas os símbolos de seus atos mais justos, pois sua experiência cruel o privou de qualquer fé em homens ou mulheres.

Já formara sua opinião sobre as inúmeras complexidades do mundo social, e todo o sistema, para ele, era uma impostura. Essa convicção direcionou seu caráter astuto e naturalmente inamistoso. Ainda assim, apesar de acreditar que a sociedade era composta inteiramente de vilões, a agudeza de seu intelecto não era do tipo que o ajudasse a lidar com a vilania, ao mesmo tempo que continuamente fazia com que ele passasse ao largo do sucesso na honestidade. Sob muitos aspectos, era como Francis Vivian, no romance *The Caxtons*, de Bulwer. A paixão, para ele, incluía muitas das piores emoções que lutam contra a felicidade humana. Não se podia contradizê-lo sem despertar sua cólera rapidamente; não se podia falar de riqueza, sem que suas faces empalidecessem de inveja. As surpreendentes vantagens naturais daquele pobre rapaz, sua beleza, sua prontidão, o espírito ousado que o cercava como uma atmosfera ígnea elevaram sua autoconfiança natural a uma arrogância que transformava seu direito à admiração em preconceito contra ele. O fato de ser irascível e invejoso já seria ruim o suficiente, mas não era o pior, pois esses ângulos salientes eram todos envernizados com um cinismo frio e repelente, e suas paixões saíam de sua boca como escárnio. Parecia não ter qualquer suscetibilidade moral, e, ainda mais surpreendente em uma natureza orgulhosa, pouco ou nenhuma honra verdadeira. Ele tinha um excesso mórbido daquele desejo de se distinguir, que costuma ser chamado de ambição, mas nenhum desejo pela estima ou amor dos outros seres humanos; só o desejo duro de ser bem-sucedido; não de brilhar, nem de ser útil, de ser bem-sucedido, para poder ter o direito de desprezar o mundo que incomodava sua opinião própria.

Já sugerimos a influência de seus objetivos e vicissitudes sobre sua literatura. É mais conspícua em seus escritos tardios do que nos iniciais. Quase tudo o que escreveu em seus dois ou três últimos anos, inclusive uma grande parte de sua melhor poesia, foi, de alguma forma, biográfico; nas roupagens de sua imaginação, aqueles que se preocupam em traçar seus passos percebem, ainda que ligeiramente oculta, sua própria figura.

Relativamente à parte depreciativa do retrato bem escrito acima, permitam-nos dizer, com franqueza:

Há uns quatro ou cinco anos, quando editava um jornal diário nesta cidade, o sr. Poe foi empregado por nós, durante vários meses, como crítico e subeditor. Foi como o conhecemos pessoalmente. Ele morava com sua esposa e sua mãe em Fordham, a alguns quilômetros da cidade, mas estava em sua mesa no escritório das nove da manhã até o jornal vespertino sair para impressão. Com a maior admiração por sua genialidade e dispostos a deixar que isso compensasse uma irregularidade mais do que comum, fomos levados, por histórias que circulavam corriqueiramente, a esperar uma atenção muito caprichosa com seus deveres, e uma ocasional cena de violência e dificuldade. Contudo, o tempo passou e ele foi invariavelmente pontual e industrioso. Com seu rosto pálido, belo e intelectual, um lembrete do que havia dentro de si, era impossível, é claro, não tratá-lo sempre com cortesia respeitosa, e, aos nossos pedidos ocasionais, de que não se aprofundasse demais em alguma crítica, ou que apagasse um trecho influenciado demais por seus ressentimentos contra a sociedade e a humanidade, ele aquiescia pronta e cortesmente; muito mais maleavelmente do que a maioria das pessoas, pensamos, em relação a assuntos tão compreensivelmente delicados. Com a possibilidade de ocupar um cargo de liderança em outra publicação, ele finalmente deixou seu emprego conosco, de forma voluntária, e, ao longo de todo esse considerável período, vimos apenas uma faceta de sua pessoa: um homem quieto, paciente, industrioso e extremamente cavalheiresco, merecedor do maior respeito e apreciação, devido à sua conduta e habilidades estáveis.

Visto que residia no interior, nunca vimos o sr. Poe em seus momentos de lazer, mas ele frequentemente nos visitou, depois de sua saída, em nosso local de trabalho, e o encontrávamos com frequência pelas ruas; invariavelmente o mesmo cavalheiro de modos tristes, cativantes e refinados, como sempre o víramos. Foi apenas por meio de rumores, até o dia de seu falecimento, que ficamos sabendo de alguma outra característica de seus modos ou sua personalidade. Ouvimos, de alguém que o conhecia bem (o que deveria ser declarado em qualquer menção de suas lamentáveis irregularidades), que sua natureza mudava completamente, com uma única taça de vinho, o demônio vinha à tona e, apesar de nenhum sinal costumeiro de intoxicação ficar visível, suas vontades eram claramente insanas. De posse de suas faculdades racionais em atividades agitadas, naqueles momentos, e buscando seus conhecidos com sua costumeira aparência e memória, ele parecia facilmente representar outra fase de seu caráter natural, e era acusado, dessa forma, de arrogância insultuosa e malícia. Nesta personalidade invertida, repetimos, nunca tivemos a chance de vê-lo. Apenas ouvimos falar, e mencionamos o fato em relação a esta triste enfermidade de sua constituição física, que pode quase ser considerada uma insanidade temporária e fora de seu controle.

A arrogância, a vaidade e a malícia, das quais o sr. Poe era geralmente acusado, nos parecem advir inteiramente dessa fase de sua personalidade. Sob aquele grau de intoxicação, cujo único efeito era demonizar seu senso de verdade e do que é certo, ele sem dúvida disse e fez muitas coisas inteiramente irreconciliáveis com sua melhor natureza; porém, quando era ele próprio, que foi seu único lado que conhecemos, sua modéstia e humildade natural, relativamente a seus próprios méritos, eram um encanto constante de sua personalidade. A maior parte de suas cartas – que nos foram tomadas pelos constantes pedidos de autógrafos, lamentamos confessar – demonstra essa qualidade com muita clareza. Em um dos bilhetes escritos às pressas, que ainda está sob nossa posse, por exemplo, ele fala sobre "O Corvo", aquele poema extraordinário que eletrizou o mundo dos leitores imaginativos, e tornou-se um tipo de escola de poesia, e, com honestidade evidente, atribui seu sucesso às poucas palavras de recomendação com as quais o prefaciamos neste jornal. Transcrever literalmente o bilhete deixará clara sua natureza sã:

"Fordham, 20 de abril de 1849.

Meu caro Willis,

O poema que envio em anexo, e do qual minha vaidade espera que goste, em alguns aspectos, acabou de ser publicado em um jornal para o qual a pura necessidade me força a escrever, de vez em quando. Paga bem, para os dias de hoje, mas sem dúvida deveria pagar dez vezes mais, pois o que quer que eu envie, sinto como se estivesse mandando ao túmulo dos Capuleto. Posso pedir que retire do túmulo os versos que esta acompanham, e os traga para a luz no *Home Journal?* Se puder me fazer a grande gentileza de copiá-los, não acho que será necessário dizer 'De ----', isso seria ruim demais; e talvez 'De um antigo -----' servirá.

Não me esqueci de como seu 'elogio na época certa' fez com que 'O Corvo' e 'Ulalume' (o qual, a propósito, as pessoas me fazem a honra de atribuir a você) fossem sucessos, portanto gostaria de pedir (se puder ter a ousadia) que dissesse alguma coisa sobre estes versos, se o agradarem.

Com meus sinceros cumprimentos.
Edgar A. Poe."

Como mais uma prova de sua honesta disposição de dar o melhor de si, e da natureza crédula e grata que lhe foi negada, transcrevemos outro dos três bilhetes que temos a sorte de reter:

"Fordham, 22 de janeiro de 1848.

Meu caro sr. Willis,

Estou prestes a fazer um esforço para restabelecer-me no mundo literário, e sinto que posso contar com sua ajuda.

Meu objetivo geral é começar uma revista, que se chamará A Caneta, mas seria inútil para mim, mesmo após estabelecida, se não estivesse inteiramente fora do controle de uma editora. Pretendo, portanto, criar um periódico que seja meu, sob todos os aspectos. Com esta meta, preciso de uma lista de, pelo menos, quinhentos assinantes, para começar; já tenho quase duzentos. Proponho, entretanto, ir para o sul e para o oeste, em meio a meus amigos pessoais e literários – velhos conhecidos da faculdade e de West Point –, e ver o que posso fazer. Para poder dar o primeiro passo, pretendo dar uma palestra na Biblioteca da Sociedade, na quinta-feira, dia 3 de fevereiro, e, para que não haja motivo para discussões, meu tema não terá nada a ver com literatura. Escolhi um texto amplo: 'O Universo'.

Tendo apresentado os fatos para o senhor, deixo todo o resto às sugestões de seu próprio tato e generosidade. Com muita, muita gratidão,

Seu amigo,
Edgar A. Poe."

Por mais breves e ousadas que sejam estas cartas, cremos que provam suficientemente a existência das mesmíssimas qualidades negadas ao sr. Poe: humildade, perseverança, crença na amizade de outrem e capacidade de uma cordial e grata amizade. Assim ele certamente era, quando estava são. Era assim que invariavelmente se mostrava a nós, em todas as ocasiões que convivemos pessoalmente com ele, ao longo de uma amizade de cinco ou 6 anos. E é muito mais fácil acreditar no que vemos e conhecemos do que naquilo de que apenas ouvimos falar, pelo que nos recordamos dele com admiração e respeito; estas descrições dele, quando estava moralmente insano, nos parecem retratos, pintados durante uma doença, de um homem que só conhecemos quando saudável.

Mas há outra prova, mais tocante e muito mais convincente, de que havia *bondade* em Edgar A. Poe. Para revelá-la, precisamos erguer o véu que cobre respeitosamente a tristeza e o refinamento na pobreza; mas cremos que seremos perdoados, se, com isso, pudermos abrilhantar a memória do poeta, ainda que não houvesse um serviço mais necessário e imediato que pudesse ser prestado ao elo mais próximo, partido por sua morte.

Fomos informados da mudança do sr. Poe para esta cidade por uma visita que recebemos de uma senhora, que apresentou-se para nós como a mãe de sua esposa. Estava procurando emprego para ele, e desculpou-se dizendo que ele estava doente, que sua filha era uma inválida confirmada pelos médicos e que suas circunstâncias eram tais que a forçaram a assumir a tarefa. O semblante daquela senhora, embelezado e santificado por uma dedicação evidentemente completa à privação e ternura combalida, sua voz gentil e triste fazendo sua súplica, seus modos há muito esquecidos, porém habitual e inconscientemente refinados, e sua menção suplicante, porém apreciativa, das capacidades e habilidades de seu genro, demonstraram imediatamente a presença de um daqueles anjos na Terra, que as mulheres podem ser, ao passarem por adversidades. Ela cuidava de um destino muito duro.

O sr. Poe escrevia com dificuldade fastidiosa, e em um estilo muito acima do nível popular para ser bem pago. Estava sempre com problemas pecuniários e, com sua esposa doente, frequentemente não conseguia satisfazer suas necessidades mais básicas. Inverno após inverno, durante anos, a cena mais comovente desta cidade inteira foi aquela incansável ministra da genialidade, vestida com roupas finas e insuficientes, indo de escritório a escritório com um poema, ou um artigo sobre algum assunto literário, para vendê-lo, às vezes simplesmente implorando, com voz rouca, dizendo que "ele estava doente", qualquer que fosse o motivo para ele não ter escrito nada, e nunca, em meio a todas as suas lágrimas e relatos de infelicidade, deixando que escapasse de seus lábios uma única sílaba duvidando dele, ou uma reclamação, ou algo que diminuísse seu orgulho pela genialidade e boas intenções dele. Sua filha faleceu há um ano e meio, mas ela não o abandonou. Continuou a ser seu anjo de anunciação – morando com ele, cuidando dele, protegendo-o dos elementos e, quando ele se deixava levar pela tentação, em meio à tristeza e à solidão de sentimentos não reciprocados, e acordava de seu descuido prostrado pela pobreza e pelo sofrimento, continuava a implorar por ele. Se a devoção de uma mulher, nascida de um primeiro amor e alimentada pelas paixões humanas, santifica seu objeto, como tem permissão para fazer, o que uma devoção como esta, pura, desinteressada e bendita como a vigília de um espírito invisível, diz sobre aquele que a inspirou?

Temos uma carta aqui conosco, escrita por esta senhora, a sra. Clemm, na manhã em que ficou sabendo do falecimento do objeto de seus cuidados incansáveis. É apenas um pedido e que a visitássemos, mas copiaremos algumas de suas palavras – por mais sagrada que seja sua privacidade – para provar a veracidade do cenário que descrevemos acima, e dar força ao apelo que desejamos fazer em nome dela:

"Fui informada, esta manhã, sobre a morte de meu querido Eddie... podem me dar algum detalhe ou circunstância? Oh! Não abandonem sua pobre amiga em meio a esta amarga aflição!... Peçam que o sr. --- venha até aqui, pois preciso entregar uma mensagem a ele, do meu pobre Eddie... Não preciso pedir que reconheçam seu falecimento e que falem bem dele. Sei que o farão. Mas contem como foi um filho carinhoso comigo, sua pobre mãe desolada..."

Para decorar um túmulo com respeito, que escolha há, entre as riquezas e honras do mundo abdicadas, e a história da devoção sem recompensa de uma mulher como esta! Assumindo este risco, com delicadeza, tornando a história pública, somos da opinião – além de outros motivos – de que saber que existem tais cuidados com os errantes e bem-dotados faz do mundo um lugar melhor. Certas pessoas ficarão felizes em saber que a lamparina, cuja luz da poesia brilhava sobre seu reconhecimento longínquo, foi tratada com tanto cuidado e dor, para que possam enviar a ela, cuja vida foi mais escurecida do que as dos outros por sua extinção, alguma demonstração de sua simpatia. Ela está indigente e sozinha. Se alguém, de longe ou de perto, quiser nos enviar algo que possa ajudá-la e alegrá-la pelo restante de sua vida, teremos o prazer de fazer com que chegue até ela.

AS AVENTURAS INIGUALÁVEIS

DE UM TAL HANS PFAALL
Por N.P. Willis

Com base nos últimos relatos de Roterdã, a cidade parece passar por uma grande excitação filosófica. De fato, fenômenos ocorreram por lá, de uma natureza tão completamente inesperada, tão inteiramente inédita, tão absolutamente diferente de opiniões preconcebidas, que não me deixam dúvidas de que não falta muito para que toda a Europa esteja em um rebuliço, a física borbulhando, a razão e a astronomia em um bate-boca.

Parece que no dia --- de --- (não tenho certeza da data), uma enorme multidão, com um objetivo não mencionado especificamente, reuniu-se na praça principal da Bolsa de Valores da comportada cidade de Roterdã. O dia estava quente, incomumente para a estação, e mal havia uma brisa leve, de modo que a multidão não reclamava de se molhar, de vez em quando, com rápidas chuvas bem-vindas, que caíam das grandes massas brancas de nuvens que marcavam, aqui e ali, a abóbada azul do firmamento. Ainda assim, por volta do meio-dia, uma agitação ligeira, porém notável, tornou-se aparente na assembleia: a isso seguiu-se o retinido de 10 mil línguas e, um instante depois, 10 mil cachimbos desceram simultaneamente dos cantos de 10 mil bocas, e um grito, que só pode ser comparado com o estrondo do das cataratas de Niágara, ressoou longa, alta e furiosamente, por todos os arredores de Roterdã.

A origem daquela algazarra logo tornou-se evidente. De trás da enorme massa de um dos grupos de nuvens nitidamente definidos, já mencionados, foi vista emergir lentamente, entrando em uma área aberta de espaço azul, uma substância estranha, heterogênea, porém aparentemente sólida, com um formato tão estranho, tão singularmente montada, que não podia ser compreendida de modo algum, e nunca suficientemente admirada, pela aglomeração de citadinos robustos que estavam de pé, com a boca aberta, abaixo dela. O que poderia ser? Por todas as *vrouws*[1] e demônios de Roterdã, o que poderia agourar? Ninguém sabia, ninguém conseguia imaginar; ninguém, nem mesmo o burgomestre Mynheer Superbus von Underduk fazia a menor ideia de como deslindar o mistério. Assim, como nada mais razoá-

---

[1] N. da T.: Termo holandês (no plural) que significa "mulheres", ou "esposas".

vel podia ser feito, todos os homens recolocaram seu cachimbo cuidadosamente no canto da boca e, erguendo o olho direito na direção do fenômeno, pitaram, pausaram, deram uma voltinha e resmungaram expressivamente; então, voltaram, resmungaram, pausaram e, finalmente, pitaram de novo.

Enquanto isso, contudo, descendo cada vez mais na direção da bela cidade, vinha o objeto de tanta curiosidade, e a causa de tanta fumaça. Dentro de poucos minutos, chegou perto o suficiente para ser discernido com precisão. Parecia ser... sim! Era, sem dúvida, uma espécie de balão; mas decerto nenhum balão como aquele já havia sido avistado em Roterdã. Pois quem, permitam-me perguntar, já ouviu falar em um balão feito inteiramente de jornais sujos? Ninguém na Holanda, com certeza; ainda assim, ali, acima de seu nariz, estava a própria coisa em questão, composta, pelo que me disse uma fonte das mais confiáveis, exatamente pelo mesmo material que ninguém jamais vira ser usado para tal fim.

Era um insulto escandaloso ao senso comum dos cidadãos de Roterdã. Quanto ao formato do fenômeno, era ainda mais repreensível, pois era pouco, ou nada, melhor do que um enorme chapéu de bobo de cabeça para baixo. E essa semelhança não diminuiu nem um pouco quando, a um exame mais próximo, viu-se uma grande borla pendurada em sua ponta e, ao redor da beirada ou base do cone, um círculo de pequenos instrumentos, parecidos com sininhos de ovelhas, que emitia um tinido contínuo, que não fazia o menor sentido. Mas havia coisa pior.

Suspenso por fitas azuis, na ponta daquela máquina fantástica, pendia, no lugar da cesta de um balão, um enorme chapéu de pelo de castor puído, com uma aba superlativamente larga, e um topo hemisférico com uma tira preta e uma fivela prateada. Todavia, é um tanto quanto surpreendente que tantos cidadãos de Roterdã jurem ter visto o mesmo chapéu antes, várias vezes; e, realmente, toda a multidão parecia encará-lo com olhares de familiaridade, e a *vrouw* Grettel Pfaall, ao vê-lo, soltou uma exclamação de surpresa feliz, e declarou ser idêntico ao chapéu de seu marido. Essa circunstância era ainda mais notável porque Pfaall, junto com três companheiros, desaparecera de

Roterdã cerca de cinco anos antes, de um modo muito repentino e inexplicável, e, até a data desta narrativa, todas as tentativas de se descobrir algo sobre eles haviam falhado. Na verdade, alguns ossos, que pareciam ser humanos, misturados com uma quantidade de lixo de aparência estranha, haviam sido descobertos em um local afastado, ao leste de Roterdã, e algumas pessoas chegaram a imaginar que algum assassinato horrendo havia sido cometido ali, e que as vítimas provavelmente eram Hans Pfaall e seus associados. Mas permitam-me retomar a história.

O balão (pois não havia dúvida de que era disso que se tratava) já descera a menos de 30 metros da terra, permitindo que a multidão abaixo enxergasse seu ocupante com clareza suficiente. Este era, na verdade, uma pessoinha curiosa. Não devia ter mais de 60 centímetros de altura; mas aquela altitude, por menor que fosse, seria suficiente para acabar com seu equilíbrio e jogá-lo pela beirada da cestinha, se não fosse a intervenção de uma borda circular que chegava até seu peito, presa nas cordas do balão. O corpo do homenzinho era desproporcionalmente largo, conferindo a toda sua figura uma redondeza altamente absurda. Seus pés, é claro, não podiam ser vistos, apesar de um material córneo, de natureza suspeita, que ocasionalmente saltava por um rasgo no fundo da cesta, ou, para ser mais exato, no topo do chapéu. Suas mãos eram enormes. Seu cabelo, extremamente grisalho, amarrado atrás da cabeça. Seu nariz era assaz longo, torto e avermelhado; seus olhos, grandes, brilhantes e perspicazes; seu queixo e suas bochechas, apesar de enrugados pela idade, eram largos, inchados e duplos; mas não havia sinal de orelhas de nenhum tipo, em qualquer parte de sua cabeça.

Aquele estranho e pequeno cavalheiro vestia um sobretudo largo de cetim azul-céu, com calções apertados combinando, presos por fivelas prateadas na altura dos joelhos. Seu colete era de algum material amarelo-vívido; uma boina branca estava posta charmosamente de um lado de sua cabeça; e, para completar sua indumentária, um lenço de seda vermelho-sangue circundava seu pescoço e caía, de forma delicada, sobre seu peito, em um fantástico nó de dimensões supereminentes.

Tendo descido, como disse antes, a cerca de 30 metros da superfície da terra, o cavalheiro velhinho foi tomado, de repente, por um arroubo de nervosismo, e pareceu relutante em se aproximar da terra firme. Assim, jogando para fora do balão um pouco de terra de uma sacola de lona, que ergueu com muita dificuldade, parou em um instante. Então, com pressa e agitação, tirou de um bolso lateral de seu sobretudo um grande caderno de couro.

Segurou-o desconfiadamente e examinou-o com um ar de surpresa extrema, e estava claramente atônito com seu peso. Finalmente, abriu-o e, tirando de lá de dentro uma enorme carta, selada com cera vermelha e amarrada cuidadosamente com uma fita, também vermelha, deixou que caísse exatamente aos pés do burgomestre, Superbus von Underduk. Sua Excelência abaixou-se para pegá-la, mas o aeronauta, ainda muito descomposto, e parecendo não ter outros assuntos que o detivessem em Roterdã, começou, naquele momento, a cuidar dos preparativos para sua partida; e, precisando descarregar uma parte de seu lastro para poder ascender novamente, 6 sacos que jogou para fora, um após o outro, sem se preocupar em esvaziá-los, caíram todos, muito desafortunadamente, nas costas do burgomestre, e o fizeram rolar nada mais, nada menos do que 21 vezes, na frente de todas as pessoas de Roterdã. Não é de se supor, contudo, que o grande Underduk deixou que essa impertinência, de parte do velhinho, passasse impune. Diz-se, pelo contrário, que, durante cada uma de suas 21 circunvoluções, soltou 21 baforadas furiosas de seu cachimbo, que segurou com força o tempo todo, e ao qual pretende se agarrar até o dia de sua morte.

Enquanto isso, o balão subiu como um pássaro e, voando ao longe, acima da cidade, finalmente flutuou em silêncio para trás de uma nuvem, semelhante àquela da qual tinha emergido com tanta estranheza, escondido para sempre dos olhos dos bons cidadãos de Roterdã. Toda a atenção foi, então, desviada para a carta, cuja descida e suas consequências haviam demonstrado ser tão fatalmente subversivas para a pessoa e para a dignidade pessoal de Sua Excelência, o ilustre burgomestre Mynheer Superbus von Underduk. Essa funcionalidade, contudo, não deixara, durante seus movimentos giratórios, de pensar no importante assunto de agarrar-se ao objeto em questão, que descobriu-se, ao examiná-lo, ter caído nas mais adequadas mãos, pois estava endereçado a ele mesmo e ao professor Rub-a-dub,[2] em suas capacidades oficiais de presidente e vice-presidente da Faculdade de Astronomia de Roterdã. A carta foi, assim, aberta por tais dignitários ali mesmo, e descobriu-se que continha as seguintes extraordinárias, e também muito sérias, comunicações:

"A Vossas Excelências Von Underduk e Rub-a-dub, presidente e vice-presidente da Faculdade Estadual de Astrônomos, na cidade de Roterdã.

Vossas Excelências talvez se recordem de um humilde artesão, de nome Hans Pfaall, cuja ocupação era consertar foles e que, junto com outras três pessoas, desapareceu de Roterdã há cerca de cinco anos, de um modo que deve ter sido considerado, por todos, ao mesmo tempo repentino e extremamente inexplicável. Se Vossas Excelências me permitirem dizer, eu, o escritor desta comunicação, sou o próprio Hans Pfaall. É sabido pela maioria de meus conterrâneos que, por 40 anos, ocupei a pequena edificação quadrada de tijolos, na entrada do beco chamado Sauerkraut, onde residia no momento de meu desaparecimento.

Meus antepassados também residiram ali, desde tempos imemoriais; tendo seguido, assim como eu, a respeitável, e também lucrativa, profissão de remendar foles. Pois, para falar a verdade, até alguns anos atrás, quando a mente de todos foi tomada por assuntos de política, nenhum cidadão honesto de Roterdã poderia ter desejado ou merecido um negócio melhor do que o meu. O crédito era bom, nunca faltava emprego, e não havia escassez de dinheiro ou boa vontade nas mãos de ninguém. Porém, como dizia, logo começamos a sentir os efeitos da liberdade, de longos discursos, do radicalismo, e de todo esse tipo de coisa. Pessoas que costumavam ser as melhores clientes do mundo já não tinham mais um momento para pen-

---

2 N. da T.: Referência a uma cantiga infantil, que imita o som de tambores.

sar em nós. Estavam ocupadas, diziam, lendo tudo sobre as revoluções e mantendo-se informadas sobre a marcha do intelecto e do espírito de nossa época. Se um fogo precisasse ser abanado, poderia ser feito prontamente com um jornal, e, conforme o governo se enfraquecia, não tenho dúvida de que o couro e o ferro ganharam durabilidade proporcional, pois, dentro de um espaço muito curto de tempo, não havia um único fole, em toda Roterdã, que precisou de remendo ou do auxílio de um martelo.

Esse estado das coisas não podia ser suportado. Logo fiquei pobre como um vira-lata e, tendo mulher e filhos para sustentar, meu fardo acabou tornando-se intolerável, e passava horas refletindo sobre o modo mais conveniente de dar um fim à minha vida. Enquanto isso, os cobradores me deixavam muito pouco tempo para contemplação. Minha casa era sitiada, literalmente, de manhã até a noite, de modo que comecei a delirar, espumar e me enraivecer como um tigre enjaulado, contra as barras de sua gaiola. Três sujeitos em particular me irritavam até a beira da loucura, de vigília contínua à minha porta, ameaçando-me com a lei. Jurei para mim mesmo que me vingaria duramente daqueles três, se tivesse a sorte de tê-los sob meu poder; e acredito que foi apenas o prazer dessa perspectiva que impediu-me de executar imediatamente meu plano de suicídio, explodindo os miolos com um bacamarte. Achei melhor, contudo, ocultar meu ódio e tratá-los com promessas e belas palavras, até que uma virada do destino me desse a oportunidade de vingança.

Um dia, após sair escondido de meus credores, e sentindo-me mais infeliz do que de costume, passei muito tempo vagando pelas ruas mais obscuras, sem nenhum destino, até que trombei com o canto da barraquinha de um livreiro. Vendo uma cadeira por perto, para uso pelos clientes, joguei-me sobre ela com vontade e, mal sabendo por que, abri as páginas do primeiro volume ao meu alcance. Provou ser um pequeno tratado, em forma de panfleto, sobre astronomia especulativa, escrito pelo professor Encke, de Berlim, ou por um francês de nome um pouco semelhante. Eu tinha umas poucas informações sobre matérias daquela natureza, e logo estava cada vez mais absorto pelo conteúdo do livro, lendo-o até o fim, duas vezes, antes de reparar no que se passava ao meu redor.

Àquela altura, já começava a escurecer, de modo que dirigi meus passos para casa. Mas o tratado deixara uma impressão indelével sobre minha mente e, conforme deambulava pelas ruas crepusculares, repassei cuidadosamente, em minha memória, os raciocínios surpreendentes e, às vezes, ininteligíveis, do escritor. Certos trechos específicos afetaram minha imaginação de forma poderosa e extraordinária. Quanto mais refletia sobre eles, mais se intensificava o interesse que havia sido despertado dentro de mim.

A natureza limitada de minha educação em geral, especialmente minha ignorância sobre assuntos relativos à filosofia natural, ao contrário de me deixarem hesitante sobre minha própria capacidade de compreender o que lera, ou de levar-me a desconfiar das muitas noções vagas que haviam surgido como consequência, apenas serviram como um estímulo adicional à minha imaginação; e fui vaidoso o suficiente, ou talvez razoável o suficiente, para cogitar que tais ideias iniciais, surgindo em mentes desreguladas, têm toda a aparência, mas podem nem sempre possuir, de verdade, toda a força, a realidade e outras propriedades inerentes de instinto e intuição; e que, dando um passo além, a própria profundidade pode não ser, em questões de uma natureza puramente especulativa, detectada como uma fonte legítima de falsidade e erro. Em outras palavras, acreditei, e ainda acredito, que a verdade frequentemente é sua própria essência, superficial, e que, em muitos casos, a profundidade jaz mais nos abismos onde a buscamos do que nas situações efetivas onde pode ser encontrada. A própria natureza parecia corroborar minhas ideias.

Na contemplação dos corpos celestes, ocorreu-me repentinamente que não conseguia distinguir uma estrela com tanta precisão, quando a olhava com atenção total, direta e fixa, quanto permitia apenas que meu olhar se dirigisse às suas cercanias. Não estava, é claro, naquela época, ciente de que aquele paradoxo aparente era causado pelo fato de o centro da área visual ser menos suscetível a impressões leves de luz do que as partes exteriores da retina. Esse conhecimento, e um pouco de outro tipo, veio depois, ao longo de cinco anos muito agitados, durante os quais despi-me dos preconceitos de minha antiga situação de vida humilde, e perdi o cerzidor de foles em meio a ocupações muito diferentes. Porém, na época à qual me refiro, a analogia que a observação casual de uma estrela estabeleceu com as conclusões às quais já chegara abateu-se sobre mim com a força de uma conformação positiva, e acabei finalmente decidindo a trajetória que percorri posteriormente.

Cheguei em casa tarde, e fui imediatamente para a cama. Minha mente, contudo, estava ocupada demais para dormir, e passei a noite absorto por reflexões. Levantando-me cedo na manhã seguinte, e conseguindo escapar novamente da vigilância de meus credores, fui ansiosamente até a banquinha do livreiro, e usei o pouco de dinheiro vivo que possuía para comprar alguns volumes sobre mecânica e astronomia prática. Após chegar em casa em segurança, com os livros em mãos, dediquei todos os momentos livres à leitura dos mesmos, e logo adquiri uma proficiência nos estudos daquela natureza que considerei suficiente para a execução de meu plano. Nos intervalos daquele período, fiz todos os esforços para conciliar os credores que haviam me irritado tanto. Finalmente consegui: em parte vendendo móveis suficientes para satisfazer uma parte de suas reivindicações, e em parte com a promessa de pagar o saldo mediante a conclusão de um pequeno projeto que disse a eles ter em mente, e para o qual pedi seu auxílio. Por esses meios – pois eram homens ignorantes –, encontrei pouca dificuldade em conquistá-los para meus propósitos.

Com o assunto dessa forma resolvido, consegui, com ajuda de minha esposa e no maior sigilo e cuidado, alienar a propriedade que ainda me restava e emprestar, em pequenas quantidades, sob vários pretextos e sem preocupar-me com os meios de amortização futura, uma quantidade considerável de dinheiro vivo. Tendo acumulado tais fundos, comprei, periodicamente, tecido de musselina e cambraia, bem fino, em peças de 11 metros cada um; barbante; uma grande quantidade de verniz de borracha; uma cesta grande e profunda de vime, feita sob encomenda; e muitos outros artigos necessários para construir e equipar um balão de dimensões extraordinárias. Instruí minha esposa a montá-lo assim que possível, e dei a ela todas as informações necessárias sobre como proceder.

Enquanto isso, transformei o vime em uma rede de dimensões suficientes, prendendo-a em um aro e nas cordas necessárias; comprei um quadrante, uma bússola, uma luneta, um barômetro comum, com algumas modificações importantes, e dois instrumentos astronômicos não tão conhecidos. Então, aproveitei oportunidades de transportar durante a noite, para um local afastado, ao leste de Roterdã, cinco barris envoltos em ferro, contendo cerca de cinco galões cada um, e um de tamanho maior; 6 tubos de latão, com 7 centímetros de diâmetro, em formato adequado, e 3 metros de comprimento; uma quantidade de uma substância metálica específica, ou semimetal, que não nomearei, e uma dúzia de garrafões de um ácido muito comum. O gás que seria formado por aqueles materiais é um que nunca foi gerado por alguém que não eu – ou, pelo menos, nunca foi usado para algum propósito semelhante. Não teria problema em divulgar o segredo, mas os direitos sobre ele pertencem a um cidadão de Nantz, na França, que compartilhou-o comigo sob certas condições.

O mesmo indivíduo enviou-me, sem ter ideia de minhas intenções, um método de construir balões com a membrana de um certo animal, por meio da qual qualquer escape de gás é quase impossível. Entretanto, achei-o caro demais, e não tinha certeza se a musselina, com uma camada de borracha, não funcionaria igualmente bem. Menciono essa circunstância porque acho provável que, no futuro, o indivíduo em questão poderá tentar uma ascensão de balão com o novo gás e com os materiais dos quais falei, e não quero privá-lo da honra de uma invenção bastante singular.

No lugar que eu pretendia que cada um dos barris menores ocupasse, respectivamente, durante a inflação do balão, cavei, às escondidas, um buraco de 60 centímetros de profundidade, com os buracos formando, assim, um círculo de 7 metros de diâmetro. No centro do círculo, que era o local designado para o barril maior, também cavei um buraco com 90 centímetros de profundidade. Em cada um dos cinco buracos menores, depositei uma lata contendo 20 quilos, e no maior uma barrica contendo 60 quilos de pólvora. Estas, as latas e a barrica, conectei adequadamente, com trilhos cobertos; e, tendo colocado em uma das latas a extremidade de um pavio de cerca de 1 metro, cobri o buraco e coloquei o barril sobre ele, deixando cerca de 2 centímetros da outra extremidade do pavio para fora, quase invisível em cima do barril. Então, enchi os buracos restantes e coloquei os barris sobre eles, em seus lugares pretendidos.

Além dos materiais listados acima, levei até o local, e lá escondi uma das melhorias de M. Grimm ao equipamento de condensação do ar atmosférico. Descobri que esta máquina, contudo, requer alterações consideráveis antes de poder ser adaptada aos fins para os quais pretendia usá-la. Porém, com muito trabalho e perseverança incessante, finalmente obtive sucesso com todos os meus preparativos. Meu balão logo estava concluído. Conteria mais de 1.000 metros cúbicos de gás; me faria subir facilmente, calculara, com todos os meus implementos, e, se o dirigisse direito, com 60 quilos de lastro incluídos. Recebera três camadas de verniz, e descobri que a musselina igualava-se à seda sob todos os aspectos, tão forte quanto esta última e muito menos cara.

Com tudo pronto, extraí de minha esposa uma promessa de sigilo em relação a todos os meus atos, desde o dia de minha primeira visita à banca do livreiro; e, prometendo, de minha parte, voltar assim que as circunstâncias permitissem, dei a ela o pouco de dinheiro que me sobrara e despedi-me. Não tinha qualquer medo em relação a ela. É o que chamam de mulher notável, e conseguiria cuidar dos assuntos mundanos sem minha assistência. Acredito, na verdade, que sempre considerou-me um garoto ocioso, um mero fardo, sem serventia para nada além de devanear, e que tenha ficado bastante satisfeita de livrar-se de mim. A noite estava escura quando despedi-me dela, e, levando comigo, como assistentes, os três credores que haviam me dado tanto trabalho, carregamos o balão, com a cesta e os apetrechos, por um desvio, até a estação onde os outros materiais estavam depositados. Lá os encontramos todos intactos, e pus-me a trabalhar imediatamente.

Era 1º de abril. A noite, como já disse, estava escura; não havia uma única estrela a ser vista, e uma garoa caindo intermitentemente nos deixava bastante desconfortáveis. Mas minha principal ansiedade dizia respeito ao balão, que, apesar do verniz que o protegia, começou a ficar pesado com a umidade; a pólvora também estava sujeita a danos. Portanto, mantive meus três cobradores trabalhando com muita diligência, enfiando gelo ao redor do barril central e mexendo o ácido nos outros. Não paravam, contudo, de importunar-me com perguntas sobre o que eu pretendia fazer com todos aqueles equipamentos, e expressavam muita insatisfação com o terrível trabalho que eu os estava forçando a fazer. Diziam que não entendiam para que serviria se encharcarem apenas para participar daqueles horríveis encantamentos.

Comecei a ficar inquieto, e trabalhei com todas as minhas forças, pois acredito seriamente que aqueles idiotas achavam que eu havia feito algum pacto com o demônio, e que, em resumo, eu não estava fazendo nada de bom. Entretanto, consegui apaziguá-los com promessas de pagamento integral de todas as minhas dívidas, assim que conseguisse terminar aquele assunto. É claro que interpretaram meus discursos de seu próprio jeito, imaginando, sem dúvida, que eu obteria, de qualquer forma, vastas quantidades de dinheiro vivo. E, contanto que eu pagasse tudo o que devia, e um pouco mais, em contraprestação a seus serviços, ouso dizer que não se importavam nem um pouco com o destino de minha alma ou de minha carcaça.

Em cerca de quatro horas e meia, considerei o balão suficientemente inflado. Assim, prendi a cesta e coloquei todos os meus implementos dentro dela, sem esquecer do aparato condensador, um vasto suprimento de água e uma grande quantidade de provisões, como *pemmican*[3], que contém muitos nutrientes, em uma massa comparativamente pequena. Também coloquei

---

3 N. da T.: Bolinho de carne com altas concentrações de proteína e gordura.

na cesta dois pombos e uma gata. Àquela altura, o sol já estava quase raiando, e achei que já era hora de partir. Jogando um charuto aceso no chão, como que por acidente, aproveitei a oportunidade, ao abaixar para pegá-lo, de acender, às escondidas, o pavio, cuja extremidade, como já disse, estava muito pouco para fora da borda de um dos barris menores. Aquela manobra passou completamente despercebida pelos três cobradores; e, pulando para dentro da cesta, cortei imediatamente a única corda que prendia-me à terra, e fiquei feliz em ver que disparei para cima, carregando com facilidade 60 quilos de lastro, e com capacidade de ter levado o dobro.

Contudo, eu mal chegara a 45 metros de altura quando, rugindo e rugindo atrás de mim, da maneira mais horrível e tumultuada, subiu um furacão de fogo, fumaça e enxofre tão denso, junto com pernas, braços, cascalho, madeira em chamas e metal ardente, que meu coração congelou dentro de mim, e caí no fundo da cesta, tremendo com um terror incontrolável. Na verdade, acabara de perceber que exagerara em muito, e que as principais consequências daquele choque ainda estavam por vir. Assim, em menos de um segundo, senti todo o sangue do meu corpo correr para minhas têmporas e, imediatamente, uma concussão que jamais esquecerei estrondou pela noite e pareceu rasgar o próprio firmamento. Depois, quando tive tempo de refletir, não deixei de atribuir a violência extrema da explosão, como eu a encarava, à sua devida causa: minha localização logo acima dela, e na linha de sua maior força. Mas, naquele momento, só pensei em preservar minha vida.

O balão, de início, desmoronou, e depois expandiu-se furiosamente, girando e girando com uma velocidade horrível, e finalmente, vacilando e cambaleando como um bêbado, jogou-me com força contra a beirada da cesta, deixando-me pendurado, a uma altura apavorante, de cabeça para baixo e com o rosto voltado para fora, por um pedaço de corda fina, de cerca de 1 metro de comprimento, que estava acidentalmente pendurado por um buraco perto do fundo do vime, e no qual, conforme caía, meu pé esquerdo enroscou-se providencialmente. É impossível, absolutamente impossível, fazer uma ideia adequada do horror de minha situação. Ofegava compulsivamente, com um estremecimento que parecia um ataque de alguma doença, que agitava cada músculo do meu corpo, sentia meus olhos saltando das órbitas, fui tomado por uma náusea horrível e, finalmente, desmaiei.

É impossível dizer quanto tempo fiquei naquele estado. Contudo, deve ter sido um período considerável, pois, quando recobrei parcialmente os sentidos, vi que o dia raiava, o balão passava a uma altura prodigiosa sobre um oceano revolto, e não havia sinal de terra firme, por todos os cantos, dentro dos limites do vasto horizonte. Minhas sensações, contudo, após recuperar-me, não estavam nem um pouco tão cheias de agonia quanto seria de se esperar. Na verdade, havia muita loucura incipiente na inspeção calma que comecei a fazer de minha situação.

Levei cada uma de minhas mãos aos olhos, uma após a outra, e imaginei o que poderia ter causado o inchaço das veias e o horrível negrume das unhas. Depois, examinei com cuidado minha cabeça, sacudindo-a repetidamente e apalpando-a com muita atenção, até convencer-me de que não estava, como suspeitava, maior do que meu balão. Então, de forma astuta, tateei nos bolsos das calças e, percebendo que faltavam uma cartela de comprimidos e uma caixinha de palitos de dente, tentei entender seu desaparecimento e, não conseguindo fazê-lo, senti-me inexplicavelmente triste. Percebi, então, que sentia um grande desconforto no tornozelo esquerdo, e comecei a tomar um pouco de consciência de minha situação. Mas estranho dizer! Não fiquei nem atônito, nem tomado pelo terror. Se é que sentia alguma emoção, era um tipo de satisfação divertida com a esperteza que estava prestes a demonstrar, escapando daquele dilema; e nunca, nem por um momento, considerei minha eventual segurança uma questão suscetível de dúvidas. Por alguns minutos, fiquei mergulhado na mais profunda reflexão.

Tenho uma lembrança clara de apertar frequentemente os lábios, levar o indicador à lateral do nariz e fazer outros gestos e caretas comuns dos homens que, confortáveis em sua poltrona, meditam sobre questões intricadas ou importantes. Tendo, como pensei, organizado suficientemente minhas ideias, levei as mãos às costas, com grande cuidado e deliberação, e soltei a grande fivela de ferro que fazia parte da cintura de minhas roupas íntimas. A fivela tinha três dentes, que, estando um pouco enferrujados, giravam com muita dificuldade sobre seu eixo. Contudo, consegui, depois de um certo esforço, colocá-los em ângulos retos em relação ao corpo da fivela, e fiquei feliz em ver que permaneciam firmes naquela posição. Segurando o instrumento dessa forma obtido com os dentes, comecei a desamarrar o nó de meu lenço. Tive que descansar várias vezes antes de alcançar tal manobra, mas acabei conseguindo. Depois, atei uma ponta do lenço na fivela, e a outra amarrei, para maior segurança, apertada em meu pulso. E então, puxando meu próprio corpo para cima, com um esforço prodigioso de força muscular, consegui, logo na primeira tentativa, jogar a fivela para dentro da cesta e prendê-la, como previra, na beirada circular do vime.

Meu corpo estava, agora, inclinado na direção da lateral da cesta, a um ângulo de cerca de 45 graus; mas é preciso compreender que eu estava, portanto, apenas 45 graus abaixo da perpendicular. Àquela distância, ainda estava nivelado com o horizonte, pois a mudança de posição que conseguira havia forçado a parte inferior da cesta muito para longe de mim, que era, deste modo, de um perigo iminente e mortal. Deve-se lembrar, contudo, que quando caí da cesta, em primeiro lugar, se houvesse caído com o rosto voltado para o balão, em vez de para fora, como acontecera – ou se, em segundo lugar, a corda que me suspendia houvesse estado pendurada sobre a beirada superior, em vez de através de um buraco perto do fundo da cesta –, pode-se imaginar facilmente que, em qualquer uma dessas suposições, eu não teria conseguido nem mesmo o que acabara de conseguir, e as maravilhosas aventuras de Hans Pfaall teriam sido completamente perdidas para a posteridade.

Portanto, tinha todos os motivos para ser grato; apesar de que, na verdade, eu ainda estava estupefato demais para fazer qualquer coisa, e me dependurei ali por, talvez, 15 minutos, daquela maneira extraordinária, sem fazer nenhum outro esforço, em um estado singularmente tranquilo de deleite idiota. Porém, aquela sensação não demorou a passar, e foi substituída pelo horror, pelo desalento e por uma sensação aterrorizante de absoluto desamparo e ruína. Na verdade, o sangue que se acumulou, por tanto tempo, nas veias de minha cabeça e garganta, e que, até então, elevara meu ânimo com loucura e delírio, começara a voltar para seus canais adequados, e a nitidez que isso acrescentava à minha percepção do perigo serviu apenas para privar-me do autocontrole e da coragem para fazer algo. Mas essa fraqueza, para minha sorte, não durou muito tempo. O espírito do desespero logo veio ao meu auxílio e, com gritos e esforços frenéticos, sacudi meu corpo para cima, até que, finalmente, agarrando a desejada borda com força, contorci-me por cima dela e caí de cabeça, tremendo, dentro da cesta.

Levou ainda algum tempo para recuperar-me o suficiente para que pudesse dar ao balão os cuidados básicos. Contudo, examinei-o depois com atenção, e descobri que estava incólume, para meu grande alívio. Todos os meus implementos estavam seguros e, felizmente, não perdera nem lastro nem provisões. Na verdade, eu os havia prendido tão bem em seus devidos lugares, que tal acidente estava fora de questão. Olhando para meu relógio, vi que eram 6 horas. Continuava subindo com rapidez, e meu barômetro mostrava uma altitude de 6 quilômetros. Imediatamente abaixo de mim, no oceano, havia um pequeno objeto preto, com formato ligeiramente oblongo, parecendo ter o mesmo tamanho e bastante semelhante a um daqueles brinquedos infantis que chamam de dominó. Apontando meu telescópio para ele, discerni claramente um navio britânico, com 94 armas, com as velas dobradas e balançando muito no mar, na direção oeste-sul-oeste. Além daquele navio, não vi nada, a não ser o oceano, o céu e o sol, que já nascera há tempos.

Já está mais do que na hora de explicar a Vossas Excelências o objetivo de minha perigosa viagem. Vossas Excelências devem se lembrar de que circunstâncias difíceis em Roterdã haviam acabado por me compelir à decisão de cometer suicídio. Entretanto, eu não nutria nenhuma repulsa à vida em si, apenas havia sido pressionado pelas misérias incidentais de minha situação, a ponto de não suportar mais. Naquele estado de espírito, desejando viver, porém desgostoso com a vida, o tratado na banquinha do livreiro abriu um recurso à minha imaginação. Então, finalmente tomara uma decisão. Decidira partir, porém viver – deixar o mundo, mas continuar existindo –, em resumo, para acabar com o suspense, eu decidira, o que quer que acontecesse, forçar uma passagem, se conseguisse, até a Lua. Mas vejam, para que não imaginem que eu seja mais louco do que na verdade sou, detalharei, da melhor forma que conseguir, as considerações que me levaram a acreditar que uma conquista daquela natureza, ainda que indubitavelmente difícil e incontestavelmente perigosa, não estava, de forma alguma, para um espírito ousado, além dos limites do possível.

A distância efetiva entre a Lua e a Terra foi a primeira coisa da qual tratei. O intervalo médio entre os centros dos dois planetas é 59,9643 vezes o raio equatorial da Terra, ou apenas cerca de 380 mil quilômetros. Digo o intervalo médio, mas deve-se manter em mente que, visto que a forma da órbita da Lua é uma elipse de excentricidade totalizando nada menos do que 0,05484 do maior semieixo da própria elipse, com o centro da Terra em seu foco, se eu conseguisse, de qualquer maneira, encontrar a Lua, por assim dizer, em seu perigeu, a distância acima mencionada diminuiria consideravelmente. Mas, para não dizer nada, neste momento, sobre essa possibilidade, era certo que, em todos os casos, dos 380 mil quilômetros, eu teria que deduzir o raio da Terra, digamos, 6.500, e o raio da Lua, digamos, 1.800, no total, 8.300, deixando um intervalo efetivo a ser percorrido, sob circunstâncias médias, de 373.239 quilômetros. Isso, refleti, não era uma distância muito extraordinária. Viaja-se constantemente por terra a uma velocidade de 50 quilômetros por hora, e, na verdade, uma velocidade muito maior pode ser prevista. Porém, mesmo a tal ritmo, não levaria mais do que 322 dias para chegar à superfície da Lua. Havia, contudo, muitos detalhes que me levavam a crer que minha velocidade média de viagem poderia superar, em muito, 50 quilômetros por hora, e, visto que estas considerações não deixaram de causar uma profunda impressão sobre minha mente, tratarei delas com mais detalhes abaixo.

O próximo ponto a ser considerado era muito mais importante. Com base nas indicações do barômetro, descobri que, em subidas a partir da superfície da Terra, deixa-se para trás, à altura de 300 metros, cerca da trigésima parte de toda a massa do ar atmosférico; a 3.200, subimos cerca de um terço; e a 5.500, não muito acima da elevação do Cotopaxi, percorremos metade do material, ou, em todo caso, metade da massa ponderável de ar que cobre nosso globo. Também calcula-se que, a uma altitude que não ultrapassa a centésima parte do diâmetro da Terra – quer dizer, não maior do que 130 quilômetros –, a rarefação seria tão excessiva que a vida animal não poderia, de forma alguma, sobreviver; ademais, os meios mais delicados que temos de averiguar a presença da atmosfera seriam inadequados para nos certificar de sua existência. Mas não deixei de perceber que estes últimos cálculos baseiam-se totalmente em nosso conhecimento experimental sobre as propriedades do ar e das leis mecânicas que regulamentam sua dilatação e compressão, no que pode ser chamado, comparativamente falando, de circunvizinhança imediata da própria Terra; e, ao mesmo tempo, é considerado absolutamente verdadeiro que a vida animal deve ser essencialmente incapaz de modificação, a qualquer distância inatingível da superfície. Assim, todo esse raciocínio, com base nestes dados, deve, é claro, ser simplesmente analógico. A maior altura já alcançada por um ser humano foi de 7.600 metros, atingida na expedição aeronáutica dos srs. Gay-Lussac e Biot. É uma altitude moderada, mesmo quando comparada com os 130 quilômetros em questão; e não pude deixar de pensar que o assunto permitia dúvidas e uma maior latitude para especulação.

Mas, na verdade, após subir a qualquer altitude, a quantidade ponderável de ar transposta em qualquer ascensão adicional não é, de forma alguma, proporcional à altura adicional percorrida (como pode-se ver claramente com base no que foi declarado acima), mas uma proporção que diminui continuamente. É, portanto, evidente que, por mais alto que possamos subir, não conseguimos, literalmente, chegar a um limite, além do qual nenhuma atmosfera é encontrada. Deve existir, argumentei; apesar de poder existir em um estado de rarefação infinita.

Por outro lado, estava ciente de que não faltavam argumentos para provar a existência de um limite real e definitivo da atmosfera, além do qual não há nenhum ar. Contudo, uma circunstância ignorada por aqueles que defendem tal limite pareceu-me, apesar de não ser nenhuma refutação concreta de tal crença, um ponto digno de uma investigação bastante séria. Ao comparar os intervalos entre as chegadas sucessivas do cometa de Encke a seu periélio, após contabilizar, da forma mais exata possível, todas as perturbações devidas às atrações dos planetas, parece que os períodos estão diminuindo gradualmente; quer dizer, o eixo principal da elipse do cometa está ficando menor, em uma diminuição lenta, porém perfeitamente regular.

É exatamente assim que deveria ser, se supusermos uma resistência ao cometa de um meio etéreo extremamente raro, que permeie as regiões de sua órbita. Pois é evidente que tal meio deve, ao retardar a velocidade do cometa, aumentar sua força centrípeta, enfraquecendo a centrífuga. Em outras palavras, a atração do Sol adquiriria mais força constantemente, e o cometa seria atraído mais para perto a cada revolução. Na verdade, não há outro meio de explicar a variação em questão. Por outro lado, o verdadeiro diâmetro da nebulosidade daquele cometa parece contrair-se rapidamente conforme se aproxima do Sol, e dilatar com igual rapidez ao partir na direção de seu afélio. Não é justificada minha suposição, concordando com M. Valz, de que aquela aparente condensação de volume origina-se na compressão do mesmo meio etéreo do qual falei, antes, e que só é mais denso em proporção à sua circunvizinhança solar? O fenômeno, de formato lenticular, também chamado de luz zodiacal, era um assunto digno de atenção.

Aquele brilho, tão aparente nos trópicos, e que não pode ser confundido com qualquer fulgor meteórico, estende-se do horizonte, obliquamente, para cima, e segue geralmente a direção do Equador. Parecia-me ser evidentemente a natureza de uma atmosfera rara, dirigindo-se para o lado oposto ao do Sol, para além da órbita de Vênus, pelo menos, e acredito que para muito mais longe. (*2) Na verdade, não podia supor que aquele meio estivesse confinado à trajetória da elipse do cometa ou à vizinhança imediata do Sol. Pelo contrário, era fácil imaginar que permeava todas as regiões de nosso sistema planetário, condensado no que chamamos de atmosfera, nos próprios planetas, e, talvez, em alguns deles, modificado por considerações, por assim dizer, puramente geológicas.

Tendo adotado essa opinião sobre o assunto, não hesitei muito mais. Presumindo que, em minha passagem, encontraria uma atmosfera essencialmente igual à da superfície da Terra, imaginei que, com o engenhoso aparato de M. Grimm, conseguiria facilmente condensá-la em uma quantidade suficiente para poder respirar. Isso removeria o principal obstáculo em uma jornada até a Lua. Gastara, realmente, um pouco de dinheiro e muito esforço adaptando o aparato para o objetivo pretendido, e previa, com confiança, seu uso bem-sucedido, se conseguisse concluir a viagem dentro de um tempo razoável. Isso me faz voltar ao assunto da velocidade à qual seria possível viajar.

É verdade que os balões, no primeiro estágio de sua ascensão a partir da Terra, sobem em uma velocidade comparativamente moderada. O poder de elevação é inteiramente devido à maior leveza do gás dentro do balão, em comparação com o ar atmosférico; e, à primeira vista, não parece provável que, conforme o balão adquire altitude, e, consequentemente, chega sucessivamente a estratos atmosféricos de densidades que diminuem rapidamente – digo, não parece nem um pouco razoável que, nesse progresso ascendente, a velocidade original aumentaria. Por outro lado, eu não estava ciente de que, em nenhuma subida registrada, uma diminuição da taxa absoluta de ascensão houvesse ficado aparente; apesar de dever ser este o caso, no mínimo devido ao escape do gás através de balões mal construídos, e cobertos apenas com verniz normal. Parecia, portanto, que o efeito de tal escape era só suficiente para contrabalançar os efeitos de alguma força aceleradora.

Considerei, então, que, contanto que encontrasse, em minha passagem, o meio que imaginava, e que ficasse provado que era, efetiva e essencialmente, o que chamamos de ar atmosférico, o estado extremo de rarefação que eu descobrisse poderia fazer uma diferença comparativamente pequena – quer dizer, em relação ao meu poder de ascensão –, pois o gás no balão não somente estaria sujeito a uma rarefação parcialmente semelhante (proporcionalmente à ocorrência da qual eu poderia tolerar um escape de uma quantidade suficiente para impedir uma explosão), como também, sendo o que era, continuaria sendo, em todos os casos, especificamente mais leve do que qualquer composto de mero nitrogênio e oxigênio. Enquanto isso, a força gravitacional diminuiria constantemente, proporcionalmente ao quadrado da distância, e, assim, com uma velocidade aumentando prodigiosamente, eu acabaria chegando às regiões distantes onde a força da atração da Terra seria suplantada pela da Lua. De acordo com estas ideias, não achei que valeria a pena sobrecarregar-me com mais provisões do que seria suficiente para um período de quarenta dias.

Ainda havia, contudo, outra dificuldade, que causou-me um pouco de inquietude. Foi observado que, em ascensão de balão a qualquer altura considerável, além da respiração dolorosa, sente-se um grande desconforto na cabeça e no corpo, frequentemente acompanhado por sangramento do nariz, e outros sintomas alarmantes, que ficam cada vez mais inconvenientes, proporcionalmente à altitude atingida. (*3) Era um efeito um tanto quanto surpreendente. Não seria provável que esses sintomas aumentassem indefinidamente, ou, pelo menos, até que a morte colocasse um fim neles? Acabei decidindo que não. Sua origem deveria ser a remoção progressiva da pressão atmosférica costumeira sobre a superfície do corpo, e a consequente distensão dos vasos sanguíneos superficiais, e não alguma desorganização positiva do sistema animal, como é o caso de dificuldades respiratórias, quando a densidade atmosférica é quimicamente insuficiente para a adequada renovação do sangue em um ventrículo do coração.

A não ser pela falta de tal renovação, não consegui discernir qualquer motivo pelo qual a vida não poderia ser sustentada, mesmo em um vácuo, pois a expansão e a compressão do peito, comumente chamadas de respiração, são atos puramente musculares, e são a causa, e não o efeito, da respiração. Em resumo, imaginei que, conforme o corpo se habituasse à falta de pressão atmosférica, as sensações de dor gradualmente diminuiriam; e, para aguentá-las enquanto durassem, contava confiantemente com a força férrea de minha constituição.

Assim, se Vossas Excelências me permitem, detalhei algumas, ainda que nem de longe todas, as considerações que me levaram a planejar a viagem lunar. Agora exporei o resultado de uma tentativa aparentemente tão audaciosa em sua concepção, e, em todo o caso, tão completamente inigualável nos anais da humanidade.

Tendo alcançado a altitude acima mencionada, quer dizer, 5,5 quilômetros, joguei para fora da cesta uma quantidade de penas, e descobri que ainda subia com suficiente rapidez; não havia, portanto, qualquer necessidade de descarregar uma parte do lastro. Fiquei contente com isso, pois desejava reter comigo tanto peso quanto conseguisse carregar, por motivos que explicarei mais adiante. Por enquanto, eu ainda não sofrera qualquer inconveniência física, respirava com muita liberdade e não sentia dor nenhuma na cabeça. A gata estava deitada tranquilamente sobre meu casaco, que eu havia tirado, e observava os pombos com um ar de indiferença. Estes últimos, amarrados pelas pernas para não fugirem, ocupavam-se com uns grãos de arroz que colocara para eles no fundo da cesta.

Às 6h20, o barômetro mostrava uma elevação de 8.046 metros, ou 8 quilômetros e fração. A vista parecia não ter limites. Na verdade, a extensão da área da Terra que vislumbrei é facilmente calculada por meio de geometria esférica. A superfície convexa de qualquer segmento de uma esfera está para toda a superfície da própria esfera como o seno verso do segmento está para o diâmetro da esfera. No meu caso, o seno verso – quer dizer, a grossura do segmento abaixo de mim – era mais ou menos igual à minha elevação, ou a elevação do ponto de vista acima da superfície. "Como 8 quilômetros, então, estão para 12.800", expressaria a proporção da área da Terra vista por mim. Em outras palavras, eu conseguia avistar 16 centésimos de toda a superfície do globo. O mar parecia calmo como um espelho, apesar de que, com minha luneta, eu podia ver que estava em um estado de extrema agitação. O navio não estava mais visível, tendo navegado para longe, aparentemente para o leste. Comecei, então, a sentir, em intervalos, uma dor severa na cabeça, especialmente ao redor das orelhas; contudo, ainda respirava com certa liberdade. A gata e os pombos pareciam não estar incomodados com nada.

Faltando 20 minutos para as 7, o balão entrou em uma longa série de nuvens densas, que me causou grandes problemas, danificando meu aparato condensador e encharcando-me por completo. Isso era, decerto, um evento singular, pois eu não acreditara ser possível que uma nuvem daquela natureza conseguisse durar em uma elevação tão grande. Achei melhor, contudo, livrar-me de duas peças de 2 quilos de lastro, conservando, ainda, um peso de 75 quilos. Ao fazê-lo, logo subi para além da dificuldade, e percebi imediatamente que obtivera um aumento do ritmo de minha ascensão. Alguns segundos após sair da nuvem, um relâmpago ofuscante percorreu-a de um canto a outro, e fez com que acendesse, por toda a sua vasta extensão, como um pedaço de carvão em chamas e ardente. Isso, deve-se lembrar, estava acontecendo durante o dia. Nenhuma imaginação consegue conjurar a sublimação exibida por um fenômeno semelhante, ocorrendo em meio à escuridão da noite.

O próprio inferno pode ser considerado uma imagem adequada. Mesmo assim, meus cabelos se arrepiaram, enquanto eu olhava ao longe, para dentro dos abismos escancarados, deixando que minha imaginação descesse, por assim dizer, e explorasse os estranhos salões abobadados, golfos avermelhados e assustadoras vastidões rubras do fogo horrendo e insondável. Escapara por pouco, realmente. Se o balão houvesse ficado apenas um pouco mais dentro da nuvem, quero dizer, se a inconveniência de molhar-me não houvesse feito com que eu soltasse o lastro, a consequência inevitável seria minha ruína. Tais perigos, ainda que pouco considerados, são, talvez, os maiores que se podem enfrentar em um balão. Àquela altura, contudo, eu já chegara a uma elevação grande demais para preocupar-me com o assunto.

Já estava subindo rapidamente e, às sete horas, o barômetro indicava uma altitude de nada menos do que 15 quilômetros. Comecei a ter muita dificuldade para respirar. Minha cabeça também estava excessivamente dolorida; e, tendo sentido por algum tempo uma certa umidade em meu rosto, acabei percebendo que era sangue, escorrendo rapidamente de meus tímpanos. Meus olhos também me causavam um grande desconforto. Ao passar as mãos por eles, pareciam estar saltando das órbitas, a um grau considerável; e todos os objetos dentro da cesta, até mesmo o próprio balão, pareciam distorcidos ao meu olhar. Esses sintomas eram maiores do que eu esperara, e causaram-me um certo sobressalto. Sob aquela conjuntura, com muita imprudência e sem consideração, joguei três peças de 2 quilos de lastro para fora.

O ritmo de ascensão acelerado, dessa forma obtido, levou-me com rapidez demais, e sem gradação suficiente, a um estrato altamente rarefeito da atmosfera, e o resultado provou ser quase fatal para a expedição e para mim mesmo. Fui tomado, de repente, por um espasmo que durou mais de cinco minutos, e, mesmo quando cessou, até certo ponto, só conseguia inspirar com longos intervalos, e ofegando – sangrando copiosamente, o tempo todo, pelo nariz e pelas orelhas, e até mesmo um pouco pelos olhos. Os pombos pareciam extremamente perturbados, e tentavam escapar, enquanto a gata miava tristemente, com a língua para fora, cambaleando pela cesta, como se estivesse envenenada. Percebi, então, tarde demais, a grande precipitação da qual fora culpado, ao descarregar o lastro, e minha agitação era enorme. Não esperava nada menos do que a morte, e dentro de poucos minutos.

O sofrimento físico pelo qual passara também contribuía para tornar-me incapaz de fazer qualquer esforço pela preservação de minha vida. Tinha, na verdade, poucas forças para refletir, e a violência de minha dor de cabeça parecia aumentar muito. Assim, percebi que logo perderia os sentidos, e já estava agarrado a uma das cordas das válvulas, pretendendo tentar descer, quando a lembrança do truque que pregara nos três credores e as possíveis consequências para mim mesmo, caso eu voltasse, dissuadiram-me, por ora. Deitei-me no fundo da cesta e tentei recobrar minhas faculdades mentais. Nisso fui bem-sucedido a ponto de decidir realizar o experimento da perda de sangue. Não tendo uma lanceta, contudo tive que conduzir a operação do melhor jeito possível, e finalmente consegui abrir uma veia de meu braço direito com a lâmina de meu canivete. O sangue mal começara a sair quando senti um alívio perceptível e, após perder cerca de meia bacia média, a maior parte dos piores sintomas já passara completamente. Contudo, não considerei adequado tentar colocar-me de pé imediatamente, e sim, tendo atado o braço da melhor maneira que pude, deitei-me imóvel por cerca de 15 minutos. Após isso, levantei-me e percebi que estava mais livre de qualquer tipo de dor do que estivera durante os últimos 75 minutos de minha ascensão. A dificuldade respiratória, contudo, diminuíra bem pouco, e descobri que logo seria absolutamente necessário usar meu condensador.

Enquanto isso, olhando na direção da gata, que estava, novamente aconchegada em meu casaco, descobri, para minha infinita surpresa, que se aproveitara de minha indisposição para dar à luz três filhotes. Era um acréscimo absolutamente inesperado ao número de passageiros, mas fiquei feliz com a ocorrência. Dar-me-ia a chance de testar a veracidade de uma suposição, que, mais do que qualquer outra coisa, influenciara-me a tentar aquela ascensão. Imaginara que a tolerância habitual da pressão atmosférica na superfície da Terra era a causa, ou quase isso, da dor que os animais sentem a uma certa distância da superfície. Caso visse que os gatinhos sofriam um desconforto igual ao da mãe, eu deveria considerar minha teoria falha, mas se isso não acontecesse seria uma forte confirmação de minha ideia.

Por volta das 8 horas, eu já atingira uma elevação de 27 quilômetros acima da superfície da Terra. Assim, parecia-me evidente que o ritmo de minha subida não só estava aumentando como também a progressão se encontrava ligeiramente aparente, ainda que eu não tivesse descarregado o lastro, como fizera. As dores em minha cabeça e orelhas voltavam, em intervalos, com violência, e eu continuava a sangrar ocasionalmente pelo nariz; mas, no geral, sofri muito menos do que seria de esperar. Eu respirava, contudo, a cada momento, com cada vez mais dificuldade, e cada inalação era acompanhada por uma ação espasmódica do peito. Desembalei, então, o aparato condensador, e o preparei para uso imediato.

A vista da Terra, naquele período de minha ascensão, era verdadeiramente bela. Ao oeste, ao norte e ao sul, até onde meu olhar alcançava, jazia o oceano sem limites, e aparentemente calmo, que, a cada momento, adquiria um tom de azul mais profundo e já começava a demonstrar uma ligeira convexidade. A uma vasta distância, ao leste, ainda que perfeitamente discerníveis, estendiam-se as ilhas da Grã-Bretanha, os litorais inteiros da França e da Espanha, com um pequeno pedaço da parte norte do continente africano. Nenhum traço de edifícios individuais podia ser visto, e as maiores cidades da humanidade haviam desaparecido por completo da face da Terra. Da rocha de Gibraltar, agora diminuída até transformar-se em um pontinho vago, o mar Mediterrâneo, pontilhado por ilhas brilhantes, como o céu é pontilhado por estrelas, espalhava-se ao leste, até onde minha vista alcançava, até que toda a massa de suas águas parecia, finalmente, jorrar por sobre o abismo do horizonte, e peguei-me tentando ouvir, nas pontas dos pés, os ecos da poderosa catarata. Acima, o céu era de um negro profundo, e as estrelas brilhantemente visíveis.

Visto que os pombos, àquela altura, pareciam estar sofrendo bastante, decidi deixá-los livres. Primeiro, desamarrei um deles, um belo pombo cinzento e malhado, e coloquei-o sobre a borda da cesta de vime. Parecia estar extremamente nervoso, olhando ansiosamente ao seu redor, sacudindo as asas e arrulhando alto, mas não se deixava convencer a pular da cesta. Finalmente, peguei-o e joguei-o a cerca de 12 metros do balão. Contudo, não tentou descer, como eu esperara, e sim esforçou-se muito para voltar, emitindo exclamações agudas e penetrantes enquanto o fazia. Conseguiu, enfim, voltar ao seu antigo lugar sobre a borda, mas mal o fizera quando abaixou a cabeça sobre o peito e caiu morto dentro da cesta. O outro não foi tão desafortunado. Para impedir que seguisse o exemplo de seu companheiro e conseguisse voltar, joguei-o para baixo, com toda a minha força, e fiquei feliz em ver que continuava sua descida, em alta velocidade, usando suas asas com facilidade e de forma perfeitamente natural. Dentro de muito pouco tempo, sumira de vista, e não tenho dúvidas de que chegou em casa com segurança. A gata, que parecia bastante recuperada de sua indisposição, transformou a ave morta em uma bela refeição e foi dormir, aparentemente muito satisfeita. Seus filhotes eram bem vivazes e, até então, não haviam mostrado o menor sinal de desconforto.

Às 8h15, já incapaz de inspirar sem uma dor das mais intoleráveis, pus-me a ajustar ao redor da cesta os equipamentos do condensador. Esse aparelho exigirá uma breve explicação, e peço que Vossas Excelências lembrem-se de que meu objetivo, em primeiro lugar, era cercar a mim mesmo e aos gatos com uma barricada contra a atmosfera altamente rarefeita em que estávamos, com a intenção de introduzir, dentro desta barricada, através de meu condensador, uma quantidade da referida atmosfera suficientemente condensada para fins de respiração. Com tal objetivo em mente, eu preparara uma bolsa de borracha muito forte, perfeitamente estanque, porém flexível. Em tal bolsa, que tinha dimensões suficientes, a cesta foi colocada. Quero dizer, ela (a bolsa) foi puxada para cobrir toda a parte inferior da cesta, subindo por suas laterais, e assim por diante, do lado de fora das cordas, até a borda ou aro superior, onde a rede é presa.

Após puxar a bolsa para cima dessa forma, formando um invólucro completo de todos os lados e na parte de baixo, foi necessário amarrar seu topo ou boca, passando seu material por cima do aro da rede – em outras palavras, entre a rede e o aro. Mas, se a rede estivesse separada do aro, para permitir tal passagem, o que sustentaria a cesta, enquanto isso? A rede não estava permanentemente amarrada ao aro, e sim presa por uma série de elos corridos ou nós. Portanto, desamarrei apenas alguns daqueles elos de uma vez só, deixando a rede suspensa pelos restantes. Tendo, assim, inserido uma parte do tecido que formava a parte superior da bolsa, amarrei os elos novamente – não ao aro, pois isso teria sido impossível, visto que o tecido agora intervinha, mas a uma série de botões grandes, fixados ao próprio tecido, cerca de 90 centímetros abaixo da boca da bolsa, com os intervalos entre os botões tendo sido feitos para corresponder aos intervalos entre os elos. Após fazê-lo, alguns outros elos foram desamarrados da beira, uma outra parte do tecido foi introduzida e os elos desconectados foram, então, conectados com seus respectivos botões. Dessa forma, foi possível inserir toda a parte superior da bolsa entre a rede e o aro. É evidente que, agora, o aro desceria junto com a cesta, enquanto que todo o peso da própria cesta, com todos os seus conteúdos, seria segurado apenas pela força dos botões. Isso, à primeira vista, parece uma dependência inadequada; mas não o era, de forma alguma, pois não só os botões eram muito fortes como também estavam tão perto uns dos outros que uma parte muito pequena do peso total era suportada por cada um deles.

Na verdade, ainda que a cesta e seus conteúdos fossem três vezes mais pesados do que eram, eu não teria ficado nem um pouco preocupado. Ergui, então, o aro novamente, dentro da cobertura de borracha, e coloquei-o quase à sua altura original, com três bastões leves, preparados para a ocasião. Isso foi feito, é claro, para manter a bolsa distendida na parte de cima, e preservar a parte inferior da rede em sua localização adequada. Tudo o que faltava fazer, então, era amarrar a boca do invólucro; e isso foi feito rapidamente, juntando as dobras do material e torcendo-as com força por dentro, com um tipo de torniquete fixo.

Nas laterais da cobertura assim ajustada ao redor da cesta haviam sido inseridas três placas circulares de vidro grosso, porém transparente, através das quais eu conseguia enxergar a meu redor, sem dificuldade, em todas as direções horizontais. Na parte do tecido que formava o fundo, havia, também, uma quarta janela, do mesmo tipo e correspondente a uma pequena abertura no chão da própria cesta. Isso permitia-me enxergar perpendicularmente, para baixo, mas, tendo achado impossível colocar algum instrumento semelhante acima, devido ao modo peculiar de fechar a abertura ali, e as consequentes rugas no tecido, não podia esperar ver qualquer objeto localizado diretamente em meu zênite. Isso, é claro, era um problema de pouca relevância, pois ainda que eu houvesse conseguido colocar uma janela na parte de cima, o próprio balão teria me impedido de usá-la.

Cerca de 30 centímetros abaixo de uma das janelas laterais, havia uma abertura circular, de 20 centímetros de diâmetro e equipada com uma borda de latão, adaptada, em sua beirada interior, às voltas de um parafuso. Naquela beira havia sido parafusado o grande tubo do condensador, com o corpo da máquina, é claro, dentro da câmara de borracha. Através daquele tubo, uma quantidade da atmosfera rarefeita circunjacente sendo sugada através de um vácuo criado no corpo da máquina era, então, descarregada, em um estado de condensação, para misturar-se com o ar escasso já dentro da câmara. Após essa operação ser repetida inúmeras vezes, a câmara, por fim, foi preenchida com a atmosfera apropriada para todos os fins respiratórios. Porém, em um espaço tão confinado, ela logo acabaria tornando-se viciada e inadequada para uso, devido ao contato frequente com os pulmões. Então, era ejetada por uma pequena válvula no fundo da cesta, e o ar denso afundava imediatamente na atmosfera mais rarefeita abaixo. Para evitar a inconveniência de formar um vácuo total, em qualquer momento dentro da câmara, essa purificação nunca era feita de uma só vez, e sim de forma gradual, com a válvula sendo operada por apenas alguns segundos, e depois fechada novamente, até um ou dois movimentos da bomba do condensador terem preenchido o lugar da atmosfera ejetada. Para fins de experimentação, eu colocara a gata e os filhotes em uma cestinha, que suspendera para fora da cesta do balão, por um botão no fundo, ao lado da válvula, através da qual poderia alimentá-los a qualquer momento, quando necessário. Fiz isso com um certo risco, antes de fechar a boca da câmara, alcançando o fundo da cesta com um dos bastões mencionados anteriormente, ao qual acoplara um gancho.

Ao concluir esses arranjos e encher a câmara, conforme explicado, faltavam apenas dez minutos para as nove. Durante todo o tempo em que me ocupei dessas tarefas, passei pelas mais terríveis dificuldades para respirar, e arrependi-me amargamente da negligência, ou, na verdade, temeridade, da qual fora culpado por ter deixado um assunto tão importante para o último momento. Contudo, após finalmente concluir tudo, logo comecei a colher os benefícios de minha invenção. Respirava novamente com perfeita liberdade e facilidade – e, na verdade, por que não deveria? Também fiquei agradavelmente surpreso ao descobrir que estava grandemente aliviado das dores violentas que haviam me atormentado até então. Uma ligeira dor de cabeça, acompanhada por uma sensação de inchaço ou distensão nos pulsos, nos tornozelos e na garganta, era quase toda a minha reclamação. Assim, parecia evidente que a maior parte do desconforto ensejado pela remoção da pressão atmosférica realmente passara, como eu esperara, e que muitas das dores que aguentara pelas últimas duas horas deviam ser inteiramente atribuídas aos efeitos de uma respiração deficiente.

Às 8h40 – quer dizer, logo antes de que fechasse a boca da câmera –, o mercúrio chegou ao seu limite, ou esgotou-se, no barômetro, que, como mencionei antes, havia sido construído de forma mais extensa do que o normal. Indicava uma altitude de 400 mil metros, ou 40 quilômetros, e observei, assim, uma parte da área da Terra totalizando nada mais, nada menos do que a trecentésima vigésima parte de toda a sua superfície. Às 9 horas, eu já perdera de vista as terras ao leste, mas não antes de perceber que o balão flutuava rapidamente na direção norte-norte-oeste. A convexidade do oceano abaixo de mim estava bastante evidente, apesar de minha vista ser impedida, com frequência, por massas de nuvens flutuando de um lado para o outro. Observei, então, que mesmo os vapores mais leves nunca subiam além de 15 quilômetros acima do nível do mar.

Às 9h30, tentei o experimento de jogar um punhado de penas pela válvula. Não flutuaram, como eu esperava, e sim caíram perpendicularmente, como uma mala, agrupadas e na maior velocidade, sumindo de vista dentro de muitos poucos segundos. De início, não soube o que pensar daquele fenômeno extraordinário, incapaz de acreditar que meu ritmo de ascensão havia se acelerado tanto, de forma tão repentina. Mas logo ocorreu-me que a atmosfera estava rarefeita demais para sustentar até mesmo as penas; que caíram, realmente, como pareceram fazer, com grande rapidez; e que eu fora pego de surpresa pelas velocidades unidas de sua descida e minha própria elevação.

Às 10 horas, descobri que tinha muito pouco para ocupar minha atenção. Tudo estava correndo extremamente bem, e acreditava que o balão estivesse subindo com uma velocidade que aumentava constantemente, apesar de não ter mais meios de averiguar a progressão do aumento. Não estava com dor ou desconforto de tipo algum, e meu humor estava melhor do que estivera em qualquer momento, desde minha partida de Roterdã. Ocupei-me, então, ora com analisar o estado de meus diversos aparatos, ora com regenerar a atmosfera dentro da câmera. Decidira cuidar deste último ponto em intervalos regulares de 40 minutos, mais para preservar minha saúde do que por uma renovação tão frequente ser absolutamente necessária.

Enquanto isso, não pude me impedir de fazer previsões. Minhas fantasias corriam soltas pelas regiões selvagens e oníricas da Lua. Minha imaginação, sentindo-se livre pela primeira vez, vagava à vontade pelas maravilhas cambiantes de terras umbrosas e instáveis. Agora havia florestas ancestrais e antiquíssimas, precipícios escarpados e cascatas que caíam estrondosamente em abismos sem fim. Por fim, entrei em uma solidão inerte do meio-dia, onde nenhum vento celeste se intrometia, e onde vastos campos de papoulas, e flores esguias, semelhantes a lírios, espalhavam-se por uma vasta distância, todas silenciosas e imóveis para sempre. E então viajei novamente para longe, para uma terra composta somente de um lago difuso e vago, que fazia divisa com uma fileira de nuvens. E, daquelas águas melancólicas, erguia-se uma floresta de árvores altas e orientais, como uma selva de sonhos. E penso que as sombras das árvores sobre o lago não ficavam na superfície, onde caíam, e sim afundavam lenta e continuamente, misturando-se com as ondas, enquanto os troncos das outras árvores continuavam projetando sombras, que ocupavam os lugares de suas irmãs assim sepultadas.

– Então é este – disse, pensativamente – o motivo pelo qual as águas desse lago escurecem com o tempo, e ficam cada vez mais melancólicas, conforme as horas passam.

Mas devaneios como estes não eram os únicos donos de minha mente. Horrores de natureza mais severa e chocante frequentemente intrometiam-se em meus pensamentos, e abalavam os cantos mais profundos de minha alma com a mera suposição de sua possibilidade. Ainda assim, não permiti que meus pensamentos se concentrassem, por muito tempo, nestas últimas especulações, julgando corretamente que os perigos reais e palpáveis da viagem eram suficientes para minha atenção completa.

Às 5 da tarde, ocupado regenerando a atmosfera dentro da câmara, aproveitei para observar a gata e os filhotes pela válvula. A primeira parecia estar sofrendo muito, novamente, e não hesitei em atribuir seu desconforto principalmente a uma dificuldade de respirar; mas meu experimento com os gatinhos tivera um resultado bastante estranho. Esperara, é claro, vê-los demonstrar alguma dor, ainda que em menor grau que sua mãe, e isso teria sido suficiente para confirmar minha opinião sobre a tolerância habitual à pressão atmosférica. Mas não estava preparado para vê-los, ao examiná-los mais de perto, evidentemente demonstrando um alto grau de saúde, respirando com a maior facilidade e perfeita regularidade, não dando o menor sinal de qualquer inquietude. Só podia explicar isso estendendo minha teoria, e supondo que a atmosfera altamente rarefeita ao redor talvez pudesse não ser, como eu imaginara, quimicamente insuficiente para a sobrevivência, e que uma pessoa que nascesse em tal meio poderia, possivelmente, não sentir qualquer inconveniência ao respirar, enquanto que, ao descer para os níveis mais densos, perto da terra, poderia passar por uma tortura semelhante à que eu aguentara recentemente. Tem sido, para mim, um motivo de grande pesar, o fato de que um acidente desajeitado, naquele momento, fez com que eu perdesse minha pequena família de gatos, e me privou de descobertas sobre esta questão, que uma experimentação continuada teria permitido. Ao passar a mão através da válvula, com um copo de água para a velha gata, a manga de minha camisa ficou presa no elo que suspendia sua cestinha, e assim, dentro de um momento, soltou-a do fundo. Ainda que todos eles houvessem realmente desaparecido no ar, não teriam sumido de minha vista de forma mais abrupta e instantânea. Na verdade, não pode ter se passado nem um décimo de segundo, entre o desacoplamento da cestinha e seu desaparecimento total e absoluto, junto com tudo o que continha. Meus melhores votos a seguiram até a Terra, mas, é claro, não tinha esperanças de que a gata ou os filhotes sobreviveriam para contar a história de seu infortúnio.

Às 6 horas, percebi que uma grande parte da área visível da Terra, ao leste, estava envolta por uma sombra densa, que continuava a avançar com grande rapidez, até que, às 6h55, toda a superfície aparente estava coberta pela escuridão da noite. Contudo, passou-se muito tempo antes que os raios do sol poente deixassem de iluminar o balão; e esta circunstância, ainda que, é claro, plenamente prevista, não deixou de me causar um enorme prazer. Ficou evidente que, pela manhã, eu contemplaria a estrela nascente muitas horas, pelo menos, antes dos cidadãos de Roterdã, apesar de estarem muito mais ao leste, e assim, dia após dia, proporcionalmente à altura que subisse, eu aproveitaria a luz do sol por um período cada vez mais longo. Decidi, então, manter um diário de viagem, anotando as 24 horas de cada dia continuamente, sem levar em consideração os intervalos de escuridão.

Às 10 horas, sentindo-me sonolento, decidi deitar-me pelo resto da noite; mas, em relação a isso, surgiu uma dificuldade, que, por mais óbvia que possa parecer, escapara-me até o momento que agora descrevo.

Se fosse dormir, conforme propunha, como a atmosfera da câmara seria regenerada, enquanto isso? Respirá-la por mais de uma hora, no máximo, seria impossível, ou, ainda que este prazo pudesse ser prorrogado para 1 hora e 15 minutos, ensejaria as consequências mais desastrosas. Considerar esse dilema causou-me enorme inquietude, e mal acreditariam que, após os perigos que enfrentara, eu examinaria esta questão de forma séria o suficiente para desistir de todas as esperanças de atingir meu alvo máximo, e finalmente convenci-me de que era necessário descer. Entretanto, essa hesitação foi apenas momentânea. Refleti que o ser humano é o mais verdadeiro escravo dos costumes, e que muitos pontos da rotina de sua existência são considerados essenciais, quando só o são porque ele mesmo os tornou habituais. Era certo que eu não conseguiria passar sem dormir, mas poderia facilmente acostumar-me a não sentir qualquer inconveniência por ser acordado a intervalos de uma hora, durante todo o período de meu repouso.

Precisaria de cinco minutos, no máximo, para regenerar a atmosfera por completo, e a única dificuldade verdadeira era inventar um método para que despertasse nos momentos adequados. Mas essa era uma questão que, confesso, me deu muito trabalho para resolver. Já ouvira falar do aluno que, para não dormir sobre seus livros, segurava uma bola de cobre, cujo barulho, ao cair em uma bacia do mesmo metal, no chão ao lado da cadeira, era eficaz para acordá-lo, se, a qualquer momento, fosse tomado pelo sono. Meu próprio caso, contudo, era bastante diferente, e não me permitia usar a mesma ideia, pois não queria ficar acordado o tempo todo, e sim despertar do sono em intervalos regulares. Finalmente, pensei no seguinte recurso, que, por mais simples que possa parecer, foi celebrado por mim, no momento da descoberta, como uma invenção em pé de igualdade com a do telescópio, do motor a vapor ou com a da própria arte da impressão.

É necessário estabelecer a premissa de que o balão, à elevação já atingida, continuava seu caminho em uma ascensão constante e sem desvios, e a cesta, consequentemente, seguia-o com uma firmeza tão perfeita que seria possível detectar, nela, a menor vacilação. Essa circunstância favoreceu-me enormemente, no projeto que decidi adotar. Meu suprimento de água havia sido colocado a bordo em barris de 5 galões cada um, muito bem presos ao redor do interior da cesta. Desprendi um deles e, pegando duas cordas, amarrei-as com força de um lado para o outro da beirada da cesta, com cerca de 30 centímetros entre elas, paralelamente, formando um tipo de prateleira, sobre a qual coloquei o barril, ajeitando-o em posição horizontal. Cerca de 20 centímetros imediatamente abaixo dessas cordas, e 1,20 metro do fundo da cesta, amarrei outra prateleira – mas essa era composta de uma tábua fina, que era o único pedaço de madeira semelhante que eu tinha. Sobre esta última prateleira, e exatamente abaixo de uma das bordas do barril, coloquei um pequeno jarro de barro. Então, fiz um furo na extremidade do barril, sobre o jarro, e encaixei um tampão de madeira macia, cortado em um formato afunilado ou cônico. Esse tampão eu empurrava para dentro ou puxava para fora, dependendo do que acontecesse, até que, após alguns experimentos, atingiu o exato grau de estreiteza em que a água, saindo do buraco e caindo no jarro abaixo, encheria este último até a borda, dentro de 60 minutos. Isso, é claro, era uma questão breve e facilmente averiguada, bastando reparar na proporção em que o jarro enchia-se dentro de um dado tempo. Tendo arrumado tudo aquilo, o resto do plano é óbvio.

Minha cama estava colocada sobre o chão da cesta, de forma que minha cabeça, ao deitar-me, ficava imediatamente abaixo da boca do jarro. Era evidente que, ao fim de uma hora, o jarro, já cheio, transbordaria pelas beiradas. Também era evidente que a água que assim caísse, de uma altura de mais de 1 metro, não poderia deixar de cair sobre meu rosto, e a consequência certa disso seria acordar-me instantaneamente, até mesmo do sono mais profundo do mundo.

Já eram 11 horas, quando concluí esses arranjos, e fui deitar-me imediatamente, plenamente confiante em relação à eficiência de minha invenção. Quanto a essa questão, não fui decepcionado. Pontualmente, a cada 60 minutos, era despertado por meu cronômetro de confiança, e, após esvaziar o jarro dentro do barril e cumprir os deveres do condensador, voltava para a cama. Essas interrupções regulares de meu sono me causaram muito menos desconforto do que eu previra, e, quando finalmente levantei-me para encarar o dia, eram 7 horas, e o Sol subira muitos graus acima da linha do horizonte.

3 de abril. Vi que o balão estava a uma altura imensa, de verdade, e a convexidade aparente da Terra aumentava significativamente. Abaixo de mim, no oceano, havia um aglomerado de pontinhos pretos, que, sem dúvida, eram ilhas. Ao longe, na direção norte, percebi uma linha ou faixa fina, branca e extremamente brilhante, no limite do horizonte, e não hesitei em supor que era o disco sul dos gelos do Mar Polar. Despertou enormemente minha curiosidade, pois tinha esperanças de ir muito mais para o norte e também poderia, em algum momento, encontrar-me diretamente acima do próprio Polo. Lamentei, naquele momento, que minha grande elevação me impediria, neste caso, de fazer uma sondagem tão precisa quanto gostaria. Porém, muito podia ser averiguado. Nada mais, de natureza extraordinária, ocorreu durante aquele dia. Todos os meus aparelhos continuaram em ordem, e o balão continuava subindo sem qualquer vacilação perceptível. O frio estava intenso, e obrigava-me a enrolar-me bem em um sobretudo. Quando a escuridão abateu-se sobre a Terra, fui dormir, apesar de a luz do dia continuar, por muitas horas ainda, em todos os cantos ao meu redor. O relógio de água foi pontual em seus deveres, e dormi bem até a manhã seguinte, exceto pelas interrupções periódicas.

4 de abril. Despertei disposto e de bom humor, e fiquei atônito com a mudança singular da aparência do mar. Perdera muito do azul-profundo que até então exibira, tendo, naquele momento, uma cor branca acinzentada, e com um brilho que ofuscava os olhos. As ilhas não estavam mais visíveis; se haviam passado do horizonte ao sudeste, ou se minha elevação crescente as fizera sumir de vista, é impossível dizer. Estou inclinado, contudo, a adotar a segunda opinião. A borda de gelo ao norte ficava cada vez mais aparente. O frio não estava tão intenso. Nada de importante ocorreu, e passei o dia lendo, pois tive o cuidado de suprir-me de livros.

5 de abril. Testemunhei o fenômeno singular de o sol nascer, enquanto quase toda a superfície visível da Terra continuava envolta pela escuridão. Com o tempo, porém, a luz espalhou-se sobre tudo, e vi novamente a linha de gelo ao norte. Já estava bem discernível, e parecia ter um tom muito mais escuro do que o das águas do oceano. Era evidente que eu me aproximava de lá, e com grande rapidez. Imaginei que conseguiria distinguir novamente um pedaço de terra ao leste, e também um ao oeste, mas não consegui ter certeza. O clima estava moderado. Nada de importância aconteceu durante o dia. Fui dormir cedo.

6 de abril. Fiquei surpreso ao ver a borda de gelo a uma distância muito moderada, e um campo imenso do mesmo material estendendo-se para além do horizonte, ao norte. Ficara evidente que, se o balão continuasse naquela direção, logo chegaria acima do Oceano Congelado, e não tive dúvidas de que acabaria vendo o Polo. Durante o dia todo, continuei a aproximar-me do gelo. Quando a noite se aproximou, os limites de meu horizonte aumentaram repentina e significativamente, devido, sem dúvida, ao fato de que o formato da Terra era o de um esferoide oblato, e por ter chegado acima das regiões achatadas perto do círculo Ártico. Quando a escuridão acabou por alcançar-me, fui dormir com uma ansiedade muito grande, temendo passar por cima do objeto de tanta curiosidade, justo quando não conseguiria vê-lo.

7 de abril. Acordei cedo e, para minha grande alegria, finalmente vislumbrei o que não hesitei em supor que era o próprio Polo Norte. Estava ali, sem sombra de dúvida, imediatamente abaixo de meus pés; mas, infelizmente, eu subira a uma distância tão vasta, que nada podia ser discernido com precisão. Na verdade, julgando com base na progressão dos números que indicavam minhas várias altitudes, respectivamente, em diferentes períodos, entre as 6 horas da manhã de 2 de abril e às 8h40 do mesmo dia (no momento em que a capacidade do barômetro se esgotou), podia inferir, com um pouco de certeza, que o balão atingira, às 4 da manhã de 7 de abril, uma altura de, no mínimo, 11.674 quilômetros acima do nível do mar. Essa elevação pode parecer imensa,

mas a estimativa sobre a qual foi calculada resultou, provavelmente, em um número muito inferior ao da verdade. Em todo caso, eu indubitavelmente enxergava todo o diâmetro da Terra; o Hemisfério Norte inteiro estava abaixo de mim, como um mapa projetado ortograficamente, e o grande círculo do Equador formava o limite de meu horizonte. Vossas Excelências podem imaginar, contudo, que as regiões afastadas, até então inexploradas, dentro dos limites do Círculo Ártico, apesar de situadas logo abaixo de mim, e, portanto, vistas sem a aparência de estarem encurtadas, continuavam comparativamente pequenas demais, e a uma distância grande demais de meu ponto de vista, para permitir que fizesse algum exame preciso. Ainda assim, o que podia ser visto era singular e emocionante. Ao norte daquela enorme borda que mencionei, e que, com uma ligeira ressalva, pode ser chamada de limite das descobertas humanas naquelas regiões, uma camada de gelo ininterrupta, ou quase ininterrupta, continua a se estender. Em seus primeiros graus, seu progresso e sua superfície são perceptivelmente achatados; mais para a frente, transformam-se em um plano e, finalmente, tornam-se bastante côncavos e terminam, no próprio Polo, em um centro circular, altamente definido, cujo diâmetro aparente subentendia-se no balão a um ângulo de cerca de 65 segundos, e cuja matiz profunda, variando em intensidade, era o tempo todo mais escura do que qualquer outro ponto do hemisfério visível, e ocasionalmente aprofundava-se e transformava-se em um negrume absoluto e impenetrável. Mais ao longe, pouco podia ser discernido. Às 12 horas, a circunferência do centro circular diminuíra muito, e, às 7 da noite, já a perdera de vista completamente, pois o balão passara sobre o canto ocidental do gelo e flutuara rapidamente na direção do Equador.

8 de abril. Percebi uma clara diminuição do diâmetro aparente da Terra, além de uma alteração significativa de sua cor e aparência geral. Toda a área visível tinha diferentes gradações de um amarelo-pálido, e, em algumas partes, adquirira um brilho que chegava a ponto de machucar os olhos. Minha visão para baixo também estava consideravelmente impedida pela atmosfera densa ao redor da superfície, cheia de

nuvens, entre cujas massas eu só conseguia vislumbrar a Terra de vez em quando. Essa dificuldade de enxergar diretamente atrapalhou-me um pouco, durante as últimas 48 horas; mas minha atual elevação enorme aproximou, por assim dizer, os corpos de vapor flutuantes, e a inconveniência tornou-se, é claro, mais palpável proporcionalmente à minha ascensão. Ainda assim conseguia ver facilmente que o balão flutuava por cima do agrupamento de grandes lagos da América do Norte, e dirigia-se para o sul, em uma rota que me levaria até os trópicos. Essa circunstância despertou em mim a mais sincera satisfação, e considerei-a um bom presságio, de um final de sucesso. Na verdade, a direção que tomara até então enchera-me de inquietude, pois estava evidente que, se continuasse por muito mais tempo, não teria a menor possibilidade de chegar até a Lua, cuja órbita é inclinada em relação ao eixo eclíptico a um pequeno ângulo de 5 graus, 81 minutos e 48 segundos.

9 de abril. Hoje, o diâmetro da Terra diminuiu bastante, e a cor da superfície assumiu um matiz de amarelo ainda mais profundo. O balão manteve sua rota firmemente para o sul, e chegou, às 9 horas da noite, sobre a extremidade norte do Golfo do México.

10 de abril. Fui despertado repentinamente, cerca das 5 da manhã, por um barulho alto, crepitante e assustador, que não conseguia explicar de forma alguma. Durou muito pouco, mas, enquanto soava, não se parecia com nada pelo que já passara. Nem preciso dizer que fiquei extremamente alarmado, de início atribuindo o barulho à explosão do balão. Entretanto, examinei todos os meus aparelhos com muita atenção, e não descobri nada fora de ordem. Passei uma grande parte do dia pensando sobre aquela ocorrência tão extraordinária, mas não descobri nenhum meio de explicá-la. Fui para a cama insatisfeito, e em um estado de grande ansiedade e agitação.

11 de abril. Descobri uma diminuição surpreendente do diâmetro aparente da Terra, e um aumento considerável, agora observável pela

primeira vez, no da própria Lua, que estava a alguns dias de ficar cheia. Já era necessário um trabalho longo e extenuante para condensar, dentro da câmara, ar suficiente para sustentar a vida.

12 de abril. Ocorreu uma mudança singular na direção do balão, que, apesar de completamente prevista, causou-me o mais absoluto deleite. Após chegar, em sua antiga rota, ao 20º paralelo da latitude sul, virou de repente, em um ângulo agudo, para o leste, e assim prosseguiu durante o dia todo, mantendo-se quase que exatamente, se não completamente, em elipse com a Lua. Digno de observação foi o fato de que uma vacilação perceptível da cesta era causada por essa mudança de rota – vacilação esta que permaneceu, em maior ou menor grau, durante muitas horas.

13 de abril. Assustei-me com uma repetição do barulho alto e crepitante que me alarmara no dia 10. Pensei muito sobre o assunto, mas não consegui chegar a uma conclusão satisfatória. Houve uma grande diminuição do diâmetro aparente da Terra, que agora subentendia-se do balão a um ângulo de pouco mais de 25 graus. Não conseguia de modo algum ver a Lua, pois estava quase em meu zênite. Continuei na elipse, mas fiz pouco progresso em direção ao leste.

14 de abril. Diminuição extremamente rápida do diâmetro da Terra. Hoje, fiquei fortemente impressionado com a ideia de que o balão estava, mesmo, subindo a linha de apsides correndo, até o perigeu – em outras palavras, mantendo a rota direta, que o levaria de encontro à Lua, na parte de sua órbita mais próxima da Terra. A própria Lua estava bem acima de mim, consequentemente escondida de meus olhos. O trabalho extenuante e longo para a condensação da atmosfera continuava.

15 de abril. Não consigo mais discernir nem mesmo os contornos dos continentes e mares da Terra, com o mínimo de distinção. Por volta das 12 horas, ouvi, pela terceira vez, aquele som horroroso que tanto me atordoara antes. Contudo, desta vez persistiu por alguns momentos, e aumentou de intensidade conforme continuava. Finalmente, enquanto estava ali parado, estupefato e tomado pelo terror, esperando sei lá qual desastre horrendo,

a cesta vibrou violentamente e uma massa, gigante e flamejante, de algum material que não identifiquei, apareceu em conjunto com uma voz de mil trovões, rugindo e estrondando ao lado do balão. Após meus medos e estupefação diminuírem um pouco, não tive dificuldade em supor que era algum enorme fragmento vulcânico ejetado daquele corpo celeste, de que me aproximava rapidamente, provavelmente uma daquelas substâncias singulares que encontramos ocasionalmente na Terra, chamadas de meteoros, por falta de um nome melhor.

16 de abril. Hoje, olhando para cima da melhor maneira que podia, através de cada uma das janelas laterais, alternando-as, vislumbrei, para meu grande deleite, uma parte bem pequena do disco da Lua, projetando-se, por assim dizer, de todos os lados, para além da enorme circunferência do balão. Estava extremamente agitado, pois restavam poucas dúvidas de que logo chegaria ao fim de minha perigosa jornada. Na verdade, o trabalho naquele momento exigido pelo condensador chegara a um grau quase opressivo, e permitia-me pouco descanso entre os esforços. Dormir estava quase fora de questão. Fiquei muito doente, e meu corpo tremia de exaustão. Era impossível para a natureza humana aguentar aquele estado de sofrimento intenso por muito mais tempo. Durante o intervalo de escuridão, que àquela altura era breve, outro meteoro passou perto de mim, e a frequência daqueles fenômenos começou a causar-me muita apreensão.

17 de abril. Esta manhã durou uma eternidade dentro de minha jornada. Permitam-me lembrar que, no dia 13, a Terra subtendia-se a uma largura angular de 25 graus. No dia 14, esta havia diminuído bastante; no dia 15, uma diminuição ainda mais significativa pôde ser observada; e, ao deitar-me na noite do dia 16, reparara em um ângulo de, no máximo, 7 graus e 15 minutos. Podem imaginar, portanto, qual foi minha surpresa, ao acordar de um sono breve e inquieto, na manhã deste dia 17, e ver que a superfície abaixo de mim aumentara de volume, repentina e incrivelmente, subtendendo-se a nada menos do que 39 graus em diâmetro angular aparente! Fiquei boquiaberto! Não há palavras para

expressar adequadamente o horror e a surpresa, extremos e absolutos, que tomaram conta de mim e dominaram-me por completo. Meus joelhos tremiam, meus dentes batiam, meus cabelos estavam em pé. – O balão estourou, mesmo, então! – Foram as primeiras ideias tumultuadas que passaram pela minha cabeça. – O balão estourou, de verdade!

Eu estava caindo, caindo com a velocidade mais impetuosa, mais inigualável! Julgando pela imensa distância já percorrida, com tanta rapidez, não poderia faltar mais de dez minutos, no máximo, para que eu encontrasse a superfície da Terra e fosse aniquilado! Mas, finalmente, meu raciocínio veio em meu auxílio. Parei, refleti e comecei a duvidar. Aquilo seria impossível. Não poderia, por qualquer motivo, ter descido tão rapidamente. Além disso, apesar de evidentemente estar aproximando-me da superfície abaixo, era com uma velocidade que nem de longe condizia com aquela que concebera, de início. Essa consideração serviu para acalmar a perturbação de minha mente, e finalmente consegui enxergar o fenômeno do ponto de vista correto. Na verdade, a surpresa deve ter me privado de meus sentidos, porque não consegui enxergar a vasta diferença entre a aparência da superfície abaixo de mim e a de minha mãe Terra. Esta última estava, na verdade, sobre minha cabeça, completamente escondida pelo balão, enquanto a Lua – a própria Lua, em toda a sua glória – estava abaixo de mim, a meus pés.

O estupor e a surpresa que essa extraordinária mudança de situação causou em minha mente deviam ser, afinal de contas, a parte da aventura menos explicável, pois a inversão em si não só era natural e inevitável como também prevista, como uma circunstância a ser esperada quando chegasse ao exato ponto de minha viagem onde a atração do planeta fosse suplantada pela atração do satélite – ou, mais precisamente, quando a gravitação do balão em direção à Terra fosse menos poderosa do que sua gravitação na direção da Lua. Claro que acabara de acordar de um sono profundo, com todos os meus sentidos confusos, e contemplara um fenômeno extremamente surpreendente, e que, apesar de esperado, não era esperado naquele momento. A revolução em si deve, é claro, ter ocorrido de forma fácil e gradativa, e não tenho certeza de que, ainda que eu estivesse acordado enquanto ocorreu, eu teria tomado ciência disso, por meio de qualquer prova interna de uma inversão; quero dizer, devido a qualquer inconveniência ou desarranjo, em minha pessoa ou em meus aparelhos.

É quase desnecessário dizer que, após adquirir a devida percepção de minha situação, e emergir do terror que absorvera todas as faculdades de minha alma, minha atenção foi, em primeiro lugar, inteiramente dirigida à contemplação da aparência física geral da Lua. Jazia abaixo de mim como um mapa – e, apesar de julgar que continuava a uma distância considerável de mim, as reentrâncias de sua superfície estavam definidas, aos meus olhos, com a mais incrível e inteiramente inexplicável distinção. A ausência absoluta de oceanos ou mares, e, na verdade, de qualquer lago ou rio, ou corpo d'água de qualquer tipo, pareceu-me, de início, a característica mais extraordinária de sua condição geológica. Ainda assim, estranhamente, vislumbrei vastas regiões planas, de natureza decididamente aluvial, apesar de a maior parte do hemisfério visível estar coberta por inúmeras montanhas vulcânicas, de formato cônico, e parecendo mais artificiais do que protuberâncias naturais. A maior dentre elas não tinha mais do que 6 quilômetros de elevação perpendicular, mas um mapa dos distritos vulcânicos dos Campos Flégreos daria aos senhores uma ideia melhor da superfície geral do que qualquer descrição indigna que eu possa tentar fazer. A maior parte das elevações estava em um estado de evidente erupção, e me fez compreender, temerosamente, sua fúria e seu poder, através dos repetidos estrondos daqueles que chamamos erroneamente de meteoros, e que, naquele momento, passavam correndo, para cima, ao lado do balão, com uma frequência cada vez mais aterrorizante.

18 de abril. Hoje percebi um enorme aumento da massa aparente da Lua, e a velocidade evidentemente acelerada de minha descida começou a encher-me de apreensão. Devem lembrar-se de que, na fase inicial de minhas especulações sobre a possibilidade de se chegar à Lua, a existência, em seus arredores, de uma atmosfera, com densidade proporcional à

da massa do corpo celeste, figurara grandemente em meus cálculos; isto, também, apesar de várias teorias em contrário, e, pode-se acrescentar, apesar da descrença geral na existência de qualquer atmosfera lunar. Porém, além do que já exortei, em relação ao cometa de Encke e a luz zodiacal, minha opinião fora fortalecida por certas observações do sr. Schroeter, de Lilienthal. Observou a Lua, dois dias e meio após entrar em seu quarto crescente, logo após o crepúsculo, antes de sua parte escura estar visível, e continuou a observá-la até que se tornasse visível. As duas cúspides apareceram, afunilando-se em uma prolongação bastante fina e sutil, com a extremidade mais longínqua de cada uma delas ligeiramente iluminada pelos raios solares, aparecendo antes que qualquer parte do hemisfério escuro ficasse visível. Logo depois disso, toda a parte escura iluminou-se. Essa prolongação das cúspides para além do semicírculo, pensei, deve ter surgido devido à refração dos raios do Sol pela atmosfera da Lua. Também calculei que a altura da atmosfera (que conseguiria refratar luz o suficiente para que seu hemisfério escuro produzisse um ocaso mais luminoso do que a luz refletida da Terra, quando a Lua está a cerca de 32 graus da nova) era de 1.356 pés de Paris;[4] desse modo, supus que a maior altura capaz de refratar os raios solares era de 1.638 metros. Minhas ideias sobre esse tópico também haviam sido confirmadas por um trecho do octogésimo segundo volume da obra *Transações Filosóficas*, que afirma que, em uma ocultação dos satélites de Júpiter, o terceiro desaparecera após permanecer 1 segundo ou 2 segundos do tempo indistinto, e o quarto ficou indiscernível ao chegar perto do bordo. (*4)

Cassini frequentemente observava que as formas circulares de Saturno, Júpiter e das estrelas fixas, ao aproximarem-se da Lua, antes da ocultação, transformavam-se em ovais; e, em outras ocultações, não viu qualquer alteração dos formatos. Portanto, pode-se supor que, em algumas vezes, e não em outras, uma matéria densa envolve a Lua, e causa a refração dos raios das estrelas.

---

4 N. da T.: Unidade de medida obsoleta, comumente usada para se referir a lentes.

Eu contara, é claro, inteiramente com a resistência ou, mais adequadamente, com o apoio de uma atmosfera, existente em um estado de densidade imaginado, para a segurança de minha descida final. Caso, naquele momento, eu acabasse por descobrir que estivera enganado, não teria mais nada a esperar, exceto ser atomizado contra a superfície acidentada do satélite. E, realmente, eu agora tinha todos os motivos para estar aterrorizado. Minha distância da Lua era comparativamente ínfima, enquanto que o trabalho exigido pelo condensador não diminuíra nem um pouco, e não conseguia ver nenhum sinal de diminuição da raridade do ar.

19 de abril. Esta manhã, para minha grande alegria, lá pelas 9 horas, com a superfície da Lua assustadoramente próxima, e minhas apreensões elevadas à máxima potência, a bomba de meu condensador finalmente deu sinais evidentes de uma alteração na atmosfera. Às 10, já tinha motivos para acreditar que sua densidade aumentara consideravelmente. Às 11, muito pouco trabalho era necessário em relação ao aparelho; e, às 12, com uma certa hesitação, ousei afrouxar o torniquete, quando, não descobrindo nenhuma inconveniência resultante disso, finalmente abri a câmara de borracha, e soltei-a da cesta.

Como seria de se esperar, espasmos e uma dor de cabeça violenta foram as consequências imediatas de um experimento tão precipitado e cheio de perigos. Mas, apesar dessas e outras dificuldades relativas à respiração, por não serem nem de longe sérias o suficiente para colocar em perigo minha vida, resolvi aguentar da melhor forma que pude, por saber que logo as deixaria para trás, ao aproximar-me dos níveis mais densos, perto da Lua. Essa abordagem, contudo, continuou sendo extremamente impetuosa; e logo ficou assustadoramente claro que, apesar de provavelmente não ter me enganado ao esperar uma atmosfera densa, proporcionalmente à massa do satélite, estivera errado em supor que essa densidade, até mesmo na superfície, seria remotamente adequada para suportar o grande peso contido na cesta de meu balão. Ainda assim, deveria ter sido este o caso, no mesmo grau que na superfície da Terra, com a gravidade efetiva dos corpos em qualquer um dos dois sendo aferida com base na proporção da condensação atmosférica. Porém, minha queda súbita foi prova suficiente de que não era este o caso. O porquê disso só pode ser explicado fazendo-se referência às possíveis perturbações geológicas que mencionei anteriormente. De toda forma, já estava próximo da Lua, e descia com a mais terrível impetuosidade. Não desperdicei um só momento, desta forma, antes de jogar para fora meu lastro, primeiro, e então meus barris de água, meu aparelho condensador e minha câmara de borracha, e finalmente todos os artigos dentro da cesta. Mas foi tudo em vão.

Continuei caindo com uma rapidez horrível, e já estava a menos de 1 quilômetro de distância da superfície. Como último recurso, portanto, tendo me livrado de meu casaco, meu chapéu e minhas botas, soltei do balão a própria cesta, que tinha um peso considerável, e assim, agarrado à rede com as duas mãos, mal tive tempo de observar que toda a região, até onde a vista alcançava, era coberta por diversas residências diminutas, antes de cair de cabeça bem no centro de uma cidade de aparência fantástica, e no meio de uma vasta multidão de pessoinhas feias, que não deram um pio ou preocuparam-se em vir ao meu auxílio, e sim ficaram ali paradas, como um bando de idiotas, sorrindo de forma absurda e lançando olhares de soslaio para mim e meu balão, com as mãos nos quadris. Virei as costas para eles, com desdém e, olhando para cima, para a Terra que abandonara há tão pouco tempo, talvez para sempre, enxerguei-a como um enorme escudo de cobre fosco, de cerca de 2 graus de diâmetro, preso e imóvel nos céus acima, ladeado em uma de suas bordas por uma crescente dourada, das mais brilhantes. Não se via nenhum traço de terra ou água, e o planeta inteiro estava anuviado por diversos pontos, cinturado por zonas tropicais e equatoriais.

Assim, se Vossas Excelências permitem-me afirmar, após uma série de grandes ansiedades, perigos inéditos e escapadas inigualáveis, eu chegara com segurança, finalmente, no 19 dia após minha partida de Roterdã, ao final de uma viagem indubitavelmente das mais extraordinárias, e mais importantes, já realizadas, experimentadas ou concebidas por qualquer habitante da Terra. Mas minhas aventuras ainda estão por ser relatadas. E

Vossas Excelências podem muito bem imaginar que, após uma residência de cinco anos em um corpo celeste, que não somente é profundamente interessante por sua própria natureza peculiar, como também por sua ligação íntima, na qualidade de satélite, com o mundo habitado pelos homens, tenho informações a fornecer em sigilo para a Associação Internacional de Astrônomos, muito mais importantes do que os detalhes, por mais maravilhosos que sejam, da mera viagem que teve um final tão feliz.

Este é o caso, na verdade. Tenho muitas, inúmeras, coisas que teria o maior prazer em contar. Tenho muito a dizer sobre o clima do planeta; suas maravilhosas alternâncias de calor e frio, dias ensolarados contínuos e escaldantes por uma quinzena, e uma frigidez mais do que polar durante a seguinte; sua constante transferência de umidade, pela destilação em vácuo, do ponto abaixo do Sol, até o ponto mais longe do mesmo; sobre a zona variável de água corrente, sobre as próprias pessoas; seus modos, costumes e instituições políticas; sua constituição física peculiar; sua feiura; sua falta de orelhas, que são apêndices inúteis em uma atmosfera tão peculiarmente modificada; sua consequente ignorância sobre o uso e as propriedades da fala; seu substituto da fala, em um método singular de comunicação; a incompreensível conexão entre cada indivíduo específico da Lua com um indivíduo específico da Terra – uma conexão análoga à das órbitas do planeta e do satélite, e dependente da mesma através da qual a vida e o destino dos habitantes de um estão entrelaçados com a vida e o destino dos habitantes do outro; e, acima de tudo, com a devida vênia de Vossas Excelências, acima de tudo, sobre os mistérios sombrios e horrendos das regiões mais afastadas da Lua: regiões estas que, devido à quase milagrosa conformidade da rotação do satélite sobre seu próprio eixo e sua revolução sideral ao redor da Terra, nunca foram voltadas, e, se Deus quiser, nunca serão voltadas, para o escrutínio dos telescópios humanos.

Tudo isso e muito, muito mais eu relataria com o maior prazer. Mas, para ser breve, preciso de uma recompensa. Anseio por voltar para minha família e meu lar, e, como preço por qualquer comunicação de minha parte – em contraprestação pelo esclarecimento que tenho o poder de dar, em relação a áreas muito importantes das ciências física e metafísica –, devo solicitar, através da influência de sua honrada autarquia, um perdão pelo crime que cometi, a morte dos credores, durante minha partida de Roterdã. É este, então, o objetivo desta carta. Seu portador, um habitante da Lua, que convenci e instruí a ser meu mensageiro até a Terra, aguardará a deliberação de Vossas Excelências por quanto tempo seja necessário, e voltará até mim com o perdão em questão, se puder, de qualquer forma, ser obtido.

Subscrevo-me com meus mais humildes cumprimentos,

Hans Pfaall.

Ao terminar de ler aquele documento tão extraordinário, dizem que o professor Rub-a-dub derrubou seu cachimbo no chão, de tamanha surpresa, e Mynheer Superbus von Underduk, tendo tirado os óculos, limpou-os e colocou-os no bolso, esquecido de sua própria importância e dignidade, e deu três voltas, de pura surpresa e admiração. Não havia dúvidas quanto ao assunto: o perdão precisava ser obtido. Pelo menos foi o que jurou, por tudo quanto era mais sagrado, o professor Rub-a-dub, e o que finalmente pensou o ilustre Von Underduk, enquanto agarrava o braço de seu companheiro de ciências e, sem dizer uma palavra, começou a dirigir-se para casa, da melhor maneira que podia, para pensar sobre as medidas que deveriam ser tomadas. Ao chegar à porta, contudo, da residência do burgomestre, o professor ousou sugerir que, visto que o mensageiro decidira desaparecer – sem dúvida assustado pela aparência selvagem dos cidadãos de Roterdã –, o perdão seria de muito pouca utilidade, visto que ninguém além de um habitante da Lua faria uma viagem por uma distância tão longa.

O burgomestre concordou com a veracidade de tal observação, e a questão foi, portanto, resolvida. Contudo, os rumores e especulações não cessaram. A carta, após ser publicada, ensejou diversas fofocas e opiniões. Alguns dos mais sábios até mesmo expuseram-se ao ridículo, ao desacreditar a história toda como apenas uma farsa. Mas acredito que "farsa", para esse tipo de gente, é um termo genérico para todos os assuntos além de sua compreensão. De minha própria parte, não consigo imaginar que dados usaram para embasarem tal acusação. Vamos ver o que dizem:

Primeiramente, que certos gaiatos de Roterdã têm uma antipatia especial em relação a certos burgomestres e astrônomos.

Não compreendo nem um pouco.

Em segundo lugar, que um anãozinho estranho e ilusionista, cujas orelhas haviam sido, devido a um pequeno delito, cortadas bem rente à cabeça, estava desaparecido há dias da cidade vizinha de Bruges.

Bem... e o que tem isso?

Em terceiro lugar, que os jornais grudados em todos os cantos do balão eram da Holanda, e não podiam, portanto, ter sido feitos na Lua. Eram jornais sujos, imundos, e Gluck, o impressor, juraria em cima da *Bíblia* que haviam sido impressos em Roterdã.

Ele estava enganado, sem dúvida.

Em quarto lugar, que o próprio Hans Pfaall, aquele canalha bêbado, e os três cavalheiros ociosos, que se diziam seus credores, haviam sido vistos, há apenas dois ou três dias, em uma taverna nos subúrbios, tendo acabado de voltar, com os bolsos cheios de dinheiro, de uma viagem além-mar.

Não acredito; não acredito em uma única palavra.

Por último, que é uma opinião geralmente aceita, ou que deveria ser geralmente aceita, que a Associação de Astrônomos da cidade de Roterdã, assim como outras, em diferentes partes do mundo – para não falar nas universidades e nos astrônomos em geral –, não são, para dizer o mínimo, nem um pouquinho melhores, mais importantes ou mais sábias do que deveriam ser.

* * * Fim do Texto * * *

Notas de "Hans Pfaall"

(1) NOTA – Estritamente falando, há poucas semelhanças entre a brincadeira simples acima e a celebrada história sobre a Lua, escrita pelo sr. Locke; porém, como as duas têm a natureza de "farsas" (ainda que uma tenha o tom de gracejo, e a outra seja séria), e visto que as duas farsas são sobre o mesmo assunto, a Lua – ademais, considerando que as duas tentam dar um ar plausível, acrescentando detalhes científicos –, o autor de "Hans Pfaall" sente a necessidade de dizer, em sua própria defesa, que seu próprio *jeu d'esprit* foi publicado no *Southern Literary Messenger* cerca de três semanas antes dos artigos do sr. Locke no *New York Sun*. Imaginando uma semelhança que talvez não exista, alguns dos jornais de Nova York copiaram "Hans Pfaall" e o compararam com "A Farsa da Lua", detectando o autor de uma no escritor da outra.

Considerando-se que mais pessoas foram enganadas pela "Farsa da Lua" do que estão dispostas a admitir, pode ser divertido mostrar por que ninguém deveria ter sido ludibriado, apontando os detalhes da história que deveriam ter sido suficientes para estabelecer sua verdadeira natureza. Na verdade, por mais rica que seja a imaginação demonstrada naquela engenhosa ficção, faltava muito da força que poderia ter tido, se houvesse contado com uma atenção mais escrupulosa aos fatos e à analogia em geral. O fato de que o público foi logrado, ainda que por um instante, apenas prova a flagrante ignorância tão comumente prevalente em relação a assuntos de natureza astronômica.

A distância entre a Lua e a Terra é, em um número arredondado, de 385 mil quilômetros. Se quisermos averiguar quão perto, aparentemente, uma lente traria o satélite (ou qualquer objeto distinto), temos, é claro, que dividir a distância pelo poder de aumento da lente, ou, para ser mais preciso, por seu poder de penetração no espaço. O sr. Locke faz com que sua lente tenha um poder de 42 mil vezes. Dividimos 385 mil (a verdadeira distância da Lua) por isso, e chegamos à distância aparente de 9,16 quilômetros. Nenhum animal poderia ser visto de tal distância, muito menos os detalhes particularizados na história. O sr. Locke fala sobre Sir John Herschel observando flores (a *Papaver rheas*, etc.), e até mesmo detectando a cor e o formato dos olhos de pequenos pássaros. Logo antes disso, ele mesmo observa que a lente não faria com que objetos menores do que 45 centímetros de diâmetro pudessem ser perceptíveis; mas até mesmo isso, como disse, dá à lente um poder exagerado. Pode-se observar, de passagem, que é dito que essa lente prodigiosa foi moldada na óptica dos srs. Hartley e Grant, em Dumbarton; mas o estabelecimento dos referidos senhores fechou muitos anos antes da publicação da farsa.

Na página 13 da edição em panfletos, ao falar sobre um "véu peludo" sobre os olhos de uma espécie de bisão, o autor diz: "Ocorreu imediatamente à mente afiada do dr. Herschel que esta era uma feliz invenção para proteger os olhos do animal dos grandes extremos de luz e sombra aos quais todos os habitantes de nosso lado da Lua estão periodicamente sujeitos". Mas esta não pode ser considerada uma observação muito "astuta" do doutor. Os habitantes de nosso lado da Lua não têm, evidentemente, qualquer escuridão, de modo que não pode haver nenhum dos "extremos" mencionados. Na ausência do Sol, têm uma luz vinda da Terra, igual à de 13 luas cheias, não encobertas por nuvens.

Toda a topografia, ainda quando afirma estar de acordo com o Mapa Lunar de Blunt, discorda inteiramente daquela de qualquer outro mapa lunar, e diverge até de si mesma. Os pontos da bússola, também, estão em uma confusão inextricável; parece que o escritor ignora o fato de que, em um mapa lunar, não estão de acordo com pontos terrestres, o leste estando à esquerda, etc.

Enganado, talvez, pelos nomes vagos, Mare Nubium, Mare Tranquillitatis, Mare Faecunditatis, etc., dados às partes escuras por astrônomos antigos, o sr. Locke entrou em detalhes sobre oceanos e outros grandes corpos de água na Lua, enquanto que não há nenhuma questão astronômica melhor estabelecida do que o fato de que lá não existem tais corpos. Ao examinar o limite entre luz e sombra (na lua crescente), onde tal limite cruza alguma das partes escuras, vê-se que a linha de divisão é desigual e irregular; mas, se estes locais escuros fossem líquidos, evidentemente que seriam regulares.

A descrição das asas do homem-morcego, na página 21, não é nada mais do que uma cópia literal do relato de Peter Wilkins sobre as asas de seus ilhéus voadores. Esse simples fato deveria ter despertado suspeitas; pelo menos, pode-se pensar que sim.

Na página 23, temos o seguinte: "Que influência prodigiosa nosso globo, 13 vezes maior, deve ter exercido sobre esse satélite, quando era um embrião em épocas passadas, o sujeito passivo de uma afinidade química!" É um trecho muito belo, mas deve-se observar que nenhum astrônomo teria feito tal observação, especialmente para alguma publicação científica; pois a Terra, no sentido pretendido, não é apenas 13, e sim 49 vezes maior do que a Lua. Uma objeção semelhante aplica-se a todas as páginas da conclusão, onde, na forma de uma introdução a algumas descobertas em Saturno, o correspondente filosófico dedica-se a um relato detalhado e infantil sobre o referido planeta... para a *Revista de Ciências de Edimburgo!*

Mas há um assunto em particular que deveria ter revelado a ficção. Imaginemos que possuíssemos, realmente, o poder de ver animais na superfície da Lua — o que chamaria primeiro a atenção de um observador na Terra? Certamente que não seria seu formato, tamanho ou outra peculiaridade, e sim sua notável *situação*. Pareceriam estar andando, com o casco para cima e a cabeça para baixo, como moscas em um teto. Um observador *verdadeiro* teria soltado uma exclamação de surpresa (por mais preparado que estivesse por algum conhecimento prévio) devido à singularidade de sua posição; mas o observador *fictício* nem mencionou o assunto, e já começa a falar sobre o corpo inteiro da criatura, quando é óbvio que só poderia ter visto o diâmetro de sua cabeça!

Pode-se também observar, em conclusão, que o tamanho, e particularmente os poderes, dos homens-morcegos (por exemplo, sua capacidade de voar em uma atmosfera tão rarefeita – se é que a Lua tem alguma), com a maioria das outras características imaginárias relativas à existência animal e vegetal, divergem, geralmente, de todos os raciocínios analógicos sobre tais temas; e essa analogia, aqui, frequentemente equivale a uma demonstração conclusiva. Talvez não haja a necessidade de acrescentar que todas as sugestões atribuídas a Brewster e Herschel, no início do artigo, sobre "uma transfusão de luz artificial através do objeto focal da visão", etc., etc., pertencem àquele tipo de escrita figurativa abarcado, muito adequadamente, pela denominação de *asneiras*.

Há um limite verdadeiro e muito definitivo para as descobertas ópticas entre as estrelas, limite este cuja natureza precisa apenas ser declarada, para ser compreendida. Se a fabricação de grandes lentes fosse realmente o único requisito necessário, a engenhosidade humana acabaria dando conta da tarefa, e poderíamos tê-las de qualquer tamanho que precisássemos. Mas, infelizmente, proporcional ao aumento do tamanho das lentes, e consequentemente de seu poder de penetração no espaço, é a diminuição de luz do objeto, pela difusão de seus raios. E, para este mal, não há remédio no escopo da capacidade humana, pois um objeto é visto através apenas da luz vinda de si mesmo, seja direta ou refletida. Assim, a única luz "artificial" que o sr. Locke poderia ter usado seria alguma luz artificial que ele pudesse jogar, não sobre o "objeto focal da visão", e sim sobre o verdadeiro objeto a ser visto: isto é, a Lua. Foi facilmente calculado que, quando a luz emanada de uma estrela torna-se difusa a ponto de ser tão fraca quanto a luz natural vinda de todas as estrelas, em uma noite límpida e sem luar, a estrela não é mais visível, para quaisquer propósitos práticos.

O telescópio Earl of Ross, recentemente construído na Inglaterra, tem um espéculo com uma superfície refletora de 2,6 metros quadrados, enquanto a do telescópio Herschel é de apenas 1,1. O metal do Earl of Ross tem um diâmetro de 1,8 metro; tem uma grossura de 14 centímetros nas beiradas, e 12 no centro. Seu peso é de 3 toneladas. O comprimento focal é de 15 metros.

Li recentemente um livrinho singular e um tanto quanto engenhoso, cuja capa contém o seguinte: *"L'Homme dans la Lune, ou le Voyage Chimerique fait au Monde de la Lune, nouvellement decouvert par Dominique Gonzales, Advanturier Espagnol, aurtement dit le Courier volant. Mis em notre langue par J.B.D.A. Paris, chez François Piot, prés la Fontaine de Saint Benôit. Et chez J. Goignard, au premier pilier de la grande salle du Palais, proche les Connsultations, MDCXLVII* [5] *"*. São 76 páginas.

O escritor alega ter traduzido sua obra do inglês, de um certo sr. D'Avisson (Davidson?), apesar de haver uma terrível ambiguidade na declaração. *"J'en ai eu"*, diz ele, *"l'original de Monsieur D'Avisson, medecin des mieux versez qui soient aujourd'huy dans la cõnoissance des Belles Lettres, et sur tout de la Philosophic Naturelle. Je lui ai cette obligation entre les autres, de m'avoir non seulement mis en main cette livre en anglais, mais encore le Manuscrit du Sieur Thomas D'Anan, gentilhomme Eccossois, recommandable pour sa vertu, sur la version duquel j'advoue que j'ai tiré le plan de la mienne* [6] *"*.

Após algumas aventuras irrelevantes, parecidas com as de Gil Blas,[7] e

---

5 N. da T.: "*O Homem na Lua*, ou *A Viagem Quimérica ao Mundo da Lua*, recentemente descoberto por Dominique Gonzales, aventureiro espanhol, também conhecido como mensageiro voador. Passado para nosso idioma por J.B.D.A., em Paris, na casa de François Piot, perto da Fonte de São Benedito. E na casa de J. Goignard, no primeiro pilar do grande salão do Palácio, próximo das consultas, MDCXLVII". Em francês no original.

2 N. da T.: "Tenho o original do sr. D'Avisson, um dos melhores médicos da atualidade, conhecedor da literatura e da filosofia natural. Tenho a obrigação, entre outras, de não só colocar este livro em inglês como também o manuscrito do sr. Thomas D'Anan, cavalheiro escocês, louvável por sua virtude, sobre cuja versão admito que tracei a minha". Em francês no original.

3 N. da T.: Romance picaresco do francês Alain Rene Lesage.

que ocupam as primeiras 30 páginas, o autor relata que, após passar mal durante uma viagem por mar, a tripulação o abandonou, junto com um serviçal negro, na ilha de Santa Helena. Para aumentar suas chances de obter comida, os dois se separam e vivem o mais longe possível um do outro. Isso enseja um treinamento de pássaros, para servirem de mensageiros entre eles. Pouco a pouco, eles são ensinados a carregar pacotes de certo peso – peso este que aumenta gradativamente. Finalmente, cogitam a ideia de unir as forças de uma grande quantidade de pássaros, para erguer o próprio autor. Uma máquina é criada para tal fim, da qual temos uma descrição detalhada, bastante facilitada por uma gravura em metal. Nela, vemos o Signor Gonzales, com gola de rufos e uma enorme peruca, montado em algo que se parece muito com uma vassoura, carregado no ar por uma multidão de gansos (*ganzas*) selvagens, com cordas que se esticam de suas caudas até a máquina.

O principal evento detalhado na narrativa do cavalheiro depende de um fato muito importante, sobre o qual o leitor é mantido na ignorância quase até o final do livro. Os gansos, com os quais ele se tornara tão familiarizado, não eram habitantes de Santa Helena, de verdade, e sim da Lua. Consequentemente, era seu costume imemorial migrar anualmente para alguma parte da Terra. Na estação adequada, é claro, voltavam para casa; e, visto que o autor precisou, um dia, de seus serviços para uma viagem curta, foi inesperadamente carregado diretamente para cima, e logo chegou no satélite. Lá descobre, entre outras coisas inusitadas, que as pessoas são extremamente felizes; que não têm leis; que morrem sem dor; que têm de 3 a 9 metros de altura; que vivem 500 anos; que têm um imperador chamado Irdonozur; e que conseguem dar saltos de 20 metros de altura, quando, fora da influência da gravidade, voam com leques, por todas as partes.

Não posso deixar de dar um exemplo da *filosofia* geral do referido livro:

"Não posso esquecer, neste ponto, de que as estrelas apareciam só na parte do globo voltada para a Lua, e que, quanto mais perto estavam, maiores pareciam ser. Também discorro sobre mim mesmo e a Terra. Quanto às estrelas, visto que não havia noite onde eu estava, sempre tinham a mesma aparência; não brilhante, como de costume, e sim pálida, muito semelhante à da Lua pela manhã. Mas poucas eram visíveis, e dez vezes maiores (pelo que eu poderia julgar) do que parecem para os habitantes da Terra. A Lua, que ficaria cheia dentro de dois dias, era de uma grandeza terrível.

Não posso esquecer, neste ponto, de que as estrelas apareciam só na parte do globo voltada para a Lua, e que, quanto mais perto estavam, maiores pareciam ser. Também devo informá-los de que, o clima estando calmo ou tempestuoso, eu *sempre me encontrava entre a Lua e a Terra*. Estava convencido disso por dois motivos: porque meus pássaros sempre voavam em linha reta, e porque sempre que tentávamos descansar éramos carregados, desacordados, ao redor do globo terrestre. *Pois aceito a opinião de Copérnico, que defende que a Terra nunca para de girar do leste para o oeste, não sobre os polos do Equinocial*, e sim sobre os do Zodíaco, questão esta sobre a qual proponho falar em maiores detalhes abaixo, quando terei tido tempo de refrescar minha memória em relação à astrologia que aprendi em Salamanca na juventude, e que, desde então, esqueci."

Não obstante os enganos realçados em itálico, o livro não deixa de merecer alguma atenção, por ser um exemplo ingênuo das noções astronômicas de sua época. Uma delas presumia que o "poder gravitacional" estendia-se a apenas uma curta distância da superfície da Terra, e, assim, encontramos nosso viajante "carregado desacordado ao redor do globo", etc.

Houve outras "viagens à Lua", mas nenhuma com méritos maiores do que a da acima mencionada. A de Bergerac é absolutamente sem sentido. No terceiro volume da publicação *American Quarterly Review* encontra-se uma crítica bem elaborada sobre uma certa "jornada" do tipo em questão – crítica esta que torna difícil dizer se o crítico expõe mais a estupidez do livro ou sua própria ignorância absurda da astronomia. Esqueci o título do livro, mas os *meios* da viagem são ainda mais deploravelmente concebidos do que os gansos de nosso amigo, Signor Gonzales. O aventureiro, ao escavar a Terra, acaba descobrindo um metal peculiar, pelo qual a Lua tem uma forte atração, e imediatamente constrói com ele uma caixa, que, quando solta de suas amarras terrestres, voa imediatamente com ele na direção do satélite. O *Voo de Thomas O'Rourke* é um *jeu d'esprit*, não de todo desprezível, e foi traduzido para o alemão. Thomas, o herói, era, na verdade, o guarda-caça de um aristocrata irlandês, cujas excentricidades deram origem ao conto. O "voo" é feito sobre as costas de uma águia, a partir de Hungry Hill, uma alta montanha na ponta da Baía de Bantry.

O objetivo desses diversos contos é sempre satírico, e o tema é uma descrição dos costumes lunares, em comparação com os nossos. Nenhum deles faz qualquer esforço na direção da *plausibilidade* dos detalhes da viagem em si. Os escritores parecem, em cada caso, completamente desinformados sobre astronomia. O propósito de "Hans Pfaall" é original, na medida em que é uma tentativa de *verossimilhança* da aplicação de princípios científicos (até onde a natureza extravagante do assunto permite) à viagem efetiva entre a Terra e a Lua.

(*2) A luz zodiacal é provavelmente o que os antigos chamavam de *Trabes. Emicant Trabes, quos docos vocant* – Plínio, livro 2, pág. 26.

(*3) Desde a publicação original de Hans Pfaall, descobri que o sr. Green, famoso pelo balão em Nassau, e outros aeronautas recentes, discordam das alegações de Humboldt neste sentido, e falam de uma diminuição da inconveniência – precisamente de acordo com a teoria aqui exposta, meramente no espírito de gracejo.

(*4) Havelius escreve que averiguou diversas vezes, em céus perfeitamente límpidos, sempre que estrelas da sexta e sétima magnitudes estão conspícuas, que, na mesma altitude que a Lua, no mesmo alongamento que a Terra, e com o mesmo telescópio excelente todas as vezes, que a Lua e suas crateras não aparecem com a mesma clareza em todas as ocasiões. Com base nas circunstâncias da observação, é evidente que a causa desse fenômeno não está em nosso ar, no tubo, na Lua ou no olho do espectador, e sim deve ser buscada em algo (uma atmosfera?) que exista ao redor da Lua.

O ESCARAVELHO DE OURO

> *"Vejam só! Vejam só! Este camarada dança loucamente!*
> *Foi mordido pela Tarântula"*
> *— All in the Wrong*[1]

Há muitos anos, entabulei uma amizade íntima com um tal de sr. William Legrand. Vinha de uma antiga família huguenote, e já fora rico; porém, uma série de infortúnios o levara à penúria. Para evitar a vergonha consequente de suas infelicidades, saíra de New Orleans, a cidade de seus antepassados, e estabeleceu residência na Ilha Sullivan, perto da cidade de Charleston, no estado da Carolina do Sul. Esta ilha é bastante singular. É formada por pouco menos do que areia, e tem cerca de 5 quilômetros de comprimento. Sua largura não ultrapassa, em nenhuma parte, meio quilômetro. É separada do continente por um riacho quase que imperceptível, que corre através de uma selva de juncos e musgo, o abrigo favorito dos frangos de água. A vegetação, como é de se supor, é escassa, ou, no mínimo, diminuta. Não se vê qualquer árvore de uma certa magnitude. Perto da extremidade ocidental, onde fica o Forte Moultrie e onde algumas edificações de estrutura miserável são alugadas, durante o verão, pelos que fogem da poeira e da febre de Charleston, podem-se ver, é verdade, as pontiagudas palmeiras; mas a ilha inteira, exceto por esse ponto ocidental e uma faixa de areia dura e branca no litoral, é coberta por um matagal denso de lírio-dos-charcos, tão cobiçada pelos horticultores da Inglaterra. Os arbustos da ilha costumam atingir de 4 a 6 metros, e formam um bosque quase que impenetrável, carregando o ar com sua fragrância.

Nos cantos mais profundos deste bosque, não muito longe da extremidade oriental, ou mais remota, da ilha, Legrand construíra para si uma pequena cabana, que ocupava quando o conheci, por mero acidente, pela primeira vez. Logo formamos uma amizade, pois o recluso tinha muitas características que despertavam meu interesse e minha estima. Descobri que ele era bem educado, com uma mente incomumente afiada, mas infectado pela misantropia e sujeito a humores perversos, que alternavam-se entre

---

[1] N. da T.: Comédia do século 18, escrita por Arthur Murphy.

entusiasmo e melancolia. Tinha consigo muitos livros, mas raramente os usava. Suas principais diversões eram a caça e a pesca, ou passear pela praia e em meio aos lírios, em busca de conchas ou espécimes entomológicos; sua coleção destes últimos causaria inveja em Swammerdamm.[2] Em suas excursões, costumava ser acompanhado por um velho negro, chamado Júpiter, que havia sido libertado antes dos reveses da família, mas que não podia ser convencido, nem com ameaças, nem promessas, a abandonar o que considerava ser seu direito de seguir os passos de seu jovem "sinhô Will". Não é improvável que os parentes de Legrand, imaginando que seu intelecto era um tanto quanto perturbado, haviam inculcado essa obstinação em Júpiter, pretendendo que supervisionasse e protegesse o andarilho.

Os invernos na latitude da Ilha Sullivan raramente são muito severos, e, no outono, uma fogueira ser considerada necessária é um evento muito raro. Lá pelo meio de outubro de 18--, contudo, houve um dia notavelmente frio. Logo antes do nascer do sol, segui caminho aos tropeços até a cabana de meu amigo, que não visitava há semanas – pois minha residência era, naquela época, em Charleston, a uma distância de 20 quilômetros da Ilha, enquanto que os meios de transporte de ida e volta ainda estavam muito aquém dos atuais. Ao chegar à cabana, bati na porta, como de costume, e, não obtendo resposta, procurei a chave onde sabia que estava escondida, destranquei a porta e entrei. Um belo fogo ardia na lareira. Era uma novidade, mas nem um pouco indesejável. Tirei o sobretudo, sentei-me em uma poltrona perto da lenha em chamas, e aguardei pacientemente a chegada de meus anfitriões.

Chegaram logo após o anoitecer, e me receberam com enorme cordialidade. Júpiter, sorrindo de orelha a orelha, ocupou-se com o preparo de alguns frangos d'água para o jantar. Legrand estava em um de seus arroubos – de que mais posso chamá-los? – de entusiasmo. Descobrira um molusco desconhecido, parte de um novo gênero, e, além disso, procurara e obtivera, com

---

[2] N. da T.: Renomado biólogo holandês.

auxílio de Júpiter, um besouro que acreditava ser completamente novo, mas em relação ao qual queria minha opinião pela manhã.

— E por que não hoje à noite? — perguntei, esfregando as mãos sobre o fogo, e desejando que toda a família dos besouros fosse para o inferno.

— Ah, se ao menos eu soubesse que você estava aqui! — disse Legrand. — Mas faz tanto tempo desde a última vez que o vi, e como poderia prever que me visitaria justo esta noite, dentre todas as outras? Ao voltar para casa, encontrei-me com o tenente G---, do forte, e tolamente emprestei-lhe o besouro; de modo que será impossível que o veja até a manhã. Fique aqui esta noite, e mandarei Jup buscá-lo assim que o sol raiar. É a coisa mais bela de toda a criação!

— O quê? O nascer do sol?

— Que besteira! Não! O besouro. É de uma cor dourada-brilhante, mais ou menos do tamanho de uma noz, com dois pontos pretos perto de uma extremidade das costas, e outro um pouco mais longo na outra. As antenas...

— Ele *num* é feito de latão, sinhô Will, *tô* dizendo — Júpiter interrompeu-o. — O *bisoro* é de ouro, todinho sólido, por dentro e tudo, exceto a asa; nunca senti um *bisoro* tão pesado na vida.

— Bem, suponho que sim, Jup — respondeu Legrand, com um pouco mais de efusividade, pareceu-me, do que a situação exigia. — Há algum motivo para que deixe as aves queimarem? A cor — continuou, virando-se na minha direção — é mesmo quase que suficiente para justificar a ideia de Júpiter. Nunca viu-se um brilho metálico mais intenso do que o que a casca emite; mas isso você só poderá julgar amanhã. Enquanto isso, posso dar-lhe uma ideia do formato.

Ao dizer isso, sentou-se a uma mesinha, sobre a qual havia uma caneta e tinta, mas nenhuma folha de papel. Procurou alguma em uma gaveta, mas não encontrou.

— Não tem problema – disse, finalmente –, isso servirá. – Tirou do bolso do colete o que imaginei que fosse um pedaço de papel ofício muito sujo, e fez um esboço sobre ele com a caneta. Enquanto o fazia, retomei meu assento perto do fogo, pois continuava com frio. Ao concluir o desenho, passou-o para mim sem levantar-se. Enquanto o recebia, ouviu-se um rosnado alto, seguido de arranhões na porta. Júpiter abriu-a, e um grande cão da raça newfoundland, pertencente a Legrand, correu para dentro, pulou em meus ombros e encheu-me de carinho, pois eu lhe dera muita atenção em visitas anteriores. Quando suas brincadeiras haviam terminado, olhei para o papel e, para falar a verdade, senti-me bastante encafifado com o que meu amigo retratara.

— Bem! – disse, após contemplar o desenho por alguns minutos. – Devo confessar que este escaravelho é estranho; é novidade para mim. Nunca vi nada parecido antes, a não ser que fosse um crânio, ou uma caveira, com o que esta figura se parece mais do que qualquer outra coisa que já tive a oportunidade de observar.

— Uma caveira! – repetiu Legrand. – Ah... sim. Bem, parece-se um pouco com isso, no papel, sem dúvida. Os dois pontos pretos superiores assemelham-se um pouco com olhos, não é? E o mais longo, embaixo, parece-se com uma boca, e seu formato geral é oval.

— Talvez – respondi. – Mas Legrand, infelizmente, você não é nenhum artista. Precisarei esperar para ver o besouro de verdade, para ter uma ideia de sua aparência verdadeira.

— Bem, não sei – disse ele, um pouco ofendido –, desenho toleravelmente bem; pelo menos, deveria. Tive bons professores e, modéstia à parte, não me considero um tolo.

— Mas, meu caro, então está brincando – disse eu –, este é um crânio bem razoável; na verdade, ouso dizer que é um crânio excelente, de acordo com as noções vulgares sobre estes espécimes da fisiologia, e seu escaravelho deve ser o mais estranho do mundo, se assemelha-se a isso. Oras, podemos criar uma superstição fascinante, com base nele. Presumo que chamará o besouro de *scarabeus caput hominis* ou algo do tipo; há muitos nomes parecidos, nos livros de história natural. Mas onde estão as antenas que mencionou?

— As antenas! — disse Legrand, que parecia estar exaltando-se inexplicavelmente em relação ao assunto. — Decerto está enxergando as antenas. Desenhei-as tão distintas quanto são no inseto original, e presumo que isso seja suficiente.

— Bem, bem — respondi. — Talvez tenha desenhado; mas ainda não as vejo — disse, devolvendo o papel sem mais observações, não querendo provocá-lo. Porém, fiquei muito surpreso com o rumo que o assunto tomara; seu mau humor me intrigava, e, quanto ao desenho do besouro, não havia antena nenhuma visível, e o esboço inteiro parecia-se muito com as características comuns de uma caveira.

Ele recebeu o papel com muita irritação, e estava prestes a amassá-lo, aparentemente para jogá-lo no fogo, quando uma olhadela casual no desenho pareceu prender sua atenção de repente. Em um instante, seu rosto ficou extremamente ruborizado; em outro, tão pálido quanto antes estava corado. Passou alguns minutos examinando o desenho em detalhes, de onde estava sentado. Finalmente, ergueu-se, pegou uma vela da mesa e sentou-se sobre o baú de viagem, no canto mais afastado do cômodo. Ali, também, fez uma análise ansiosa do papel, virando-o em todas as direções. Não disse nada, contudo, e seu comportamento deixou-me atônito; ainda assim, achei prudente não exacerbar seu mau humor crescente, fazendo algum comentário. Em seguida, tirou uma carteira do bolso do casaco, colocou o papel dentro dela cuidadosamente, e depositou ambos em uma escrivaninha, que trancou. Começou então a acalmar-se, mas seu ar original de entusiasmo desaparecera por completo. Contudo, parecia mais distraído do que rabugento. Conforme a noite passou, foi ficando cada vez mais absorto por seu devaneio, do qual nenhuma tentativa minha o fazia despertar. Fora minha intenção passar a noite na cabana, como fizera tantas vezes antes, mas, vendo meu anfitrião naquele estado de espírito, achei melhor partir. Ele não insistiu para que eu ficasse, mas, enquanto me despedia, apertou minha mão com mais cordialidade do que de costume.

Foi cerca de um mês depois disso (e, durante este intervalo, eu não vira Legrand nenhuma vez) que recebi uma visita, em Charleston, de seu criado, Júpiter. Eu nunca vira o velho tão desanimado, e temi que algum desastre se abatera sobre meu amigo.

— Bem, Jup – disse –, o que foi agora? Como está seu patrão?

— Para falar a verdade, sinhô, não está tão bem quanto poderia.

— Não está bem! Lamento muito ouvir isso. O que ele está sentindo?

— Pois é isso! Ele nunca reclama de nada, mas *tá* muito doente, mesmo assim.

— Muito doente, Júpiter! Por que não disse logo? Está de cama?

— Não, isso não. Não está em lugar nenhum, é justo esse o problema; *tô* muito preocupado com o pobre sinhô Will.

— Júpiter, gostaria de entender a que você se refere. Disse que seu patrão está doente. Não te contou o que o aflige?

— Puxa, sinhô, não adianta tentar adivinhar; o sinhô Will não disse nadinha sobre o que tem de errado. Mas então por que sai por aí procurando alguma coisa, de cabeça abaixada, com os ombros erguidos, branco como papel? E também fica o tempo todo com *umas cifra*...

— Com o que, Júpiter?

— Com *umas cifra* e umas figuras numa lousa, as figuras mais estranhas que eu já vi. *Tô* ficando com medo, juro. Tenho que ficar de olho nele o tempo todo. Outro dia, ele me escapuliu antes de o sol raiar, e passou o dia todinho fora. Eu já tinha até cortado uma vara bem grande *pra* dar uma coça nele, quando ele voltasse... mas *sô* tão bobo que não tive coragem, ele estava com uma cara muito ruim.

– Hã? Quê? Ah, sim! Creio que seria melhor se não fosse tão severo com o pobre homem; não dê uma surra nele, Júpiter, ele não aguentaria. Mas não faz nenhuma ideia do que causou essa doença, ou, na verdade, essa mudança de comportamento? Algo de desagradável aconteceu, desde a última vez que os vi?

– Não, sinhô, não teve nada de desagradável desde então; foi antes disso, eu acho. No mesmo dia que *cê* foi lá.

– Como assim? O que quer dizer?

– Ora, sinhô, *tô* falando do *bisoro*... pronto, *tá* aí.

– O quê?

– O *bisoro*, tenho certeza que o sinhô Will levou alguma mordida daquele *bisoro* dourado na cabeça.

– E que motivos tem, Júpiter, para tal suposição?

– As garras dele, sinhô, e a boca. Nunca vi um *bisoro* tão assustador; ele arranha e morde tudo que chega perto dele. O sinhô Will agarrou ele primeiro, mas teve que soltar rapidinho, vou te contar; deve ter sido nessa hora que levou a mordida. Eu mesmo não gostei da boca do *bisoro*, por isso não apanhei ele com os dedos, mas usei um pedaço de papel que achei. *Enrolei ele* no papel e enfiei um pedaço na boca dele; foi assim.

– E pensa, realmente, que seu patrão foi mordido pelo besouro, e que a mordida o fez adoecer?

– Não penso nada, eu sei. O que faz ele sonhar tanto com o ouro, se não for por causa da mordida do *bisoro* de ouro? Já tinha ouvido falar desses *bisoro* de ouro antes.

– Mas como sabe que ele sonha com ouro?

– Como eu sei? Oras, porque ele fala disso enquanto dorme, é assim que eu sei.

– Bem, Jup, talvez tenha razão; mas a que circunstâncias afortunadas devo atribuir a honra de uma visita sua, hoje?

– Que, sinhô?

– Trouxe alguma mensagem do sr. Legrand?

– Não, sinhô, trago este *bilete*.

Então, Júpiter entregou-me uma carta, que dizia o seguinte:

"Meu caro,

Por que não o vejo há tanto tempo? Espero que não seja tolo a ponto de se ofender com qualquer pequena rudeza de minha parte; mas não, isso seria improvável. Desde a última vez que o vi, tenho tido sérios motivos de preocupação. Tenho algo para contar, mas mal sei como ou se deveria fazê-lo.

Não estive muito bem estes últimos dias, e o pobre e velho Jup irrita-me de tal forma que mal posso aguentar, com seu zelo bem-intencionado. Consegue acreditar que ele preparara uma enorme vara, outro dia, com a qual me castigara por ter escapado dele e passado o dia, a sós, em meio às colinas do continente? Acredito, realmente, que fui salvo apenas por minha aparência doentia.

Não acrescentei nada a meu gabinete, desde que nos encontramos.

Se lhe for conveniente, de qualquer forma, venha com Júpiter. Venha, por favor. Desejo vê-lo esta noite, relativamente a um assunto importante. Asseguro-lhe de que é de extrema importância.

Afetuosamente,

William Legrand."

Havia algo no tom de seu bilhete que causou-me um grande desassossego. Todo o seu estilo diferia muito do de Legrand. Com o que ele estaria sonhando? Que novo interesse tomara conta de sua mente excitável? Que "assunto de extrema importância" ele poderia ter para tratar? O relato de Júpiter sobre ele não indicava nada de bom. Temi que a contínua pressão de seus infortúnios finalmente afetara o juízo de meu amigo. Sem hesitar por um momento, portanto, preparei-me para acompanhar o negro.

Ao chegarmos ao cais, reparei em uma foice e três pás, todas aparentemente novas, no fundo do barco em que iríamos embarcar.

– Qual é o significado disso tudo, Jup? – indaguei.

– A foice dele, sinhô, e pá.

– Realmente; mas o que estão fazendo aqui?

– São a foice e a pá que o sinhô Will insistiu *preu* comprar pra ele na cidade, e gastei uma baita dinheirama com elas.

– Mas o que, em nome de tudo quanto é mais misterioso, o seu "sinhô Will" vai fazer com foices e pás?

– Não faço ideia, e aposto o que *cê* quiser que ele também não. Mas isso é obra do *bisoro*.

Percebendo que não arrancaria nada de satisfatório de Júpiter, cuja mente parecia inteiramente absorta pelo *"bisoro"*, entrei no barco e partimos. Com uma brisa boa e forte, logo chegamos à pequena enseada ao norte do Forte Moultrie, e uma caminhada de uns 3 quilômetros nos levou até a cabana. Eram cerca de 3 horas da tarde, quando chegamos. Legrand nos aguardava ansiosamente. Agarrou minha mão com um entusiasmo nervoso, que alarmou-me e fortaleceu as suspeitas que já nutria. Seu rosto estava pálido, a ponto de parecer terrivelmente lívido, e seus olhos profundos lampejavam com um brilho anormal. Após algumas indagações sobre sua saúde, perguntei, sem saber o que mais poderia dizer, se já pegara o escaravelho de volta do tenente ---.

– Ah, sim – respondeu, corando violentamente. – Peguei-o de volta na manhã seguinte. Nada me faria largar esse escaravelho. Sabia que Júpiter tinha toda razão sobre ele?

– Em que sentido? – perguntei, com um pressentimento triste no coração.

– Ao supor que é feito de ouro de verdade. – Disse isso com um ar de profunda seriedade, e senti-me inexprimivelmente chocado. – Este escaravelho fará minha fortuna – continuou, com um sorriso triunfante – devolverá as propriedades de minha família. É de se estranhar, portanto, que eu o aprecie tanto? Já que o destino decidiu concedê-lo a mim, resta-me apenas utilizá-lo de forma adequada, e chegarei ao ouro do qual ele é um indício. Júpiter, traga-me o escaravelho!

– Quê! O *bisoro*, sinhô? Prefiro não ter nada a ver com ele; o sinhô mesmo vai ter que *pegar ele*.

Então Legrand levantou-se, com um ar sério e impávido, e trouxe até mim o escaravelho, de uma montra de vidro onde estava guardado. Era um escaravelho lindo e, naquele momento, desconhecido dos naturalistas; um grande prêmio, é claro, de um ponto de vista científico. Havia dois pontos redondos e pretos perto de uma das extremidades de suas costas, e outro longo, próximo da outra. A casca era extremamente dura e brilhante, com toda a aparência de ouro polido. O peso do inseto era incrível e, levando tudo aquilo em consideração, mal pude culpar Júpiter por sua opinião em relação a ele; contudo, não sabia o que pensar sobre o fato de que Legrand concordava com tal ideia.

— Pedi que viesse — disse, em um tom grandiloquente, após eu acabar de examinar o escaravelho — para obter seu conselho e sua assistência, na consecução dos objetivos do destino e do escaravelho...

— Meu caro Legrand — exclamei, interrompendo-o —, você está claramente mal, e seria melhor que tomasse algumas precauções. Precisa ir para a cama, e ficarei alguns dias com você, até que tenha superado isso. Está febril, e...

— Sinta meu pulso — disse ele.

Senti-o, e, para dizer a verdade, não encontrei nenhum indício de febre.

— Mas pode estar doente e, ainda assim, não ter febre. Permita-me, só desta vez, aconselhá-lo. Em primeiro lugar, vá para a cama. Em segundo...

— Está enganado — interpôs —, estou tão bem quanto seria de se esperar, sob o estado de excitação em que me encontro. Se realmente deseja o meu bem, aliviará minha excitação.

— E como devo fazê-lo?

— Com muita facilidade. Júpiter e eu partiremos em uma expedição para as colinas, no continente, e nesta expedição precisaremos do auxílio de alguém em quem possamos nos fiar. Você é o único digno de nossa confiança. Se fracassarmos ou conseguirmos, a excitação que vê em mim será igualmente suavizada.

— Faço questão de ajudá-lo como puder — respondi. — Mas está querendo dizer que este besouro infernal tem alguma ligação com sua expedição para as colinas?

– Sim.

– Então, Legrand, não posso fazer parte de um processo tão absurdo.

– Sinto muito, muito mesmo, pois teremos que tentar sozinhos.

– Tentar sozinhos! O camarada está claramente louco! Mas espere! Pretende se ausentar por quanto tempo?

– Provavelmente a noite toda. Partiremos imediatamente, e voltaremos, em qualquer caso, antes de o sol raiar.

– E promete-me, por sua honra, que quando sua loucura terminar, e o assunto do escaravelho (meu Deus!) estiver resolvido de forma satisfatória para você, voltará para casa e seguirá meus conselhos sem objeção, como se fosse seu médico?

– Sim, prometo. E agora vamos, não temos tempo a perder.

Com o coração apertado, acompanhei meu amigo. Partimos lá pelas 4 horas: Legrand, Júpiter, o cão e eu. Júpiter carregava a foice e as pás, que insistira em levar sozinho; mais por medo, pareceu-me, de confiar qualquer um dos implementos a seu patrão do que por qualquer excesso de empenho ou complacência. Sua atitude estava extremamente obstinada, e "aquela porcaria de *bisoro*" foram as únicas palavras que escaparam de seus lábios durante a jornada. Quanto a mim, fiquei encarregado de duas lamparinas, enquanto Legrand contentou-se com o escaravelho, que levava preso na ponta de um pedaço de corda, que girava para a frente e para trás, como um mágico, enquanto caminhava. Ao observar esta última e clara prova do desequilíbrio da mente de meu amigo, mal pude conter as lágrimas. Achei melhor, contudo, satisfazer suas vontades, pelo menos naquele momento, ou até que pudesse adotar alguma medida mais enérgica, com chances de sucesso. Enquanto isso, tentei, em vão, sondá-lo em relação ao objetivo da expedição. Após convencer-me a acompanhá-lo, parecia relutante em conversar sobre qualquer tópico de menor importância, e respondia a todas as minhas perguntas apenas com: "Vamos ver!"

Cruzamos o riacho na ponta da ilha com um barquinho; e, subindo o terreno mais alto do litoral do continente, prosseguimos na direção noroeste, atravessando um pedaço de terra extremamente selvagem e desolado, onde não se via nenhum traço de pegadas humanas. Legrand abria caminho com confiança, pausando apenas por alguns instantes, aqui e acolá, para consultar o que pareciam ser certos marcadores, colocados por ele mesmo, em alguma ocasião anterior.

Viajamos desse modo por cerca de duas horas, e o sol estava se pondo quando entramos em uma região infinitas vezes mais sombria do que qualquer outra que já víramos. Era uma espécie de planalto próximo do cume de uma colina quase inacessível, densamente arborizada, da base ao pináculo, e entremeada por enormes rochas que pareciam jazer soltas sobre o solo e, em muitos casos, aparentavam ser impedidas de desabar nos vales abaixo apenas pelo apoio das árvores nas quais se recostavam. Ravinas profundas, em várias direções, davam um ar de solenidade ainda mais severo à paisagem.

A plataforma natural que escaláramos tinha uma grossa cobertura de espinheiros, através dos quais logo descobrimos que seria impossível forçar passagem, se não fosse pela foice; e Júpiter, sob ordens de seu patrão, abriu um caminho para nós até o pé de um tulipeiro gigantesco, que erguia-se no planalto, junto com uns oito ou dez carvalhos, ultrapassando-os todos, assim como todas as outras árvores que eu já vira até então, em relação à beleza de sua folhagem e de sua constituição, devido à grande extensão de seus galhos e à alteza geral de sua aparência. Ao chegarmos até aquela árvore, Legrand virou-se para Júpiter e perguntou-lhe se achava que conseguiria escalá-la. O velho pareceu um pouco atordoado pela pergunta, e não respondeu por alguns momentos. Finalmente, aproximou-se do enorme tronco, andou lentamente a seu redor e examinou-o com muita atenção. Após concluir sua análise, disse apenas:

— Sim, sinhô, o Jup já subiu em toda árvore que viu na vida.

— Então suba, o mais rápido possível, pois logo estará escuro demais para enxergarmos o que estamos fazendo.

— Até onde devo subir, sinhô?

— Primeiro escale o tronco principal, e depois direi para que lado ir; e pegue... espere! Leve este escaravelho com você.

— O *bisoro*, sinhô Will! O *bisoro* de ouro! — exclamou, afastando-se de medo. — Por que preciso carregar o *bisoro* até lá em cima? Nem pensar.

— Como pode ter medo, Jup, um negro grande como você, de pegar um pequeno escaravelho morto e indefeso? Oras, pode até carregá-lo por essa corda. Mas, se não levá-lo até lá em cima com você, de qualquer forma que seja, precisarei partir sua cabeça com esta pá.

— O que é isso, sinhô — disse Jup, cuja vergonha evidentemente o levara a obedecer. — Sempre quer causar confusão com o velho negro. Só *tava* brincando. Eu com medo do *bisoro!* Nem me importo com o *bisoro*.

Então pegou a extremidade da corda cuidadosamente e, mantendo o inseto tão longe de si quanto as circunstâncias permitiam, preparou-se para escalar a árvore.

Em sua juventude, o tulipeiro, ou *Liriodendron tulipferum*, a árvore de grande porte mais magnífica da América do Norte, tem um tronco peculiarmente liso, e costuma atingir grandes alturas sem galhos laterais; entretanto, em sua idade mais avançada, a casca torna-se nodosa e desigual, e muitos galhos curtos aparecem no tronco. Portanto, a dificuldade com a subida, nesse caso, é mais aparente do que real. Abraçando o enorme cilindro, o mais perto que podia, com os braços e as pernas, agarrando algumas projeções com as mãos, e apoiando os dedos dos pés descalços sobre outras, Júpiter, após escapar por pouco de cair, uma ou duas vezes, finalmente encarapitou-se na primeira forquilha, e pareceu considerar o assunto praticamente resolvido. O risco da empreitada, na verdade, já acabara, ainda que o alpinista estivesse há uns 18 ou 20 metros do chão.

— *Pra* onde vou agora, sinhô Will? – perguntou.

— Continue subindo pelo galho maior; este aqui, deste lado – disse Legrand. O negro obedeceu-o prontamente, com muito pouco esforço, pelo que parecia. Subia cada vez mais alto, até que não se enxergava nada de sua figura atarracada através da folhagem densa que a encobria. Sua voz logo foi ouvida, emitindo um tipo de chamado.

— Quanto falta?

— Aonde já chegou? – perguntou Legrand.

— Longe *pra* caramba – respondeu Júpiter. – Dá *pra* ver o céu daqui de cima.

— Não se preocupe com o céu, escute o que vou dizer. Olhe para o tronco, abaixo de você, e conte os galhos deste lado. Por quantos passou?

— Um, dois, três, quatro, cinco... passei por cinco galhos grandes, sinhô, deste lado aqui.

— Então suba mais um.

Dentro de alguns minutos, ouvimos sua voz, novamente, anunciando que galgara o sétimo galho.

– Agora, Jup – exclamou Legrand, evidentemente em um estado de grande agitação –, quero que siga em frente, sobre esse galho, o mais longe que puder. Se enxergar algo de estranho, avise-me. – Àquela altura, qualquer dúvida que eu ainda poderia ter sobre a insanidade de meu pobre amigo foi confirmada. Não tive escolha senão concluir que estava tomado pela loucura, e quis ansiosamente levá-lo para casa. Enquanto refletia sobre o melhor a se fazer, ouvimos a voz de Júpiter, novamente.

– *Tô* com medo de avançar muito sobre este galho; *tá* inteirinho podre.

– Disse que é um galho seco, Júpiter? – exclamou Legrand, com a voz trêmula.

– Sim, sinhô, mortinho da silva, com certeza; partiu dessa *pruma* melhor.

– O que devo fazer, em nome de Deus? – perguntou Legrand, aparentemente em grande agonia.

– Fazer! – respondi, feliz por ter a oportunidade de interpor algumas palavras. – Oras, volte para casa e vá para a cama. Vamos, venha! Seja obediente. Está ficando tarde e, além disso, precisa lembrar-se de sua promessa.

– Júpiter – chamou, sem prestar a mínima atenção em mim – está me ouvindo?

– Sim, sinhô Will, direitinho.

– Examine a madeira com sua faca, e me diga se acha que está apodrecida demais.

– *Tá* podre, sinhô, com certeza – respondeu o negro, dentro de alguns momentos – mas não tão podre quanto poderia estar. Posso até tentar chegar sozinho um pouco mais *pra* frente do galho, verdade.

– Sozinho! O que quer dizer?

— Oras, *tô* falando do *bisoro*. Esse *bisoro* é bem grande. Se eu *deixar ele* cair, o galho não vai quebrar só com o peso de um negro.

— Seu patife dos infernos! — exclamou Legrand, parecendo aliviado. — O que está pensando, ao dizer essas besteiras? Assim que soltar esse escaravelho, quebro seu pescoço. Olha, Júpiter, está me ouvindo?

— *Tô*, sinhô, não precisa gritar com o pobre negro desse jeito.

— Bom! Agora escute! Se arriscar-se a ir mais para a frente do galho, até onde considerar seguro, e não soltar o escaravelho, lhe darei de presente 1 dólar de prata, assim que descer.

— *Tô* indo, sinhô Will, de verdade — respondeu o negro prontamente. — Quase na ponta, já.

— Na ponta! — Legrand praticamente gritou. — Está dizendo que chegou na ponta desse galho?

— Quase chegando, sinhô... ooooh! Valha-me, Deus! Que é isso aqui na árvore?

— Bem! — exclamou Legrand, deliciado. — O que é?

— Oras, é só um crânio. Alguém largou a cabeça dele aqui em cima da árvore, e os corvos comeram a carne todinha.

— Um crânio, é? Muito bem! Como está preso ao galho? O que o segura?
— *Num* sei, sinhô; vou olhar. Puxa, que circunstância curiosa, de verdade; tem um prego enorme no crânio, *prendendo ele* na árvore.
— Bom, agora, Júpiter, faça exatamente o que eu mandar, está entendendo?

— Sim, sinhô.

— Preste atenção, então! Encontre o olho esquerdo do crânio.

— Hm! *Oia*! Que engraçado! Pois não tem olho esquerdo nenhum.

— Chega de estupidez! Sabe discernir sua mão esquerda da direita?

— Sei, sim; sei direitinho. É com a minha mão esquerda que racho lenha.

— Exatamente! Você é canhoto; e seu olho esquerdo está do mesmo lado que sua mão esquerda. Agora imagino que consiga encontrar o olho esquerdo do crânio ou o lugar onde costumava estar. Encontrou?

Houve uma longa pausa. Finalmente, Júpiter perguntou:

— O olho esquerdo do crânio fica do mesmo lado que o da mão esquerda, também? Porque o crânio não tem nada de mão esquerda, não... deixa *pra* lá! Achei o olho esquerdo, *tá* aqui! O que eu faço com ele?

— Passe o escaravelho através dele, até onde a corda alcançar; mas cuidado para não soltar a corda.

— Pronto, sinhô Will; foi bem fácil, passar o *bisoro* pelo buraco. Olha ele aí embaixo.

Durante aquele colóquio, não enxergávamos nenhuma parte de Júpiter; mas o escaravelho, que ele fizera descer, agora estava visível na ponta da corda, reluzindo como um globo de ouro polido, sob os últimos raios do sol poente, alguns dos quais ainda iluminavam fracamente a elevação onde estávamos. O escaravelho pendia bem longe de qualquer galho e, se caísse, aterrissaria a nossos pés. Legrand pegou a foice imediatamente e limpou um espaço circular, de 3 ou 4 metros de diâmetro, logo abaixo do inseto, e, após fazê-lo, ordenou a Júpiter que soltasse a corda e descesse da árvore.

Fincando uma cavilha delicadamente no chão, no exato local onde o escaravelho caíra, meu amigo tirou do bolso uma fita métrica. Amarrando uma das pontas desta à parte do tronco da árvore mais próxima da cavilha, desenrolou-a até chegar na cavilha, e então um pouco mais, na direção já estabelecida pelos dois pontos da árvore e da cavilha, por uma distância de 15 metros, enquanto Júpiter retirava os espinheiros com a foice. No ponto assim alcançado, uma segunda cavilha foi fincada e, ao seu redor, como um centro, um círculo rudimentar, de cerca de 1 metro de diâmetro, foi formado. Então, pegando uma pá para si, e passando uma para Júpiter e outra para mim, Legrand implorou que começássemos a cavar, o mais rápido possível.

Para dizer a verdade, esse tipo de diversão nunca me agradara e, naquele momento específico, eu teria recusado imediatamente, pois o cair da noite se aproximava, e sentia-me muito cansado pelo exercício que já fizéramos; mas não vi como escapar, e temia perturbar a equanimidade de meu pobre amigo com uma recusa. Na verdade, se pudesse ter contado com a ajuda de Júpiter, não teria hesitado em tentar levar o lunático para casa à força; mas conhecia a disposição do velho negro bem demais para esperar que me auxiliasse, sob quaisquer circunstâncias, em um embate contra seu mestre. Não tinha dúvidas de que este último fora infectado por alguma das inúmeras superstições sulistas sobre tesouros enterrados, e que sua fantasia fora confirmada pela descoberta do escaravelho, ou, talvez, pela insistência de Júpiter em dizer que era "um *bisoro* de ouro de verdade". Uma mente com disposição para a loucura é tomada rapidamente por tais sugestões, especialmente se combinam com certas ideias preconcebidas favoritas. Lembrei-me, então, do que o pobre camarada falara, sobre o escaravelho ser "o indício de sua fortuna". No geral, sentia-me tristemente aborrecido e confuso, mas finalmente decidi transformar a necessidade em uma virtude, e cavar com vontade, para, assim, logo convencer o visionário, com provas visíveis, da falácia de suas opiniões.

Após acendermos as lamparinas, nos pusemos todos a trabalhar, com um zelo digno de uma causa mais racional; e, enquanto a luz caía sobre nós e nossos instrumentos, não pude deixar de pensar que formávamos um grupo pitoresco, e como nosso trabalho deveria parecer estranho e suspeito para qualquer transeunte que calhasse de passar por ali.

Cavamos constantemente, por duas horas. Falamos pouco; e nosso principal desconforto fora o latido do cão, que se interessou excessivamente pelo que fazíamos. Ele acabou fazendo tanto barulho que começamos a temer que chamasse a atenção de alguém que vagasse pelos arredores; ou, na verdade, era esta a preocupação de Legrand. De minha parte, eu teria regozijado com qualquer interrupção que me permitisse levar o andarilho para casa. Finalmente, o barulho foi silenciado com muita eficácia por Júpiter, que, saindo do buraco com um ar de deliberação resoluta, amarrou a boca da fera com um de seus suspensórios e voltou, com uma risada grave, para sua tarefa.

Quando o tempo que mencionei acabou, havíamos atingido uma profundidade de 1,5 metro, e ainda não havia sinal de qualquer tesouro. Seguiu-se uma pausa geral, e comecei a esperar que a farsa terminara. Legrand, contudo, apesar de evidentemente desconcertado, enxugou o cenho, pensativamente, e recomeçou. Havíamos cavado todo o círculo de 1 metro, e então alargamos ligeiramente os limites, e descemos mais meio metro. Ainda assim, nada apareceu. O caçador de ouro, de quem eu sinceramente sentia pena, finalmente saiu do fosso, com a mais amarga decepção marcando todos os seus traços, e começou, lenta e relutantemente, a vestir o casaco, que tirara no início do trabalho. Enquanto isso, não fiz nenhum comentário. Júpiter, a um sinal de seu patrão, começou a juntar as ferramentas. Após terminar, e desamarrar a boca do cachorro, nos dirigimos, em um silêncio profundo, para casa.

Tínhamos dado cerca de 12 passos naquela direção, quando, com um xingamento alto, Legrand foi até Júpiter e agarrou-o pelo colarinho. Este, atônito, arregalou os olhos e a boca ao máximo, deixou cair as pás e jogou-se de joelhos.

– Seu cafajeste – disse Legrand, sibilando as sílabas entre os dentes cerrados –, negro dos infernos! Fale, estou mandando! Responda-me neste instante, sem prevaricar! Qual... qual é seu olho esquerdo?

– Ah, puxa vida, sinhô Will! Não é este aqui meu olho esquerdo, com certeza? – urrou Júpiter, aterrorizado, colocando a mão sobre seu órgão de visão direito, e mantendo-a lá com pertinácia desesperada, como se temesse que seu patrão tentaria arrancá-lo.

– Foi o que pensei! Eu sabia! Viva! – vociferou Legrand, soltando o negro e executando uma série de rodopios e piruetas, para a extrema surpresa de seu criado, que, erguendo-se do chão, olhou em silêncio de seu patrão para mim, e de mim para seu patrão.

– Venham! Precisamos voltar – disse este último. – O jogo ainda não acabou – e levou-nos de volta para o tulipeiro.

– Júpiter – disse, quando chegamos ao pé da árvore – venha aqui! O crânio estava pregado no tronco com o rosto para fora ou virado para a árvore?

– O rosto *tava pra* fora, sinhô, assim os corvos fizeram a festa com os olhos, sem problema.

– Bem, então, foi por este olho, ou por este aqui, que você deixou cair o escaravelho? – perguntou Legrand, encostando em cada olho de Júpiter.

– Foi por esse aqui, sinhô, o olho esquerdo, como o sinhô me disse – novamente, Júpiter indicou seu olho direito.

– Está bem. Vamos tentar de novo.

Então, meu amigo, em cuja loucura eu agora vislumbrava, ou pensava vislumbrar, certos indícios de método, removeu a cavilha que marcava o local onde o escaravelho caíra, e colocou-a cerca de 8 centímetros para o oeste de sua antiga posição. Em seguida, tirando a fita métrica da parte do tronco mais próxima da cavilha, como antes, e continuando a estendê-la, em uma linha reta, a uma distância de 15 metros, um local foi indicado, muitos metros distante do ponto em que estivéramos cavando.

Ao redor desta nova posição, foi delineado um círculo, ligeiramente maior do que o anterior, e nos pusemos a trabalhar com as pás, novamente. Eu estava exausto, mas, sem entender o que causara a mudança em meus pensamentos, não senti mais uma grande aversão ao trabalho que me fora imposto. Ficara inexplicavelmente interessado... não, animado, na verdade. Talvez houvesse algo no comportamento extravagante de Legrand; algum ar de premeditação, ou deliberação, que me impressionou. Cavei ansiosamente, e ocasionalmente me peguei procurando, de verdade, com uma sensação muito parecida com expectativa, pelo tesouro imaginário, cuja visão enlouquecera meu infeliz companheiro. Durante o período em que tais fantasias mais tomaram conta de minha mente, e quando estávamos trabalhando há cerca de meia hora, fomos novamente interrompidos pelos uivos violentos do cão. Sua inquietude devera-se, de início, evidentemente à sua vontade de brincar ou a algum capricho, mas agora assumira um tom amargo e sério. Quando Júpiter tentou amordaçá-lo novamente, resistiu furiosamente e, pulando dentro do buraco, rasgou a terra freneticamente com suas garras. Dentro de alguns segundos, desvelara um amontoado de ossos humanos, que formavam dois esqueletos completos, misturados com diversos botões de metal e o que parecia ser o resto de lã apodrecida. Um ou dois golpes de pá revelaram a lâmina de uma grande faca espanhola e, conforme continuamos cavando, três ou quatro moedas soltas, de ouro e prata, vieram à luz.

Ao ver tudo aquilo, Júpiter mal pôde conter sua alegria, mas a expressão de seu patrão era de extrema decepção. Entretanto, insistiu para que continuássemos nossos esforços, e mal havia acabado de falar, quando tropecei e caí para a frente, tendo prendido a ponta de minha bota em um grande anel de ferro, que jazia meio enterrado na terra solta.

Trabalhamos, então, com afinco, e eu jamais passara dez minutos em um estado de excitação tão intensa. Durante aquele período, desenterramos a maior parte de um baú de madeira oblongo, que, julgando por sua perfeita preservação e maravilhosa dureza, havia claramente passado por algum processo de mineralização; talvez com cloreto de mercúrio. O baú tinha 1,5 metro de comprimento, 1 metro de largura e 60 centímetros de profundidade. Estava firmemente preso por barras de ferro forjado, rebitadas, e que formavam uma grade sobre o objeto inteiro. De cada lado do baú, perto da tampa, havia três anéis de ferro – 6, no total –, pelos quais 6 pessoas poderiam segurá-lo firmemente. Os nossos maiores esforços conjuntos só serviram para mover o cofre ligeiramente sobre seu leito. Percebemos imediatamente que seria impossível remover um peso tão grande. Por sorte, as únicas trancas da tampa consistiam em dois ferrolhos deslizantes. Puxamo-nos para trás, tremendo e ofegando de ansiedade. Dentro de um instante, um tesouro de valor incalculável jazia, brilhante, à nossa frente. Conforme os raios das lamparinas caíam sobre o fosso, refletia em uma pilha bagunçada de ouro e joias, criando um fulgor e um brilho que ofuscavam-nos completamente.

Não tentarei descrever o que senti enquanto observava. Assombro, é claro, predominava. Legrand parecia exausto de animação, e falava muito pouco. O semblante de Júpiter assumiu, por alguns minutos, a maior palidez possível, pela natureza, para o rosto de um negro. Parecia estupefato – mudo de espanto. Em seguida, jogou-se de joelhos no buraco e, enterrando os braços nus no ouro, até os cotovelos, deixou que lá permanecessem, como se estivesse se deleitando com um banho. Finalmente, com um suspiro profundo, exclamou, como quem faz um solilóquio:

– E tudo isso por causa do *bisoro veio!* Do *bisoro* bonito! Do pobre *bisorinho*, que eu xinguei com tanta raiva! Será que não tenho vergonha na cara? Hein!

Acabou sendo necessário, finalmente, que eu chamasse a atenção do patrão e do criado para o imperativo de removermos o tesouro rapidamente. Estava ficando tarde, e precisávamos nos esforçar para tirar tudo de lá antes de o dia raiar. Era difícil saber o que deveria ser feito, e gastamos muito tempo deliberando, de tão confusas que estavam nossas ideias. Finalmente diminuímos o peso do baú, removendo dois terços de seu conteúdo, e conseguimos, com alguma dificuldade, tirá-lo do buraco. Os artigos retirados foram colocados em meio aos espinheiros, e o cão deixado para guardá-los, com ordens estritas de Júpiter para, de maneira alguma, sair do lugar ou abrir a boca até que voltássemos. Nos apressamos, então, de volta para casa, com o baú, chegando na cabana em segurança, mas após trabalho excessivo, à 1 hora da manhã. Exaustos como estávamos, não seria humanamente possível fazer mais alguma coisa, naquele momento. Descansamos até as 2, e jantamos; partimos para as colinas imediatamente depois de terminarmos, armados com três sacos fortes, que, por sorte, estavam na cabana. Um pouco antes das 4, chegamos no buraco, dividimos entre nós o restante da pilhagem, o mais igualmente que conseguimos, e, deixando os buracos sem tapar, partimos novamente para a cabana, onde depositamos nossos fardos de ouro pela segunda vez, logo quando os primeiros raios do sol apareceram atrás das copas das árvores, no leste.

Àquela altura, estávamos completamente esfalfados; mas a emoção intensa do momento nos impedia de repousar. Após um sono irrequieto de umas três ou quatro horas, despertamos, como se houvéssemos combinado previamente, para examinar nosso tesouro.

O baú estava cheio até a boca, e passamos o dia todo, e a maior parte da noite, escrutinizando seu conteúdo. Não havia qualquer ordem ou arranjo. Tudo fora jogado ali dentro indiscriminadamente. Após arrumarmos tudo com cuidado, descobrimos estar de posse de uma riqueza ainda mais vasta do que havíamos suposto. Em moedas, havia mais do que 450 mil dólares – estimando o valor de cada uma, com o máximo de precisão possível, com base nas tabelas da época. Não havia uma única partícula de prata. Era tudo de ouro antigo, e de grande variedade: dinheiro francês, espanhol e alemão, alguns guinés ingleses, e alguns sortidos, que nunca víramos antes.

Havia várias moedas muito grandes e pesadas, tão gastas que não conseguíamos ler nada de suas inscrições. Não havia dinheiro americano. O valor das joias achamos mais difícil estimar. Havia diamantes – alguns extremamente grandes e finos –, 110 deles, no total, e nenhum era pequeno; 18 rubis de um brilho notável; 310 esmeraldas, todas muito belas; e 21 safiras, com uma opala. Estas pedras haviam todas se soltado de seus engastes e caído soltas pelo baú. Os próprios engastes, que encontramos em meio ao resto do ouro, pareciam ter sido martelados, como que para impedir sua identificação. Além de tudo isso, havia uma vasta quantidade de ornamentos de ouro maciço: quase 200 anéis e brincos maciços; ricas correntes – 30 delas, se bem me lembro; 83 crucifixos muito grandes e pesados; cinco incensários de grande valor; uma tigela dourada admirável, ornamentada por ricas videiras e figuras bacanais; dois punhos de espada, com belíssimos relevos; e muitos outros artigos menores, dos quais não me recordo.

O peso daqueles itens valiosos totalizava mais de 350 libras no sistema *avoirdupois*;[3] e não incluí nesta estimativa 197 lindos relógios de ouro, três dos quais valiam 500 dólares cada um. Muitos deles eram bem velhos, e inúteis para marcar o tempo, visto que suas engrenagens haviam sofrido, em maior ou menor grau, com a corrosão; mas todos eram ricamente enfeitados com joias, e tinham caixas de enorme valor. Estimamos, naquela noite, que todo o conteúdo do baú valia 1,5 milhão de dólares; e, mediante a subsequente venda dos enfeites e das joias (mantendo alguns para nosso próprio uso), descobrimos que havíamos subestimado imensamente o tesouro. Quando finalmente terminamos nossa avaliação, e a intensa emoção do momento diminuíra, de certa forma, Legrand viu que eu estava morrendo de impaciência para receber alguma explicação para este enigma dos mais extraordinários, e começou uma narrativa detalhada de todas as circunstâncias relacionadas.

– Deve se lembrar – disse ele – da noite em que lhe dei o esboço que fiz do escaravelho. Também se lembra que fiquei bastante aborrecido com você, por insistir que meu desenho parecia-se com uma caveira. Quando

---

3 N. da T.: Sistema de medida que inclui a libra e a onça, comumente usado em países de língua inglesa. 350 libras equivalem a 158 quilos.

fez aquela afirmação pela primeira vez, pensei que estivesse brincando; mas depois recordei-me das marcas peculiares nas costas do inseto, e admiti para mim mesmo que seu comentário tinha alguma base factual. Ainda assim, a zombaria de meus poderes gráficos irritou-me – pois sou considerado um bom artista – e, portanto, quando devolveu-me o pedaço de pergaminho, eu estava prestes a amassá-lo e jogá-lo com raiva na lareira.

– O pedaço de papel, quer dizer – eu disse.
– Não; parecia-se muito com papel, e de início supus que deveria ser, mas quando comecei a desenhar em cima dele descobri imediatamente que era um pedaço de pergaminho muito fino. Estava bem sujo, imagino que se lembre. Bem, no meio do ato de amassá-lo, meu olhar caiu sobre o desenho para o qual você estivera olhando, e pode imaginar minha surpresa quando percebi, na verdade, a figura de uma caveira justo onde, me parecia, eu havia feito o desenho do escaravelho. Por um momento, fiquei surpreso demais para pensar direito. Sabia que os detalhes de meu desenho eram muito diferentes dos daquele, apesar de haver alguma semelhança no formato geral. Então, peguei uma vela e, sentando-me do outro lado da sala, comecei a examinar o pergaminho mais de perto. Ao virá-lo, vi meu próprio desenho do outro lado, exatamente como o havia feito. Minha primeira ideia, naquele momento, era simplesmente surpresa com a semelhança notável dos formatos, com a coincidência singular do fato de que, sem minha ciência, havia um crânio do outro lado do pergaminho, imediatamente debaixo de minha figura do escaravelho, e que aquele crânio, não só quanto ao seu formato, como também ao seu tamanho, assemelhava-se tanto ao meu desenho. Digo que a singularidade de tal coincidência me deixou estupefato, por um tempo. É esse o efeito costumeiro desse tipo de coincidências.

A mente se esforça para estabelecer uma conexão – uma sequência de causas e efeitos – e, quando não consegue, sofre uma espécie de paralisia temporária. Porém, quando recuperei-me de tal estupor, fui gradualmente tomado por uma certeza que surpreendeu-me muito mais do que a coincidência. Comecei a lembrar-me, clara e positivamente, de que não havia nenhum desenho no pergaminho, quando fiz meu esboço do escaravelho. Fiquei absolutamente certo disso, pois recordava-me de virá-lo primeiro de um lado, depois do outro, procurando a parte mais limpa. Se o crânio estivesse lá, é claro que eu não poderia ter deixado de reparar. Este era, realmente, um mistério que não podia explicar; mas mesmo naquele momento inicial parecia brilhar fracamente, nos recônditos mais remotos e secretos de minha mente, uma concepção, como um vaga-lume, da verdade que a aventura de ontem comprovou tão magnificamente. Levantei-me imediatamente e, guardando o pergaminho em um lugar seguro, adiei qualquer reflexão adicional para quando estivesse sozinho.

Após sua partida, e quando Júpiter estava ferrado no sono, empenhei-me em fazer uma investigação mais metódica do assunto. Em primeiro lugar, considerei o modo como o pergaminho acabara em minhas mãos. O lugar onde encontráramos o escaravelho fica no litoral do continente, cerca de 1,5 quilômetro ao leste da ilha, e pouco acima do marcador da maré cheia. Ao agarrá-lo, o escaravelho deu-me uma mordida forte, que fez com que eu o deixasse cair. Júpiter, com seu cuidado costumeiro, antes de pegar o inseto, que voara na direção dele, procurou a seu redor alguma folha, ou algo parecido, com o que pegá-lo. Foi naquele momento que seu olhar, assim como o meu, pousou sobre o pedaço de pergaminho, que supus ser um papel. Estava enterrado até a metade na areia, com um canto apontado para cima. Perto do lugar onde o encontramos, reparei nos restos do casco do que parecia ser o bote de um navio. Os destroços aparentavam estar lá há muito tempo, pois mal podíamos discernir as características de madeira de barco.

Bem, Júpiter pegou o pergaminho, enrolou o escaravelho nele e deu-o para mim. Logo depois disso, começamos a voltar para casa e, no caminho, encontramos o tenente G---. Mostrei o inseto a ele, que pediu-me que o deixasse levá-lo para o forte. Quando consenti, ele enfiou-o imediatamente no bolso do casaco, sem o pergaminho no qual estivera enrolado, que eu continuei segurando durante sua inspeção. Talvez ele receasse que eu mudasse de ideia, e tenha achado melhor garantir seu prêmio de imediato; você sabe como ele se interessa por todos os assuntos relacionados à história natural. Ao mesmo tempo, sem tomar consciência, devo ter colocado o pergaminho em meu próprio bolso.

Lembra-se de que, quando fui até a escrivaninha, para fazer um esboço do escaravelho, não encontrei nenhuma folha de papel onde as costumo manter. Procurei na gaveta, e tampouco achei alguma lá. Olhei nos bolsos, esperando encontrar alguma carta antiga, quando minha mão pousou sobre o pergaminho. Estou detalhando o modo exato como tomei posse dele, pois as circunstâncias me impressionaram com uma força peculiar.

Sem dúvida pensa que estou imaginando, mas eu já estabelecera um tipo de conexão. Ligara dois elos de uma grande corrente. Havia um barco na costa e, não muito longe dele, um pergaminho – não um papel –, com um desenho de um crânio. Estou certo de que perguntará: "Onde está a ligação?", e minha resposta é que o crânio, ou a caveira, é um emblema conhecido dos piratas. A bandeira de caveira é içada em todos os ataques.

Já disse que o pedaço era de pergaminho, e não de papel. Pergaminho é durável, quase que indestrutível. Assuntos desimportantes são raramente confiados ao pergaminho, visto que, para tarefas comuns de desenho ou escrita, não se adapta tão bem quanto o papel. Essa reflexão sugeriu que a caveira tinha algum significado, alguma relevância. Também observei a forma do pergaminho. Apesar de um de seus cantos ter sido destruído por algum acidente, podia-se ver que a forma original era oblonga. Realmente, era apenas um pedaço pequeno, do tipo que poderia ter sido escolhido para um memorando, para registrar algo que deveria ser lembrado por muito tempo, e cuidadosamente preservado.

– Mas – interpus – você disse que o crânio não estava no pergaminho, quando fez o desenho do escaravelho. Como, então, pode fazer alguma conexão entre o barco e o crânio, já que este último, como você mesmo admitiu, deve ter sido esboçado (só Deus sabe como ou por quem) depois de você desenhar o escaravelho?

— Ah, este é o cerne de todo o mistério, apesar de ter tido comparativamente pouca dificuldade para decifrar o segredo, àquela altura. Meus passos eram seguros, e só poderiam resultar em um desfecho. Meu raciocínio, por exemplo, era o seguinte: quando desenhei o escaravelho, não havia nenhum crânio aparente no pergaminho. Ao completar o desenho, dei-o a você, e observei-o de perto até devolvê-lo. Você, portanto, não desenhara o crânio, e não havia mais ninguém que pudesse tê-lo feito. Então, não fora feito por um ato humano. Ainda assim, fora feito.

Naquela etapa de minhas conjecturas, tentei lembrar, e consegui, com absoluta clareza, de todos os incidentes que haviam ocorrido durante o período em questão. Fazia frio (oh, que acidente raro e afortunado!), e o fogo crepitava na lareira. Eu estava aquecido pelo exercício que acabara de fazer, e sentei-me perto da mesa. Você, contudo, puxara uma cadeira para perto da lareira. Assim que coloquei o pergaminho em suas mãos, e você o inspecionava, Wolf, meu cão, entrou e pulou em seus ombros. Com sua mão esquerda, você o acariciou e o manteve afastado, enquanto sua mão direita, que segurava o pergaminho, pendia imóvel entre seus joelhos, bem próxima do fogo. Em um certo momento, pensei que o pergaminho estava em chamas, e estava prestes a avisá-lo, mas, antes que pudesse dizer alguma coisa, você o retirara e começara a examiná-lo. Ao considerar todos esses detalhes, não duvidei nem por um momento de que o calor fora o agente que revelara, no pergaminho, o crânio que vi esboçado nele. Sabe muito bem que misturas químicas existem, e têm existido desde tempos imemoriais, através das quais é possível escrever sobre papel ou velino, de modo que os caracteres só se tornem visíveis ao serem expostos à ação do fogo. O óxido de cobalto, dissolvido em água régia, e diluído em quatro vezes o seu peso em água, é usado ocasionalmente, resultando em uma tinta verde. O régulo de cobalto, dissolvido em um destilado de nitro, resulta em vermelho. Essas cores desaparecem, em maiores ou menores intervalos, após o material em que são escritas esfriar, mas tornam-se aparentes novamente, mediante uma nova aplicação de calor.

Analisei, então, a caveira com cuidado. Suas bordas, as bordas do desenho mais perto da beirada do velino, estavam muito mais distintas do que as outras. Estava claro que a ação do calor fora imperfeita ou desigual. Acendi imediatamente um fogo, e expus todas as partes do pergaminho às chamas. De início, o único efeito que teve foi fortalecer as linhas tênues do crânio; porém, após perseverar com o experimento, tornou-se visível, no canto do pergaminho, diagonalmente oposta ao local onde a caveira fora delineada, a figura do que primeiro supus que fosse um bode. Um exame mais detido, contudo, convenceu-me de que era um cabrito.[4]

– Ha! Ha! – disse eu. – Claro que não tenho o direito de rir de você; 1,5 milhão de dólares é uma questão séria demais para brincadeiras. Mas você não está prestes a estabelecer o terceiro elo de sua corrente; não pode encontrar qualquer conexão especial entre seus piratas e um bode. Como sabe, piratas não têm nada a ver com bodes, pois estes últimos são de interesse de fazendeiros.

– Mas acabei de dizer que a figura não era de um bode.

– Bem, um cabrito, então. Basicamente a mesma coisa.

– Basicamente, mas não de todo – respondeu Legrand. – Imagino que já tenha ouvido falar de um certo capitão Kidd. Imediatamente pensei que a figura do animal fosse algum tipo de trocadilho ou assinatura hieroglífica. Digo assinatura, porque sua posição no velino sugeria tal ideia. A caveira, no canto diagonalmente oposto, também dava a ideia de um carimbo ou selo. Mas fiquei extremamente decepcionado com a ausência de qualquer outra coisa, do corpo de meu instrumento imaginado, do texto para o meu contexto.

– Presumo que esperava encontrar uma carta entre o selo e a assinatura.

– Algo do tipo. A verdade é que sentia-me irresistivelmente impressiona-

---

4 N. da T.: "Kid", em inglês.

do por um pressentimento de alguma sorte grande iminente. Mal posso explicar o porquê. Talvez fosse mais um desejo do que uma crença efetiva, no fim das contas. Mas sabe que as tolices de Júpiter, sobre o escaravelho ser feito de ouro maciço, tiveram um efeito notável sobre minha imaginação? E depois veio a série de acidentes e coincidências, todas tão extraordinárias. Percebe como foi um mero acidente, o fato de estes eventos terem ocorrido no único dia do ano que fizera, ou que poderia ter feito, frio o suficiente para acendermos um fogo, e que, sem o fogo, ou sem a intervenção do cão no exato momento em que apareceu, eu nunca teria tomado ciência da caveira, e jamais haveria me tornado o possuidor do tesouro?

— Mas prossiga; estou impaciente.

— Bem... já ouviu, é claro, as muitas histórias que circulam; os milhares de rumores vagos sobre tesouros enterrados, em algum lugar da costa atlântica, por Kidd e seus comparsas. Esses rumores devem ter embasamento em algo concreto. E o fato de que os rumores existem há tanto tempo, e são tão contínuos, só podia ser devido, pelo que me parecia, à circunstância de o tesouro continuar enterrado. Se Kidd houvesse ocultado seu saque por algum tempo, e depois recuperado tudo, os rumores não poderiam ter chegado até nós em sua versão atual, inalterada. Repare que todas as histórias são sobre pessoas atrás do dinheiro, e não pessoas que encontraram o dinheiro. Se o pirata houvesse recuperado seu tesouro, o assunto teria acabado. Parece-me que algum acidente, por exemplo, a perda de alguma anotação que indicasse sua localização, privara-o dos meios de recuperá-lo, e que tal acidente fora parar nos ouvidos de seus seguidores, os quais, de outro modo, jamais teriam ficado sabendo que o tesouro fora escondido, e cujos esforços em vão e tentativas desorientadas de encontrá-lo deram origem e perpetuaram os relatos que hoje são tão comuns. Já ouviu falar sobre algum tesouro importante sendo encontrado ao longo do litoral?

— Nunca.

— Mas é fato notório que os saques acumulados daquele tal de Kidd eram imensos. Presumi, assim, que a terra ainda os guardava, e imagino que não vá ficar surpreso se disser que nutri a esperança, quase uma certeza, de que o pergaminho que encontrara de forma tão estranha envolvia um registro perdido do local onde estava depositado.

– Mas como procedeu?

– Segurei o velino novamente contra o fogo, após aumentar o calor; mas nada apareceu. Pensei, então, ser possível que a camada de sujeira tivesse algo a ver com o fracasso, de modo que lavei o pergaminho cuidadosamente, jogando água morna sobre ele, e, após fazê-lo, coloquei-o em uma panela de latão, com o crânio virado para baixo, e a panela sobre uma fornalha de carvão. Dentro de alguns minutos, após a panela ter sido completamente aquecida, removi o pedaço de pergaminho e, para minha imensa alegria, vi que estava marcado, em diversos lugares, pelo que pareciam ser figuras organizadas em linhas. Coloquei-o novamente na panela e deixei que lá ficasse mais um minuto. Ao retirá-lo, tudo o que aparecia é o que pode ver aqui.

Naquele instante, Legrand, tendo reaquecido o pergaminho, apresentou-o para minha inspeção. Os seguintes caracteres haviam sido traçados grosseiramente, em tinta vermelha, entre a caveira e o bode:

".53%   %   +   305))6*;   4826)4%   >4%);   806*;   48+8&60))85; 1%(;:%*8+83(88)5*+;   46(;   88*96*?;   8)*%(;   485);   5*+2:*%(; 4956   *2(5*-4)8&8*;   4069285);   )6+8)4%%;   1;(%9;   48081;   8:8%1; 481;48+85:4)485+528806*81(%9; 48; (88; 4(%?34; 48)4%; 161;:188;%?;"

– Mas – respondi, devolvendo o pergaminho a ele – continuo tão no escuro quanto antes. Se todas as joias de Golconda[5] estivessem esperando que eu resolvesse esse enigma, tenho certeza de que não conseguiria pôr as mãos nelas.

---

5   N. da T.: Cidadela fortificada na Índia, antigamente famosa por seus tesouros.

— Apesar disso — disse Legrand —, a solução não é, nem de longe, tão difícil quanto se possa imaginar, ao correr os olhos pelos caracteres, pela primeira vez. Esses caracteres, como se pode prontamente adivinhar, formam uma cifra; quer dizer, transmitem algum significado. Mas, pelo que se sabe sobre Kidd, eu não poderia supor que ele fosse capaz de inventar alguma criptografia muito obscura. Convenci-me imediatamente de que esta deveria ser simples, mas pareceria, para o intelecto grosseiro de um marinheiro, absolutamente impossível de se resolver, sem ter a chave.

— E realmente decifrou-a?

— Prontamente; já resolvi outras, 10 mil vezes mais obscuras. As circunstâncias, e uma certa disposição pessoal, levaram-me a desenvolver um interesse por charadas, e é de se duvidar que a engenhosidade humana consiga construir um enigma que a mesma engenhosidade humana não possa, com esforços adequados, resolver. Na verdade, tendo estabelecido caracteres conectados e legíveis, mal reparei na dificuldade de interpretar seu significado.

Neste caso, ou, na verdade, em todos os casos de escritas secretas, a primeira pergunta refere-se à língua da cifra, pois os princípios da solução, especialmente no que tange às cifras mais simples, dependem e variam de acordo com o gênio do idioma específico. Geralmente, a única opção é experimentar, orientada pelas possibilidades, todas as línguas que a pessoa que tenta solucionar o enigma conhece, até chegar na certa. Porém, com a cifra à nossa frente, essa dificuldade fora removida pela assinatura. O trocadilho com a palavra "Kidd" só pode ser apreciado na língua inglesa. Se não fosse tal consideração, eu teria começado minhas tentativas pelo espanhol e pelo francês, pois são os idiomas nos quais um segredo desse tipo teria sido mais naturalmente escrito por um pirata do meio espanhol. Mas, devido a essa circunstância, presumi que a cifra estivesse em inglês.

Observe que não há divisões entre as palavras. Se houvesse, a tarefa teria sido comparativamente fácil. Neste caso, eu teria começado com uma comparação e análise das palavras mais curtas e, se houvesse uma palavra de uma letra só, como é mais provável ("a" ou "I"[6], por exemplo), teria considerado a solução garantida. Entretanto, já que não havia divisão, meu primeiro passo foi averiguar quais eram as letras predominantes, assim como as menos frequentes. Contando-as todas, construí uma tabela, assim:

O caractere "8" aparece 33 vezes;

;	26 vezes
4	19 vezes
%	16 vezes
)	16 vezes
*	13 vezes
5	12 vezes
6	11 vezes
(	10 vezes
+	8 vezes
1	8 vezes
0	6 vezes
9	5 vezes
2	5 vezes
:	4 vezes
3	4 vezes
?	3 vezes
&	2 vezes
-	1 vez
.	1 vez

Agora, em inglês, a letra que aparece com mais frequência é "e". Depois dela, a sucessão é a seguinte: a o i d h n r s t u y c f g l m w b k p q x z. A letra "e" é tão predominante que raramente se vê uma frase individual, de qualquer comprimento, em que ela não seja o caractere dominante.

Assim, logo de cara já temos as bases de algo maior do que uma simples

---

6 N. da T.: "Um/uma" e "eu", em inglês.

adivinhação. O uso geral que pode-se fazer da tabela é óbvio; porém, nesta cifra específica, só precisaremos de seu auxílio em partes. Como nosso caractere predominante é o 8, começaremos presumindo que corresponde à letra "e" do alfabeto. Para verificar tal suposição, observemos se o 8 aparece com frequência em duplas: pois o "e" é usado em pares com muita frequência, no inglês, em palavras como *"meet"*, *"fleet"*, *"speed"*, *"seen"*, *"been"*, *"agree"*[7], e etc. Neste caso, vemos que aparece em nada menos do que em cinco duplas, ainda que a cifra seja curta.

Vamos presumir, então, que o 8 corresponde à letra "e". Agora, de todas as palavras na língua inglesa, *"the"*[8] é a mais comum; vejamos, portanto, se não há alguma repetição de três caracteres, na mesma ordem de colocação, com o último sendo o 8. Se descobrirmos repetições de tais letras, desta forma arranjadas, provavelmente representarão a palavra *"the"*. Ao verificarmos, descobrimos nada menos do que sete ocorrências, nas quais os caracteres são ";48". Podemos, portanto, presumir que ";" representa a letra "t", o número 4 representa a letra "h" e o 8 representa a letra "e", e esta última está, agora, bem confirmada. Assim, fizemos um grande progresso.

Após estabelecermos uma única palavra, conseguimos confirmar uma questão extremamente importante: diversos inícios e términos de outras palavras. Vejamos, por exemplo, a penúltima ocorrência da combinação ";48", não muito longe do final da cifra. Sabemos que o ";" imediatamente subsequente é o início de uma palavra e, dentre os 6 caracteres que se seguem a este *"the"*, conhecemos, no mínimo, cinco. Vamos escrever tais caracteres, portanto, com as letras que sabemos que representam, deixando espaço para a desconhecida:

"t eeth"

Aqui, podemos descartar imediatamente o "th", por não fazer parte da palavra que começa com o primeiro "t", visto que, experimentando todo o

---

7 N. da T.: "Encontrar", "frota", "velocidade", "visto", "esteve", "concordar", respectivamente.
8 N. da T.: "O(s)/A(s)".

alfabeto, à procura de uma letra que se encaixe na lacuna, percebemos que nenhuma palavra pode ser formada, da qual este "th" possa fazer parte. Nos limitamos, assim, a

"t ee"

e, passando por todo o alfabeto, se necessário, como antes, chegamos à palavra *"tree"*[9], como a única possível. Obtemos, assim, mais uma letra, "r", representada pelo caractere "(", com as palavras *"the tree"* em justaposição.

Olhando além destas palavras, a uma certa distância, vemos novamente a combinação ";48", e a usamos como término do que a precede imediatamente. Temos, assim, o seguinte arranjo:

the tree;4(% ?34 the,

ou, substituindo-o pelas letras do alfabeto, que conhecemos, lê-se:
the tree thr% ?3h the.

Agora, se, no lugar dos caracteres desconhecidos, deixarmos espaços em branco ou os substituirmos por pontos, lê-se:

the tree thr...h the,
onde a palavra *"through"*[10] torna-se imediatamente evidente. Mas esta descoberta nos dá três letras novas, "o", "u" e "g", representadas por "%", "?" e "3".

Vasculhando com cuidado, então, a cifra à procura de combinações de caracteres conhecidos, descobrimos, não muito longe do início, este arranjo:
83(88,

---

9 N. da T.: "Árvore".

10 N. da T.: "Através".

ou *"egree"*, que é claramente o final da palavra *"degree"*[11], e que nos dá mais uma letra, "d", representada pelo "+".

Quatro letras à frente da palavra *"degree"*, temos a combinação:

;46(;48.

Traduzindo os caracteres conhecidos, e representando o desconhecido com um ponto, como antes, lê-se: *th rtee*. Tal arranjo imediatamente sugere a palavra *"thirteen"*,[12], novamente nos fornecendo dois novos caracteres, "i" e "n", representados pelo número 6 e por "*".

Reportando-nos, agora, ao início do criptograma, encontramos a combinação:

53%%+.
Traduzindo-a, como antes, obtemos:
"good",[13]

que nos assegura de que a primeira letra é "a", e que as duas primeiras palavras são *"a good"*.

Agora é hora de arrumarmos nossa chave, até onde já descobrimos, em forma de tabela, para evitar confusão. Ficará assim:

5 representa a
+ representa d
8 representa e
3 representa g
4 representa h

---

11 N. da T.: "Grau".

12 N. da T.: "Treze".

13 N. da T.: "Bom(ns)/boa(s)".

6 representa i
* representa n
+ representa o
(representa r
; representa t

Temos, portanto, nada menos do que dez das letras mais importantes representadas, e não será necessário prosseguirmos com os detalhes da solução. Já disse o suficiente para convencê-lo de que cifras desta natureza são facilmente resolvidas, e para dar uma ideia do raciocínio por trás de seu desenvolvimento. Mas fique certo de que o exemplo à nossa frente pertence à espécie mais simples de criptograma. Agora, só me falta dar-lhe a tradução completa dos caracteres no pergaminho, decifrados. Aqui está:

"A good glass in the bishop's hostel in the devil's seat forty-one degrees and thirteen minutes northeast and by north main branch seventh limb east side shoot from the left eye of the death's-head a bee line from the tree through the shot fifty feet out" [14]

— Mas — disse eu — o enigma parece estar em uma condição tão ruim quanto antes. Como é possível extrair algum significado de toda essa baboseira, sobre "cadeiras do diabo", "caveiras" e "hospedarias do bispo"?

— Admito — respondeu Legrand — que a questão continua séria, quando examinada casualmente. Minha primeira tentativa foi dividir a sentença na divisão natural, pretendida pelo criptógrafo.

— Quer dizer, pontuá-la?

— Algo assim.
— Mas como foi possível fazê-lo?

---

14 N. da T.: "Um bom vidro na hospedaria do bispo na cadeira do diabo 41 graus e 30 minutos nordeste e pelo norte tronco principal sétimo galho lado leste atire do olho esquerdo da caveira uma linha reta da árvore pelo arremesso 50 pés de distância".

— Refleti que uma das intenções do escritor fora colocar suas palavras juntas, sem divisão, para aumentar a dificuldade da solução. Um homem que não fosse astuto demais, ao perseguir tal objetivo, quase que certamente exageraria. Enquanto compunha o enigma, ao chegar em um espaço entre suas palavras, que certamente exigiria uma pausa ou um ponto, ele tenderia a colocar seus caracteres, naquele lugar, mais perto uns dos outros do que de costume. Se observar este texto, detectará facilmente cinco casos de ajuntamento incomum. Atuando com base nesta dica, fiz a divisão conforme segue: *"A good glass in the bishop's hostel in the devil's seat — forty-one degrees and thirteen minutes — northeast and by north — main branch seventh limb east side — shoot from the left eye of the death's-head — a bee line from the tree through the shot fifty feet out".*

— Mesmo esta divisão — disse eu — ainda me deixa no escuro.

— Também me deixou no escuro — respondeu Legrand —, por alguns dias, durante os quais indaguei diligentemente, nos arredores da Ilha Sullivan, sobre qualquer edifício que se chamasse "Hotel do Bispo"; pois, é claro, não usei a palavra "hospedaria", que está obsoleta. Sem obter informações sobre o assunto, estava prestes a estender a esfera de minha busca, e prosseguir de forma mais sistemática, quando, uma manhã, ocorreu-me repentinamente que esta tal de "Hospedaria do Bispo" poderia ser alguma referência a uma família antiga, de nome Bessop, que possui, desde tempos imemoriais, uma velha casa senhorial, cerca de 6,5 quilômetros ao norte da Ilha. Assim, fui até a plantação e reiniciei minha investigação entre os negros mais velhos do lugar. Finalmente, uma das mulheres mais idosas disse que já tinha ouvido falar de um lugar chamado de "Castelo de Bessop", e que achava que conseguiria me guiar até lá, mas que não era nem um castelo, nem uma taverna, e sim um rochedo alto.

Ofereci-me para recompensá-la bem pelo trabalho e, após algumas objeções, ela concordou em acompanhar-me até o local. Encontramo-lo sem muitas dificuldades e, após dispensá-la, comecei a examiná-lo. O "castelo" era uma miscelânea irregular de penhascos e rochedos, e um destes últimos era bastante notável, devido à sua altura e à sua aparência isolada e artificial.

Assim, escalei até seu ápice, e então não tive ideia do que deveria fazer depois.

Absorto pela reflexão, meu olhar pousou sobre uma borda estreita na face leste da rocha, cerca de 1 metro abaixo do cume onde eu estava. Esta borda projetava-se cerca de 45 centímetros, e não tinha mais do que 30 de largura, enquanto que um nicho logo acima dela fazia com que se parecesse ligeiramente com uma daquelas cadeiras de encosto oco usadas por nossos ancestrais. Não tive dúvida de que aquela era a "cadeira do diabo" mencionada no texto, e começava a compreender o segredo da charada.

O "bom vidro", eu sabia, só podia ser uma referência a um telescópio, pois a palavra vidro é raramente usada em outro sentido por marinheiros. Naquele ponto, compreendi, deveria usar um telescópio e fazê-lo de um ponto de vista definitivo, que não poderia ser mudado. Tampouco hesitei em acreditar que as frases "41 graus e 13 minutos", e "nordeste e pelo norte" haviam sido pretendidas como direções para o posicionamento do telescópio. Enormemente animado com tais descobertas, corri para casa, procurei um telescópio e voltei para o rochedo.

Desci até a borda e descobri que era impossível sentar-me, se não em uma posição específica. Este fato confirmou minha ideia preconcebida. Usei, então, o telescópio. É claro que "41 graus e 13 minutos" só poderia ser uma alusão à elevação acima do horizonte visível, visto que a direção horizontal estava claramente indicada pelas palavras "nordeste e pelo norte". Esta última direção estabeleci imediatamente, com uma bússola de bolso; então, apontando o telescópio a um ângulo de 41 graus de elevação, com o máximo de precisão que conseguiria adivinhando, movi-o cuidadosamente, para cima e para baixo, até que minha atenção foi atraída por uma fenda ou abertura circular na folhagem de uma grande árvore, que sobrelevava-se às suas companheiras à distância. No centro dessa fenda, discerni um ponto branco, mas não pude, de início, distinguir o que era. Ajustando o foco do telescópio, olhei novamente e vi que era um crânio humano.

Mediante tal descoberta, fiquei otimista a ponto de considerar o enigma resolvido, pois a frase "tronco principal, sétimo galho, lado leste" só poderia referir-se à posição do crânio sobre a árvore, enquanto que "atire do olho esquerdo da caveira" também só permitia uma interpretação, relativamente a uma busca pelo tesouro enterrado. Percebi que o desígnio era deixar cair uma bala pelo olho esquerdo do crânio, e que uma linha reta, desenhada do ponto do tronco mais próximo ao "arremesso" (ou o ponto onde a bala caíra) e, de lá, estendida a uma distância de 15 metros, indicaria um ponto definitivo; e, abaixo dele, achei no mínimo possível haver escondido um depósito de valor.

— Tudo isso — falei — está extremamente claro e, apesar de engenhoso, continua sendo simples e explícito. Ao sair do Hotel do Bispo, o que houve?

— Oras, após medir as coordenadas da árvore com cuidado, tomei o caminho de casa. No instante em que saí da "cadeira do diabo", contudo, a fenda circular desapareceu; tampouco consegui vislumbrá-la depois, por mais que me virasse. O que me parece ser a engenhosidade principal deste negócio todo é o fato (pois repetidos experimentos convenceram-me de que é um fato) de que a abertura circular em questão não é visível a partir de nenhum ponto de vista atingível, que não o da beirada estreita, na face da rocha.

Nesta expedição ao "Hotel do Bispo", estivera acompanhado por Júpiter, que sem dúvida observara, há muitas semanas, meu comportamento distraído, e tomara cuidados especiais para não me deixar sozinho. Mas, no dia seguinte, levantando-me bem cedo, consegui escapar dele e fui até as colinas, em busca da árvore. Após muito esforço, encontrei-a. Ao chegar em casa, à noite, meu criado queria me dar uma surra. Creio que você esteja tão bem informado quanto eu sobre o resto da aventura.

— Suponho — disse — que tenha errado o lugar, na primeira tentativa de cavar, por causa da estupidez de Júpiter, ao deixar o escaravelho cair pelo olho direito da caveira, em vez do esquerdo.

— Exatamente. Esse erro fez uma diferença de cerca de 6 centímetros no "arremesso"; quer dizer, na posição da cavilha mais próxima da árvore. E, se o tesouro estivesse abaixo do "arremesso", o erro teria pouco efeito; mas o "arremesso" em conjunto com o ponto mais próximo da árvore eram apenas dois pontos para estabelecer-se uma linha de direção. É claro que o erro, por mais trivial que fosse no início, aumentou conforme prosseguimos com a linha e, quando já havíamos percorrido 15 metros, confundiu-nos por completo. Se não fosse por minha firme impressão de que havia um tesouro enterrado em algum lugar por ali, todo o nosso trabalho teria sido em vão.

— Mas sua grandiloquência e seu comportamento ao balançar o escaravelho como eram estranhos! Estava certo de que você havia ficado louco. E por que insistiu em que Júpiter deixasse o escaravelho cair pelo olho da caveira, em vez de uma bala?

— Bem, para ser franco, estava um pouco irritado por suas evidentes suspeitas relativas à minha sanidade, então decidi puni-lo silenciosamente, de meu próprio jeito, com um pouquinho de mistificação sóbria. Foi por isso que balancei o escaravelho, e por isso que fiz com que fosse jogado da árvore. Foi uma observação sua sobre como era pesado que sugeriu-me a ideia.

— Sim, entendi. E agora só resta uma questão que me intriga. O que devemos pensar dos esqueletos encontrados no buraco?

— Essa é uma pergunta que não tenho mais capacidade de responder do que você. Parece, contudo, haver apenas uma explicação plausível; ainda assim, seria terrível acreditar na atrocidade que minha sugestão implica. Está claro que Kidd... se é que foi ele mesmo que escondeu esse tesouro, do que não duvido... está claro que ele deve ter sido auxiliado na tarefa. Porém, após o trabalho estar concluído, pode ter achado melhor remover todos os participantes de seu segredo. Talvez umas bordoadas com uma picareta tenham sido suficientes, enquanto seus coadjutores estavam ocupados dentro do buraco; talvez tenha sido necessária uma dúzia... quem sabe?

QUATRO FERAS EM UMA
O HOMO CAMELEOPARDO

"Chacun a ses vertus" [1]
Xerxes de Crébillon

Antíoco Epifânio costuma ser considerado o Gogue do profeta Ezequiel.[2] Contudo, essa honra é mais adequadamente atribuível a Cambises, filho de Ciro. E, realmente, o caráter do monarca sírio não precisa de qualquer ornamentação incidental. Sua ascensão ao trono, ou, na verdade, sua usurpação da sobcrania, 171 anos antes da chegada de Cristo, sua tentativa de saquear o templo de Diana em Éfeso, sua hostilidade implacável contra os judeus, sua poluição do Santo dos Santos e sua morte miserável em Taba, após um reino tumultuado de 11 anos, são circunstâncias proeminentes e, portanto, mais geralmente notadas pelos historiadores de seu tempo do que as conquistas ímpias, ignóbeis, cruéis, tolas e extravagantes que formam a totalidade de sua vida privada e reputação.

Suponhamos, caro leitor, que estamos no *anno mundi* 3830,[3] e nos imaginemos, por alguns minutos, naquela grotesca habitação dos homens, a notável cidade de Antioquia. É verdade que, na Síria e em outros países havia 16 cidades com tal nome, além daquela a que me refiro particularmente. Mas a nossa é aquela que era chamada de Antioquia Epidafne, devido à sua proximidade com o pequeno vilarejo de Dafne, onde havia um templo à tal divindade. Foi construída (apesar de haver algumas controvérsias em relação a essa questão) por Seleno Nicanor, o primeiro rei do país após Alexandre, o Grande, em memória de seu pai, Antíoco, e imediatamente tornou-se a residência da monarquia síria. Durante o florescimento do Império Romano, foi a estação ordinária do chefe das províncias orientais, e muitos imperadores da cidade rainha (dentre os quais podemos mencionar,

---

1 N. da T.: "Cada um tem suas virtudes". Em francês, no original.

2 N. da T.: Referência ao livro de Ezequiel, capítulo 38, versículos 2 e 3.

3 N. da T.: Poe considerava que 4 a.C. era a data da Natividade; portanto, de acordo com seus cálculos, o *anno mundi* 3830 é equivalente a 175 a.C.

especialmente, Vero e Valente) passaram a maior parte de seu tempo aqui. Mas percebo que chegamos à própria cidade. Vamos subir nesta amurada, e lançar nossos olhares sobre a cidade e os campos vizinhos.

Que rio largo e rápido é este, que abre caminho, com inúmeras quedas, através da vastidão montanhosa, e finalmente em meio à vastidão de edifícios?

É o Orontes, a única fonte de água até onde a vista alcança, exceto pelo Mediterrâneo, que se estende, como um largo espelho, por cerca de 20 quilômetros na direção sul. Todos já viram o Mediterrâneo; mas digo a vocês que poucos deram uma espiadela em Antioquia. "Poucos", quero dizer, poucas pessoas, como eu e você, que tiveram, ao mesmo tempo, as vantagens de uma educação moderna. Portanto, pare de olhar para aquele mar, e dê sua atenção completa ao amontoado de casas abaixo de nós. Deve lembrar-se de que estamos no *anno mundi* 3830. Se fosse mais tarde – por exemplo, se estivéssemos no ano 1845 do nosso Senhor, teríamos sido privados desse espetáculo extraordinário. No século 19, Antioquia está – quero dizer, estará – em um estado lamentável de decadência. Terá sido, àquela altura, completamente destruída, em três períodos diferentes, por três terremotos sucessivos. Na verdade, o pouco que possa sobrar de sua versão antiga estará em um estado tão desolado e arruinado, que o patriarca terá mudado sua residência para Damasco. Que bom. Estou vendo que está tirando proveito de seus conselhos, e fazendo valer seu tempo, inspecionando o local,

Deleitando os olhos
Com os memoriais e elementos da fama
Que dão a esta cidade seu renome.[4]

Perdão; esqueci que Shakespeare só florescerá daqui a 1.750 anos.

---

4 N. da T.: Noite de Reis, ato 3, cena 3.

Mas a aparência de Epidafne não justifica minha observação de que é grotesca?

"É bem fortificada; e, neste respeito, deve tanto à natureza quanto à arte."

Isso é bem verdade.

"Há uma enorme quantidade de palácios elegantes."

Sim, há.

"E os inúmeros templos, suntuosos e magníficos, podem ser comparados com os mais celebrados da antiguidade."

Devo reconhecer tudo isso. Ainda assim, há uma infinidade de choupanas de lama e casebres abomináveis. Não podemos deixar de reparar na abundância de sujeira em todas as sarjetas e, se não fosse pelos vapores avassaladores do incenso idólatra, não tenho dúvida de que sentiríamos um fedor intolerável. Alguma vez já viu ruas tão insuportavelmente estreitas ou casas tão miraculosamente altas? Como suas sombras fazem com que o nível da rua fique sombrio! Ainda bem que as lamparinas balouçantes, naquelas colunatas intermináveis, são mantidas acesas durante o dia todo; senão, estaríamos na escuridão do Egito em sua época de desolação.

Decerto que é um lugar estranho! Qual será o significado daquela construção singular, ali? Veja! Assoma sobre todas as outras, e jaz ao leste do que imagino que seja o palácio real.

Este é o novo Templo do Sol, adorado na Síria sob o nome de Elah Gabalah. Futuramente, um imperador de grande renome instituirá essa adoração em Roma, e daí derivará um cognome, Heliogabalus. Imagino que você gostaria de dar uma espiada na divindade do templo. Não precisa olhar para os céus; o soberano Sol não está lá. Pelo menos, não o soberano Sol adorado pelos sírios. Essa deidade encontra-se no interior daquela construção, acolá. É reverenciada na forma da figura de um grande pilar de pedra, encimado por um cone, ou uma pirâmide, que denota o Fogo.

Escute! Veja só! Quem serão estas criaturas estranhas, seminuas, com o rosto pintado, gritando e gesticulando para a plebe?

Alguns são charlatães. Outros pertencem, mais particularmente, à raça dos filósofos. A maior parte, contudo, que abusa do populacho com varas, são os principais cortesãos do palácio, executando, como se fosse um dever, alguma ordem cômica louvável do rei.

Mas o que temos aqui? Céus! A cidade está cheia de feras selvagens! Que espetáculo terrível! Que peculiaridade perigosa!

Terríveis, se assim quiser chamá-las; mas nem um pouco perigosas. Cada animal, se esforçar-se para observar, está seguindo seu mestre em silêncio. Alguns, é claro, são levados por uma corda ao redor do pescoço, mas estes são principalmente das espécies inferiores ou mansas. O leão, o tigre e o leopardo estão completamente livres. Foram treinados, sem dificuldades, para sua atual profissão, e auxiliam seus respectivos donos na qualidade de camareiros. É verdade que há ocasiões em que a natureza retoma seus domínios violados; mas um soldado devorado ou o estrangulamento de um touro consagrado são circunstâncias insignificantes demais para que sejam mais do que insinuadas, em Epidafne.

Mas o que é este extraordinário alvoroço que ouço? Decerto que é um barulho alto demais, até mesmo para Antioquia! Indica alguma comoção incomumente interessante.

Sim, sem dúvida. O rei ordenou algum espetáculo novo, alguma demonstração gladiatória no hipódromo, ou talvez o massacre dos prisioneiros citas; ou a inauguração de seu novo palácio; talvez a destruição de algum belo templo; ou, ainda, a queima de alguns judeus na fogueira. O tumulto aumenta. Risadas altas sobem aos céus. O ar torna-se dissonante com instrumentos de sopro, e horrível com o clamor de 1 milhão de vozes. Vamos descer, por amor à diversão, e ver o que está acontecendo! Por aqui... cuidado! Aqui estamos na rua principal, chamada de rua de Timarco. O mar de gente está vindo nesta direção, e teremos dificuldade em conter a torrente. Estão avançando pelo beco de Heráclides, que vem direto do palácio; portanto, o rei provavelmente está entre os desordeiros. Sim; ouço as exclamações do arauto, proclamando sua chegada, na fraseologia pomposa do Oriente. Poderemos dar uma olhada nele, conforme passar pelo Templo de Asima. Vamos nos abrigar no vestíbulo do santuário, ele estará aqui em breve. Enquanto isso, analisemos esta imagem. O que é? Oh! É o deus Asima em pessoa. Pode ver, contudo, que ele não é nem um cordeiro, nem um bode, nem um sátiro, tampouco assemelha-se muito com o Pã dos arcadianos. Ainda assim, todas estas aparências foram atribuídas; perdão, *serão* atribuídas pelos eruditos das épocas vindouras, ao Asima dos sírios. Coloque os óculos, e diga-me o que é. Do que se trata?

"Meu Deus! É um primata!"

Verdade; um babuíno. Mas nem por isso é menos divino. Seu nome é derivado da palavra grega *"simia"* – como são tolos os antiquários! Mas veja! Veja! Um menininho de rua maltrapilho saltita acolá. Aonde está indo? Por que está berrando? O que está dizendo? Oh! Diz que o rei está vindo triunfante; com roupas de estado; que acabou de matar, com suas próprias mãos, mil prisioneiros israelitas em correntes! Por essa façanha, o moleque está elogiando-o aos céus. Ouça! Aí vem uma tropa que se encaixa na descrição. Criaram um hino em latim, sobre a valentia do rei, e o estão cantando enquanto marcham:

"*Mille, mille, mille,*

Mille, mille, mille,
Decollavimus, unus homo!
Mille, mille, mille, mille, decollavimus!
Mille, mille, mille,
Vivat qui mille occidit!
Tantum vini habet nemo
Quantum sanguinis effudit!" (*1)

Que pode ser parafraseado como segue:

"*Mil, mil, mil,*
Mil, mil, mil,
Nós, com um guerreiro, derrotamos!
Mil, mil, mil.
Cantemos mais mil vezes!
Cantemos
Vida longa ao nosso rei,
Que acabou com mil homens valorosos!
Exclamemos
Que ele nos deu mais
Galões vermelhos de sangue
Do que a Síria tem de vinho!"

"Está ouvindo o soar das trombetas?"

Sim, o rei está vindo! Veja! O povo está estupefato de admiração, e erguem os olhos aos céus em reverência. Ele vem; está chegando. Ali está ele!

"Quem? Onde? O rei? Não enxergo-o; não posso dizer que o estou vendo.

Então, você deve ser cego.

"É bem possível. Ainda assim, não vejo nada além de uma multidão desordenada de idiotas e loucos, ocupados prostrando-se na frente de um cameleopardo[5] gigante, e tentando dar um beijo nas patas do animal. Veja! A fera derrubou, com muita razão, um homem da ralé com um chute... agora outro... e mais outro. Realmente, não posso deixar de admirar o animal, pelo excelente uso que está fazendo de suas patas."

Oras, ralé! Pois estes são os cidadãos nobres e livres de Epidafne! Feras, você disse? Cuidado para que não entreouçam. Não percebe que o animal tem o rosto de um homem? Pois, meu caro senhor, aquele cameleopardo é o próprio Antíoco Epifânio, Antíoco, o Ilustre, rei da Síria, e o mais potente de todos os autocratas do Oriente! É verdade que o chamam, às vezes, de Antíoco Epimanes – Antíoco, o Louco –, mas isso é porque as pessoas não têm a capacidade de apreciar seus méritos. Também é certo que está, atualmente, escondido sob o couro de uma fera, e está esforçando-se para fazer o papel de um cameleopardo; mas o faz para melhor sustentar sua dignidade como rei. Além disso, o monarca tem uma estatura gigantesca, e a vestimenta, portanto, não lhe cai mal nem fica grande demais. Podemos, entretanto, presumir que ele não a adotaria se não fosse para alguma ocasião especial do governo. E o massacre de mil judeus é uma delas, convenhamos. Com que dignidade superior um monarca perambula engatinhando! Sua cauda, pode ver, é segurada para cima por suas duas concubinas principais, Elline e Argelais; e toda a sua aparência seria infinitamente cativante, se não fosse pela protuberância de seus olhos, que certamente saltam da cabeça, e a cor estranha de sua face, que tornou-se indefinível, devido à quantidade de vinho que já tomou. Vamos segui-lo até o hipódromo, para onde ele se dirige, e ouvir a canção de triunfo que está começando:

Quem é rei, além de Epifânio?
Diga; você sabe?
Quem é rei, além de Epifânio?
Bravo! Bravo!

---

5 N. da T.: Nome dado pelos romanos à primeira girafa levada à Europa.

Não há ninguém, além de Epifânio.
Não, ninguém.
Então, derrubem os templos,
E apaguem o Sol!

Bela e vigorosamente cantada! O povo o saúda como o "Príncipe dos Poetas", assim como "Glória do Oriente", "Deleite do Universo", e "Mais Notável dentre os Cameleopardos". Estão repetindo sua efusão, e... está ouvindo? Ele a canta novamente. Quando chegar ao hipódromo, será coroado com a grinalda poética, na expectativa de sua vitória nas Olimpíadas que se aproximam.

"Mas por Júpiter! Qual é o problema com a multidão atrás de nós?

Atrás de nós, você disse? Oh! Ah! Percebi. Meu amigo, ainda bem que falou a tempo. Vamos para um lugar seguro, assim que possível. Aqui! Vamos nos esconder sob o arco deste aqueduto, e já lhe informarei sobre a origem da comoção. Aconteceu o que eu esperava. Parece que a aparição singular do cameleopardo e da cabeça de homem ofendeu as noções do que é correto, adotadas em geral pelos animais selvagens domesticados na cidade. Um motim foi o resultado; e, como de costume nestas ocasiões, nenhum esforço humano conseguirá conter a multidão. Vários sírios já foram devorados, mas a opinião geral dos compatriotas de quatro patas parece defender que o cameleopardo deve ser devorado. "O Príncipe dos Poetas", portanto, está colocando-se sobre as pernas de trás, e correndo para salvar a vida. Seus cortesãos o deixaram para trás, e suas concubinas seguiram este exemplo tão excelente. "Deleite do Universo", estás em uma situação bem triste! "Glória do Oriente", estás correndo perigo de ser mastigado! Assim, nunca se importe muito com sua cauda, pois sem dúvida será arrastada pela lama e, para isso, não há ajuda. Não olhe para trás, portanto, para a inevitável degradação da mesma; mas crie coragem, dobre suas pernas com vigor e chispe para o hipódromo! Lembre-se de que é Antíoco Epifânio. Antíoco, o Ilustre! Também o "Príncipe dos Poetas", "Glória do Oriente", "Deleite do Universo", e "Mais Notável dentre os Cameleopardos"! Céus! Que rapidez demonstra ter! Que capacidade de fuga está desenvolvendo! Corra, Príncipe! Bravo, Epifânio! Parabéns, Cameleopardo! Glorioso Antíoco! Ele corre! Ele salta! Ele voa! Como uma flecha arremessada por uma catapulta, ele aproxima-se do hipódromo! Ele salta! Ele grita! Ele chegou! Que bom, pois se tivesses, "Glória do Oriente", demorado mais meio segundo para chegar nos portões do anfiteatro, nenhum filhote de urso em Epidafne teria deixado de mordiscar sua carcaça. Vamos embora, vamos partir! Pois descobriremos que nossos ouvidos modernos não aguentam o enorme tumulto que está prestes a começar, em comemoração da fuga do rei! Ouça! Já começou. Veja! A cidade inteira está de cabeça para baixo.

"Certamente que esta é a cidade mais populosa do Oriente! Que povo selvagem! Que mistura de classes e idades! Que multiplicidade de facções e nações! Que variedade de costumes! Que Babel de idiomas! Que gritaria de feras! Que tinido de instrumentos! Que amontoado de filósofos!

Venha, vamos embora.

"Fique só mais um momento! Estou vendo um enorme burburinho no hipódromo; o que significa, lhe rogo?

Aquilo? Ah, nada! Estando os cidadãos nobres e livres de Epidafne, como eles mesmos declararam, convencidos da fé, valentia, sabedoria e divindade de seu rei, e ademais, tendo testemunhado sua recente agilidade sobre-humana, consideram seu dever conceder a ele, além da coroa poética, a guirlanda da vitória na corrida; guirlanda esta que é evidente que ganhará nas próximas Olimpíadas, e que, portanto, agora conferem a ele, antecipadamente.

Nota – Quatro Feras

(*1) Flavius Vospicus escreve que o hino aqui introduzido foi entoado pela ralé, quando Aureliano, na guerra contra os sármatas, matou, com suas próprias mãos, 950 inimigos.

OS ASSASSINATOS NA RUA MORGUE

Que canção cantam as sereias ou que nome Aquiles assumiu ao se esconder entre mulheres, ainda que sejam questões intrigantes, não estão além de toda conjectura
Sir Thomas Browne

As características mentais chamadas de analíticas são, em si, pouco suscetíveis de análise. Apreciamo-las somente quanto a seus efeitos. Sabemos sobre elas, entre outras coisas, que são sempre, para seu possuidor, quando possuídas de forma desordenada, uma fonte da mais animada diversão. Assim como um homem forte alegra-se com suas habilidades físicas, deleitando-se com os exercícios que põem seus músculos em ação, o analista também gaba-se da atividade mental de *desembaraçar*. Obtém prazer até mesmo das ocupações mais triviais que utilizem seus talentos. Gosta de enigmas, dilemas, hieróglifos, exibindo, com suas soluções de cada um deles, um grau de acúmen que parece sobrenatural, para as mentes comuns. Seus resultados, ensejados pela própria alma e essência do método, têm, na verdade, um ar de intuição.

A faculdade da resolução é, possivelmente, muito revigorada pelo estudo da matemática, especialmente aquele ramo superior da mesma que, injustamente e apenas por causa de suas operações retrógradas, tem sido chamado, como que por excelência, de análise. Apesar disso, calcular não é, por si só, analisar. Um enxadrista, por exemplo, faz um, sem se esforçar com o outro. Daí segue-se que o jogo de xadrez, quanto a seus efeitos sobre o caráter mental, é grandemente incompreendido. Não estou escrevendo um tratado, e sim apenas prefaciando uma narrativa, um tanto quanto peculiar, com observações bastante aleatórias; aproveitarei, portanto, a oportunidade para garantir que os poderes superiores do intelecto contemplativo são mais decidida e utilmente exercidos pelo modesto jogo de damas do que por toda a frivolidade elaborada do xadrez. Neste último, cujas peças têm movimentos diferentes e bizarros, com valores díspares e variáveis, o que é apenas complexo é confundido com algo profundo, erro este que não é incomum. A *atenção* é profundamente exercida, neste respeito. Se for distraída, por um instante, comete-se um lapso que resulta em danos ou derrota. Visto que os movimentos possíveis não são apenas inúmeros, como também intricados, as chances de tal lapso ocorrer multiplicam-se; e, em nove vezes dentre dez, é o jogador mais concentrado que vence, em vez do mais astuto. No jogo de damas, pelo contrário, onde os movimentos são únicos e têm pouca variação, as probabilidades de ocorrer alguma inadvertência diminuem e, com a mera atenção sendo usada relativamente pouco, as vantagens obtidas por qualquer uma das partes o são através do *acúmen* superior. Para ser menos abstrato, imaginemos um jogo de damas, em que as peças são reduzidas a quatro reis, e no qual, é claro, nenhum lapso é de ser esperado. É óbvio que, aqui, a vitória pode ser decidida (visto que os jogadores são exatamente iguais) apenas por algum movimento obscuro, resultante de algum forte esforço do intelecto. Privado dos recursos ordinários, o analista entra no espírito de seu oponente, identifica-se com ele, e frequentemente encontra, dessa forma, em um piscar de olhos, os únicos métodos (às vezes, realmente, métodos absurdamente simples) com os quais pode induzir seu adversário a erro ou levá-lo a cometer um erro de cálculo, devido à pressa.

O *whist*[1] é, há muito, reconhecido por sua influência sobre o que se chama de poder de cálculo, e sabe-se que homens com intelecto da mais alta ordem obtêm um prazer aparentemente inexplicável com o mesmo, ao mesmo tempo que evitam o xadrez por sua frivolidade. Sem dúvida que não há nada semelhante, que exija tanto da faculdade da análise. O melhor enxadrista da cristandade *pode* ser um pouco mais do que o melhor no xadrez; mas a proficiência no *whist* implica uma capacidade para o sucesso em todos os empreendimentos mais importantes, nos quais mente luta contra mente. Quando digo proficiência, refiro-me àquela perfeição no jogo, que inclui uma compreensão de *todas* as fontes, de onde vantagens legítimas podem ser obtidas. Estas não são só múltiplas como também multiformes, e frequentemente jazem em nichos de pensamentos completamente inacessíveis para uma mente comum. Observar atentamente é lembrar distintamente; e, até aí, o enxadrista com grandes poderes de concentração se dará muito bem no *whist*, enquanto as regras de Hoyle

---

[1] N. da T.: Jogo de cartas criado na Inglaterra, semelhante ao jogo de copas, considerado precursor do bridge.

(elas mesmas baseadas no mero mecanismo do jogo) sejam suficiente e geralmente compreensíveis. Assim, ter uma memória retentiva e prosseguir de acordo com as regras é um ponto comumente considerado tudo o que se precisa para jogar bem. Porém, é em questões além dos limites das meras regras que as habilidades do analista são demonstradas. Ele faz, em silêncio, inúmeras observações e inferências. Talvez seus companheiros também as façam; e a diferença da extensão da informação obtida não se deve tanto à validade da inferência quanto à qualidade da observação. O conhecimento necessário é sobre *o que* observar. Nosso jogador não se limita; tampouco rejeita deduções de coisas externas ao jogo, apenas porque o jogo é o objeto. Ele examina o semblante de seu parceiro, comparando-o cuidadosamente com o de cada um de seus oponentes. Considera o modo de arranjar as cartas em cada mão, frequentemente contando trunfo por trunfo, e honra por honra, através dos olhares lançados por seus detentores, para cada uma delas. Observa cada variação do rosto, conforme o jogo progride, formando um fundo de pensamentos, com base nas diferenças das expressões de certeza, surpresa, triunfo ou tristeza. Com base no modo de se vencer uma vaza, ele julga se a pessoa que o faz conseguirá vencer mais uma com a mesma mão. Reconhece o que é simulado, pelo ar como a carta é jogada sobre a mesa. Uma palavra casual ou inadvertida; o derrubar ou virar acidental de uma carta, com a ansiedade ou despreocupação que acompanha sua ocultação; a contagem das vazas, na ordem de seu arranjo; embaraço, hesitação, ansiedade ou trepidação – todos servem, para sua percepção aparentemente intuitiva, como indícios do verdadeiro estado das coisas. Após as primeiras duas ou três rodadas terem sido jogadas, ele já está de posse do conteúdo de cada mão e, dali em diante, joga suas cartas com tanta certeza quanto se o resto do grupo houvesse virado as suas para ele.

O poder analítico não deve ser confundido com ampla engenhosidade, pois enquanto o analista é necessariamente engenhoso, o homem engenhoso frequentemente tem uma incapacidade de análise notável. O poder construtivo, ou de combinação, através do qual a engenhosidade costuma se manifestar, e aos quais os frenólogos atribuíram (erroneamente, em minha opinião) um órgão separado, supondo tratar-se de uma faculdade primitiva, tem sido visto com tanta frequência naqueles cujo intelecto beirava a idiotice, a ponto de ter atraído a observação geral dos escritores que tratam da moral. Entre a engenhosidade e a habilidade analítica, existe uma diferença muito maior do que entre a fantasia e a imaginação, mas de uma natureza bastante parecida. Será descoberto, na verdade, que os engenhosos são sempre fantasiosos, e os verdadeiramente imaginativos nunca são nada além de analíticos.

A narrativa que se segue parecerá, para o leitor, um pouco com um comentário sobre as suposições feitas acima.

Residindo em Paris, durante a primavera e parte do verão do ano de 18--, lá conheci um certo Monsieur C. Auguste Dupin. Esse jovem cavalheiro vinha de uma família excelente, ilustre, na verdade, mas, devido a diversos eventos infelizes, havia sido rebaixado a circunstâncias de tamanha pobreza, que a energia de sua personalidade sucumbira, e ele deixara de circular pelo mundo ou de importar-se com a recuperação de sua fortuna. Por cortesia de seus credores, uma parte de seu patrimônio ainda estava sob sua posse e, com a renda advinda disso, ele conseguia, através de economias rigorosas, suprir as necessidades da vida, sem preocupar-se com o que fosse supérfluo. Livros, na verdade, eram seu único luxo, e estes são facilmente obtidos em Paris.

Nos conhecemos em uma biblioteca obscura na Rua Montmartre, onde a coincidência de estarmos, ambos, procurando o mesmo volume, muito raro e notável, fez com que nos aproximássemos. Nos revimos de novo, e de novo. Interessei-me muito pela história familiar que ele me contou, com todo o candor de um francês quando o assunto é ele mesmo. Também fiquei atônito com a vasta extensão de suas leituras; e, acima de tudo, senti minha alma despertar com o fervor selvagem e o frescor vívido de sua imaginação. Procurando, em Paris, os objetivos que buscava na época, senti que a companhia de um homem daqueles seria um tesouro incalculável, e disse isso a ele, com a maior franqueza. Finalmente, combinamos que moraríamos juntos, durante minha estadia na cidade, e já que minhas circunstâncias materiais eram ligeiramente melhores do que as dele assumi as despesas de alugar e mobiliar, em um estilo que combinava com a melancolia um tanto quanto fantástica de nossos gostos em comum, uma mansão deteriorada e grotesca, há muito abandonada por causa de superstições que não tentamos descobrir quais eram, a ponto de cair em uma parte isolada e solitária do bairro de Faubourg St. Germain.

Se o mundo soubesse de nossa rotina naquele lugar, teríamos sido considerados loucos; ainda que, talvez, loucos inofensivos. Nosso isolamento era perfeito. Não permitíamos visitas. Na verdade, a localização de nosso refúgio havia sido mantida cuidadosamente em segredo de meus antigos conhecidos, e já fazia muitos anos que Dupin deixara de conhecer ou ser conhecido por alguém em Paris. Existíamos apenas entre nós mesmos.

Meu amigo tinha uma fantasia excêntrica (pois do que mais posso chamar?) de estar apaixonado pela Noite por si só; e rapidamente embarquei nesta *bizarrerie*, assim como em todas as suas outras, deixando-me levar por seus caprichos arrebatadores com um perfeito abandono. A divindade escura não estava sempre conosco, mas conseguíamos simular sua presença. Nos primeiros raios da aurora, fechávamos todas as persianas velhas de nossa casa e acendíamos algumas velas, que, exalando um perfume forte, produziam apenas a mais fraca e sinistra das luzes. Com o auxílio destas, ocupávamos nossa alma com devaneios: lendo, escrevendo ou conversando, até sermos avisados, pelo relógio, do advento da verdadeira Escuridão. Então, partíamos para as ruas, de braços dados, continuando os assuntos do dia, ou perambulando por cantos longínquos, até bem tarde, buscando, em meio às luzes e sombras da cidade populosa, aquela infinidade de estímulos mentais que uma observação silenciosa pode propiciar.

Nestes momentos, não podia deixar de observar e admirar (ainda que, com base em sua rica realidade, eu estivesse preparado para esperar) que Dupin tinha uma habilidade analítica peculiar. Ele também parecia deleitar-se ao exercitá-la – ainda que não exatamente ao exibi-la –, e não hesitava em admitir o prazer que isso lhe trazia. Gabava-se para mim, com uma risadinha baixa, de que, para ele, a maioria das pessoas tinha uma janela no peito, e costumava continuar tais declarações com provas diretas e chocantes de seus conhecimentos profundos sobre mim. Seus modos, naqueles momentos, eram frígidos e abstratos; seus olhos sem expressão; enquanto sua voz, que geralmente era um rico tenor, subia para um agudo que soaria petulante, se não fosse pela deliberação e total distinção de enunciação. Observando-o naqueles humores, eu costumava refletir profundamente sobre a velha filosofia da alma de duas partes, e divertia-me imaginando um Dupin duplo: o criativo e o resolutivo.

Não imagine, com base no que acabei de dizer, que estou detalhando algum mistério ou escrevendo um romance. O que descrevi sobre o francês era apenas o resultado de uma inteligência estimulada ou talvez doente. Mas um exemplo dará uma noção melhor da natureza de suas observações, durante os períodos em questão.

Estávamos passeando, uma noite, por uma rua longa e suja, nas cercanias do Palais Royal. Por estarmos os dois aparentemente absortos por nossos pensamentos, não havíamos pronunciado uma sílaba, há, pelo menos, 15 minutos. De repente, Dupin pôs-se a falar o seguinte:

– Ele é um sujeito bem pequeno, é verdade, e se sairia melhor no Théâtre des Variétés.

– Sem dúvida – respondi, sem pensar ou, de início, reparar (de tão mergulhado que estava em minhas reflexões) no modo extraordinário como ele intrometera-se em minhas meditações. Em um instante, tomei ciência do ocorrido e fiquei profundamente surpreso.

– Dupin – disse, em tom sério –, isto está além de minha compreensão. Não hesito em dizer que estou atônito, e mal posso acreditar em meus sentidos. Como podia saber que eu estava pensando em...

Naquele ponto, fiz uma pausa, para averiguar, sem deixar dúvida, se ele realmente sabia em quem estava pensando.

– ... em Chantilly – respondeu. – Por que parou? Você estava observando, para si mesmo, que seu tamanho diminuto faz com que ele seja inadequado para atuar em tragédias.

Era exatamente esse o assunto de minhas reflexões. Chantilly fora antigamente um sapateiro na Rua St. Denis, que, após tornar-se obcecado pelo teatro, tentara conseguir o papel de Xerxes, na tragédia de Crébillon de mesmo nome, e fora notoriamente o alvo de chacotas por suas tentativas.

– Diga-me, pelo amor de Deus – exclamei – o método... se é que há um método... que permite que você decifre minha alma desse modo.

Na verdade, eu ficara ainda mais atônito do que estava disposto a admitir.

– Foi o vendedor de frutas – respondeu meu amigo – que fez com que você concluísse que o consertador de solas não tem altura suficiente para Xerxes, *et id genus omne*.[2]

– O vendedor de frutas! Surpreende-me. Não conheço nenhum vendedor de frutas.

– O homem que trombou com você, quando entramos nesta rua; deve ter sido há uns 15 minutos.

Lembrei-me, então, de que um vendedor de frutas, carregando uma grande cesta de maçãs na cabeça, realmente quase me derrubara, sem querer, quando saíamos da Rua C--- e entrávamos na via onde estávamos; mas o que isso tinha a ver com Chantilly não conseguia compreender.

---

2 N. da T.: "E todos os outros de seu tipo". Em latim no original.

Dupin não tinha uma gota de charlatanismo.

– Explicarei – disse ele –, e para que você consiga compreender tudo claramente primeiro vamos voltar pelo caminho de suas reflexões, do momento em que falei com você até o seu encontro com o vendedor de frutas em questão. Os principais elos da corrente são: Chantilly, Orion, dr. Nichols, Epicuro, estereotomia, os paralelepípedos, o vendedor de frutas.

Existem poucas pessoas que jamais divertiram-se relembrando os passos que as fizeram chegar a conclusões específicas de sua mente. Tal ocupação costuma ser bastante interessante, e aquele que experimenta, pela primeira vez, é surpreendido pela distância aparentemente sem limites e pela incoerência entre o ponto inicial e o resultado. Pode, assim, imaginar minha surpresa ao ouvir o francês falar aquilo, e por não poder deixar de admitir que ele dissera a verdade. Prosseguiu:

– Estávamos falando de cavalos, se bem me lembro, logo antes de sairmos da Rua C---. Foi o último assunto que discutimos. Ao virarmos nesta rua, um vendedor de frutas, com uma grande cesta sobre a cabeça, passando rapidamente por nós, derrubou-o sobre uma pilha de paralelepípedos arrumada no local onde o pavimento está sendo consertado. Você pisou em uma das pedras soltas, escorregou, virou ligeiramente o tornozelo, pareceu ficar aborrecido ou mal-humorado, murmurou algumas palavras, virou-se para olhar para a pilha e então continuou andando, em silêncio. Não prestei muita atenção no que você fez, mas a observação tornou-se, para mim, ultimamente, uma espécie de necessidade. Você manteve os olhos fixos no chão; lançando olhares, com uma expressão petulante, para os buracos e desníveis do pavimento (que foi como vi que continuava pensando nos paralelepípedos), até que chegamos à pequena ruela chamada Lamartine, que foi pavimentada, de forma experimental, com blocos justapostos e rebitados. Ali, sua expressão alegrou-se e, vendo seus lábios se moverem, não tive dúvidas de que murmurara a palavra "estereotomia", termo este que é muito pretensiosamente usado para se referir a esse tipo de pavimento. Sabia que você não conseguiria dizer a palavra "estereotomia" para si mesmo, sem pensar em *"atomia"* e, assim, nas teorias de Epicuro; e visto que, quando discutimos esse assunto há algum tempo, eu mencionara que as vagas adivinhações daquele nobre grego haviam sido peculiarmente confirmadas pela atual cosmogonia nebular, porém sem receber muita atenção, imaginei que você não poderia deixar de erguer os olhos para a grande nebulosa de Orion, e certamente esperava que fosse fazê-lo. Você olhou para cima, realmente, e então tive a certeza de que seguira seus passos corretamente. Porém, naquela invectiva cruel contra Chantilly, que apareceu no Musée de ontem, o satirista, fazendo alusões horríveis ao fato de o sapateiro ter mudado de nome ao calçar as botas de ator, citou uma frase em latim, que aludia ao que estávamos debatendo. Refiro-me à frase *Perdidit antiquum litera sonum.*[3] Eu havia dito que era uma referência a Orion, que costumava ser escrita como Urion; e, devido a certos debates acalorados sobre essa explicação, sabia que você não poderia ter esquecido. Ficara claro, portanto, que você não poderia deixar de combinar as duas ideias, Orion e Chantilly. Percebi que as havia combinado, realmente, pelo tipo de sorriso que passou por seus lábios. Pensou na imolação do pobre sapateiro. Até aquele momento, você andara meio encurvado; mas, então, vi-o endireitar-se por completo. Tive certeza, assim, de que estava refletindo sobre a figura diminuta de Chantilly. Foi aí que interrompi suas reflexões, para comentar que ele era, mesmo, um sujeito pequeno, aquele Chantilly, e que se sairia melhor no Théâtre des Variétés.

Não muito tempo depois disso, estávamos lendo uma edição vespertina do jornal *Gazette des Tribunaux*, quando os seguintes parágrafos chamaram nossa atenção:

"ASSASSINATOS EXTRAORDINÁRIOS. Esta manhã, por volta das 3 horas, os moradores de Quartier St. Roch foram despertados por uma sucessão de gritos horrendos, aparentemente vindos do 4º andar de uma casa na Rua Morgue, cujas únicas habitantes, pelo que se sabe, eram uma certa madame L'Espanaye e sua filha, mademoiselle Camille L'Espa-

---

3 N. da T.: "Ele arruinou a antiga pronúncia com a primeira letra". Em latim no original.

naye. Após uma demora causada pelas tentativas infrutíferas de entrar na residência da forma usual, a porta foi arrombada com um pé de cabra, e oito ou dez vizinhos entraram, acompanhados por dois *gendarmes*. Àquela altura, os gritos já haviam cessado; entretanto, conforme o grupo subia correndo o primeiro lance de escadas, duas ou mais vozes roucas foram ouvidas, em uma discussão raivosa, e pareciam vir da parte superior da casa. Ao chegarem no 2º andar, aqueles sons também já haviam cessado, e tudo continuou em perfeito silêncio. O grupo espalhou-se e correu de cômodo a cômodo. Ao chegar a um grande cômodo na parte de trás do 4º andar (cuja porta, encontrada trancada e com a chave do lado de dentro, foi arrombada), desvelou-se tal espetáculo que causou tanto horror quanto assombro nos que estavam presentes.

O apartamento estava na mais absoluta desordem; os móveis haviam sido quebrados e jogados por todos os cantos. Havia apenas uma cama, e seu colchão havia sido removido e jogado no meio do cômodo. Sobre uma cadeira havia uma lâmina, suja de sangue. Na lareira, havia duas ou três mechas longas e compridas de cabelo humano grisalho, também manchadas de sangue, e que pareciam ter sido arrancadas pelas raízes. Sobre o chão, foram encontrados quatro napoleões[4], um brinco de topázio, três grandes colheres de prata, quatro menores, feitas de *métal d'Alger*[5] e duas bolsas, contendo quase 4 mil francos em ouro. As gavetas de uma cômoda, em um canto, estavam abertas e pareciam ter sido remexidas, apesar de ainda conterem muitos artigos. Um pequeno cofre de ferro foi descoberto debaixo do colchão (e não da cama). Estava aberto, com a chave ainda na porta. Só continha umas cartas velhas, e outros papéis desimportantes.

Não havia sinal de madame L'Espanaye; porém, após uma quantidade incomum de fuligem ser observada na lareira, uma busca foi feita na chaminé, e (que horrível de se relatar!) o corpo da filha, com a cabeça

---

4 N. da T.: Antiga moeda francesa, equivalente a 5 francos.

5 N. da T.: Metal branco da região de Argel, usado antigamente para produzir talheres.

para baixo, foi arrastado de lá, tendo sido forçado pela abertura estreita acima, por uma distância considerável. O corpo ainda estava bem quente. Ao examiná-lo, muitas escoriações foram encontradas, sem dúvida causadas pela violência com a qual havia sido empurrado para cima e depois desalojado. Seu rosto tinha vários arranhões severos, e seu pescoço contusões escuras e unhadas profundas, como se a falecida houvesse sido morta por estrangulamento.

Após uma investigação minuciosa de cada parte da casa, sem outras descobertas, o grupo dirigiu-se a um pequeno pátio pavimentado, na parte de trás do prédio, onde jazia o cadáver da senhora, com a garganta cortada a tal ponto que, ao tentarem erguê-la, a cabeça separou-se do corpo. Cabeça e corpo estavam mutilados de forma medonha; a primeira de tal forma, que mal retinha alguma semelhança com algo humano.

Desse terrível mistério ainda não há, pelo que sabemos, a menor pista."

O jornal do dia seguinte trazia outros detalhes:

"A Tragédia na Rua Morgue. Muitos indivíduos foram investigados em relação a esse caso extraordinário e medonho [a palavra 'affaire', ou 'caso', ainda não tem, na França, o significado leviano que transmite para nós), mas nada surgiu para elucidá-lo de alguma forma. Apresentamos, abaixo, todos os testemunhos relevantes obtidos.

Pauline Dubourg, lavadeira, afirmou que conhecia as duas falecidas há três anos, tendo trabalhado para elas durante o referido período. A senhora e sua filha pareciam ter um bom relacionamento, e eram muito afetuosas uma com a outra. Eram excelentes pagadoras. A testemunha não saberia dizer nada sobre como se sustentavam. Acredita que a madame L. lia a sorte por dinheiro. Diziam que tinha alguma soma guardada. Nunca encontrara ninguém na casa, ao ir buscar ou devolver as roupas. Tinha certeza de que não empregavam nenhum criado. Parecia não haver móveis em qualquer parte do prédio, exceto no 4º andar.

Pierre Moreau, dono de tabacaria, afirmou que costumava vender pequenas quantidades de tabaco e rapé para madame L'Espanaye, por quase quatro anos. Nasceu no bairro, e sempre residiu lá. A falecida e sua filha ocuparam a casa onde os cadáveres foram encontrados por mais de 6 anos. Antes disso, fora ocupada por um joalheiro, que sublocava os cômodos superiores para várias pessoas. A casa pertencia à madame L. Insatisfeita com o abuso do local por seu inquilino, mudou-se ela mesma para lá, recusando-se a alugar qualquer parte. A velha senhora era infantil. A testemunha vira a filha umas cinco ou 6 vezes, durante aqueles 6 anos. As duas levavam uma vida excessivamente reclusa, e dizia-se que tinham dinheiro. Ouvira os vizinhos dizerem que madame L. lia a sorte, mas não acreditara. Nunca viu ninguém passar por aquela porta, exceto a senhora e a filha, um carregador, uma ou duas vezes, e um médico, oito ou dez vezes.

Muitas outras pessoas, vizinhos, declararam o mesmo. Não se sabe de ninguém que frequentasse a casa, tampouco de algum parente vivo de madame L. e sua filha. As cortinas das janelas da frente raramente eram abertas. As de trás estavam sempre fechadas, exceto as do grande cômodo do 4º andar. A casa era boa, e não muito velha.

Isidore Muset, gendarme, afirmou que foi chamado à casa por volta das 3 da manhã, e encontrou 20 ou 30 pessoas no portão da frente, tentando entrar. Finalmente arrombou-o: com uma baioneta, e não com um pé de cabra. Teve poucas dificuldades para abri-lo, por ser um portão duplo, ou dobrável, e não estar aparafusado nem na parte de baixo, nem na de cima. Os gritos continuaram até que o portão foi forçado; e então cessaram. Pareciam ser os gritos de alguma pessoa (ou pessoas) em grande agonia; altos e longos, e não curtos e rápidos. A testemunha foi a primeira a subir. Ao chegar no 1º andar, ouviu duas vozes em uma discussão alta e raivosa: a voz grossa e a outra muito mais estridente. Eram vozes muito estranhas. Conseguiu distinguir algumas palavras ditas pela primeira voz, que era a de um francês. Tem certeza de que não era voz de mulher. Distinguiu as palavras *'sacré'* e *'diable'*. A voz estridente era a de um estrangeiro. Não tinha certeza se era de homem ou mulher. Não conseguiu entender o que dizia, mas acreditava que o idioma fosse o espanhol. O estado do cômodo e dos cadáveres foi descrito pela testemunha da forma como o descrevemos ontem.

Henri Duval, vizinho e fabricante de peças de prata por profissão, afirmou que fez parte do grupo que primeiro entrou na casa. Corrobora o testemunho de Muset, no geral. Logo que arrombaram a porta, fecharam-na novamente, para manter fora a multidão, que se reunira com muita rapidez, apesar do horário tardio. A voz estridente, esta testemunha acredita, era a de um italiano. Tinha certeza de que não era francês. Não está certo de que era a voz de um homem. Pode ter sido de uma mulher. Não conhece a língua italiana. Não soube distinguir as palavras, mas está convencido, pela entonação, de que quem falava era um italiano. Conhecia madame L. e sua filha. Conversava com ambas frequentemente. Estava certo de que a voz estridente não era de nenhuma das falecidas.

Odenheimeir, *restaurateur*. Esta testemunha ofereceu uma declaração. Por não falar francês, foi auxiliado por um intérprete. É nativo de Amsterdã. Passava pela frente da casa, no momento em que os gritos começaram. Duraram vários minutos; provavelmente, dez. Eram longos e altos; horríveis e aflitivos. Foi uma das pessoas que entraram no prédio. Corroborou as últimas declarações em quase todos os aspectos, menos um. Estava certo de que a voz estridente era a de um homem; um francês. Não conseguiu distinguir as palavras. Eram altas e rápidas, desiguais, aparentemente ditas com medo.... e raiva. A voz era áspera; mais áspera do que estridente. A voz grossa repetia: *'sacré', 'diable'* e, uma vez, *'mon Dieu'*.

Jules Mignaud, banqueiro, da empresa Mignaud et Fils, Rua Deloraine. É o mais velho dos irmãos Mignaud. Madame L'Espanaye tinha algumas posses. Abrira uma conta com sua instituição bancária na primavera do ano – (oito anos antes). Fazia depósitos frequentes, em pequenas quantias. Não retirara nada, até três dias antes de sua morte, quando sacara, em pessoa, 4 mil francos. Essa soma fora paga em ouro, e um bancário a acompanhara até em casa com o dinheiro.

Adolphe Le Bon, bancário de Mignaud et Fils, declarou que, no dia em questão, por volta do meio-dia, acompanhou madame L'Espanaye à sua residência, com os 4 mil francos, em duas sacolas. Ao abrirem a porta, mademoiselle L. apareceu e tirou uma das sacolas de suas mãos, enquanto a senhora cuidou da outra. Fez-lhes uma reverência e partiu. Não viu ninguém na rua, naquele momento. É uma rua secundária, muito quieta.

William Bird, alfaiate, declarou que fez parte do grupo que entrou na casa. É inglês. Mora em Paris há dois anos. Foi um dos primeiros a subir a escada. Ouviu as vozes discutindo. A voz rouca era de um francês. Conseguiu discernir várias palavras, mas agora não se lembra mais de todas. Ouviu distintamente *'sacré'* e *'mon Dieu'*. Havia um barulho, naquele momento, como que de várias pessoas lutando; sons de coisas raspando e batendo. A voz estridente era bem alta, mais alta do que a áspera. Está certo de que não era a voz de um inglês. Parecia ser de um alemão. Pode ter sido a voz de uma mulher. Não fala alemão.

Quatro das testemunhas acima, ao serem solicitadas que se lembrassem, afirmaram que a porta do aposento onde o corpo de mademoiselle L. fora encontrado estava trancada por dentro, quando o grupo lá chegou. Tudo estava no mais absoluto silêncio, não havia nenhum gemido ou barulho, de qualquer tipo. Ao forçarem a porta, não viram ninguém. As janelas, dos aposentos traseiro e dianteiro, estavam abaixadas e firmemente trancadas por dentro. Uma porta entre os dois aposentos estava fechada, mas não trancada. A porta que leva do cômodo da frente até o corredor estava trancada, com a chave do lado de dentro. Um pequeno aposento, na frente da casa, no 4º andar, no início do corredor, estava destrancado e com a porta entreaberta. Este aposento estava cheio de camas velhas, caixas, e assim por diante. Todos esses itens foram cuidadosamente removidos e averiguados. Nenhum centímetro da casa ficou sem ser cuidadosamente vasculhado. Varredores foram enviados para cima e para baixo das chaminés. A casa tinha quatro andares, com sótãos (*mansardes*). Um alçapão no teto estava muito bem pregado, e não parecia ter sido aberto há anos. As testemunhas deram diversas respostas ao serem indagadas sobre o tempo que se passou entre as vozes brigando e o arrombamento da porta do apartamento. Algumas disseram que haviam sido apenas três minutos, outras afirmaram que foram cinco. A porta foi aberta com dificuldade.

Alfonzo Garcio, agente fúnebre, declarou residir na Rua Morgue. É nativo da Espanha. Fez parte do grupo que entrou na casa. Não subiu as escadas. É nervoso, e estava preocupado com as consequências da agitação. Ouviu as vozes brigando. A voz áspera era de um francês. Não conseguiu distinguir o que era dito. A voz estridente era de um inglês; tem certeza disso. Não compreende o idioma inglês, mas julgou com base na entonação.

Alberto Montani, confeiteiro, afirmou ter sido um dos primeiros a subir as escadas. Ouviu as vozes em questão. A voz áspera era de um francês. Distinguiu diversas palavras. A pessoa parecia estar expostulando. Não conseguiu discernir as palavras da voz estridente; falava rápida e desigualmente. Acha que era de um russo. Corrobora o testemunho geral. É italiano. Nunca conversou com um nativo da Rússia.

Diversas testemunhas, ao serem instadas a se lembrar, depuseram que as chaminés de todos os aposentos do 4º andar eram estreitas demais para admitir a passagem de um ser humano. O termo 'varredores' quer dizer escovas cilíndricas, como as que são usadas pelos limpadores de chaminés. Essas escovas foram passadas para cima e para baixo, em todas as chaminés da casa. Não há nenhuma passagem traseira, através da qual alguém pudesse ter descido enquanto o grupo subia as escadas. O corpo de mademoiselle L'Espanaye estava tão firmemente entalado na chaminé, que não conseguiram puxá-lo para baixo antes que quatro ou cinco pessoas do grupo juntassem forças.

Paul Dumas, médico, atestou que foi chamado para examinar os corpos, por volta do raiar do dia. Ambos estavam, então, deitados sobre o envoltório do colchão, no quarto onde mademoiselle L. fora encontrada. O corpo da jovem estava cheio de hematomas e escoriações. O fato de que fora enfiado chaminé acima é explicação suficiente para essa aparência. O pescoço estava muito esfolado. Havia vários arranhões profundos, logo abaixo do queixo, junto com uma série de pontos brancos, evidentemente marcas de dedos. O rosto estava terrivelmente descolorido, e os olhos esbugalhados. A língua fora quase que completamente perfurada por uma mordida. Um grande hematoma fora descoberto na parte inferior da barriga, aparentemente produzido pela pressão de um joelho. Na opinião do monsieur Dumas, mademoiselle L'Espanaye fora estrangulada até a morte, por uma ou mais pessoas desconhecidas. O corpo da mãe estava horrivelmente mutilado. Todos os ossos da perna e do braço direitos estavam mais ou menos estilhaçados. A tíbia esquerda estava quebrada em várias partes, assim como todas as costelas do lado esquerdo. O corpo inteiro estava terrivelmente machucado e descolorido. Não era possível dizer como as lesões haviam sido infligidas. Um pedaço de pau pesado, ou uma barra de ferro larga, uma cadeira; qualquer arma grande, pesada e contundente teria produzido tais resultados, se manejadas por um homem muito forte. Nenhuma mulher conseguiria ter desferido os golpes, com qualquer arma que fosse. A cabeça da falecida, ao ser vista pelas testemunhas, estava inteiramente separada do corpo, e também destruída. O pescoço fora evidentemente cortado com algum instrumento afiado, provavelmente uma navalha.

Alexandre Etienne, cirurgião, foi chamado, junto com monsieur Dumas, para ver os corpos. Corroborou o testemunho e as opiniões de monsieur Dumas.

Mais nada de importante foi descoberto, apesar de várias outras pessoas terem sido interrogadas. Um assassinato tão misterioso, e tão intrigante em todos os seus detalhes, nunca havia sido cometido em Paris; se é que um assassinato foi mesmo cometido. A polícia está absolutamente perplexa, ocorrência incomum, em casos como este. Não há, contudo, nem sombra de alguma pista."

A edição vespertina do jornal dizia que o Quartier St. Roche continuava na maior comoção, e que o local em questão fora cuidadosamente vasculhado novamente, e as testemunhas interrogadas novamente, mas sem resultado. Um pós-escrito, entretanto, mencionava que Adolphe Le Bon fora preso, apesar de nada parecer incriminá-lo, além dos fatos já detalhados.

Dupin parecia singularmente interessado no desdobramento desse caso; pelo menos foi o que julguei com base em seus modos, pois não fez qualquer comentário. Foi só depois do anúncio de que Le Bon fora preso que pediu minha opinião sobre os assassinatos.

Pude apenas concordar com Paris inteira, considerando-os um mistério insolúvel. Não via de que meio seria possível encontrar o assassino.

– Não podemos julgar o meio – disse Dupin – por esta análise oca. A polícia parisiense, tão enaltecida por seu acúmen, é astuta, só isso. Seus procedimentos não têm método, além do método do momento. Fazem uma grande exibição das medidas que tomam, mas estas costumam ser tão inadequadas para os objetivos propostos, que nos fazem pensar em monsieur Jourdain pedindo seu roupão, *pour mieux entendre la musique.*[6] Os resultados alcançados pelos policiais são, com certa frequência, surpreendentes, mas, em sua maioria, ensejados por simples diligência e esforço. Quando essas qualidades não funcionam, seus esquemas falham. Vidocq, por exemplo, era um bom adivinhador e homem perseverante. Mas, sem uma mente educada, errava continuamente, devido à própria intensidade de suas investigações. Prejudicava sua própria visão, segurando o objeto perto demais. Poderia enxergar, talvez, um ou dois pontos com uma clareza incomum, mas, ao fazê-lo, necessariamente perdia de vista o assunto como um todo. Assim, pode-se ser profundo demais. A verdade nem

---

6 N. da T.: Personagem de Molière, alpinista social, que pede, em uma certa cena, seu roupão "para escutar melhor a música".

sempre está dentro de um poço. Na realidade, no que tange aos conhecimentos mais importantes, acredito que ela seja invariavelmente superficial. A profundidade jaz nos vales onde a buscamos, e não nos cumes de montanhas onde é encontrada. Os modos e as fontes desse tipo de erro são bem tipificados pela contemplação dos corpos celestes. Lançar uma olhadela a uma estrela, visualizá-la de esguelha, apontando para ela as partes exteriores da retina (mais suscetíveis a impressões fugazes de luz do que o interior), é olhar a estrela distintamente, melhor apreciar seu brilho, brilho este que enfraquece proporcionalmente ao voltarmos nossa visão inteiramente na direção dele. Um maior número de raios cai sobre o olho neste segundo caso, mas, no primeiro, há uma capacidade de compreensão mais refinada. Com uma profundidade indevida, confundimos e enfraquecemos os pensamentos; e é possível fazer a própria Vênus desaparecer do firmamento, com um escrutínio longo demais, concentrado demais ou direto demais. Quanto a esses assassinatos, façamos nós mesmos algumas análises, antes de formarmos uma opinião. Uma investigação nos divertirá – (achei este termo estranho, usado desta forma, mas não disse nada) – e, além disso, Le Bom prestou-me um serviço, uma vez, pelo qual não sou ingrato. Vamos ver o local com nossos próprios olhos. Conheço G--, o delegado de polícia, e não teremos dificuldade para obter a permissão necessária.

Após obtermos a permissão, fomos imediatamente à Rua Morgue. Esta é uma daquelas vias miseráveis, que ficam entre a Rua Richelieu e a Rua St. Roch. Era fim de tarde, quando chegamos, pois o bairro fica bem longe de onde residíamos. Encontramos a casa com facilidade, pois ainda havia muita gente olhando as cortinas fechadas, com uma curiosidade sem objeto, do outro lado da rua. Era uma casa parisiense comum, com um portão, de um lado do qual havia uma guarita com janela, que tinha um painel deslizante, indicando uma cabine de porteiro. Antes de entrarmos, subimos a rua, passamos para uma viela, e então, virando a esquina novamente, passamos para a parte de trás do prédio, enquanto Dupin examinava todo o bairro, assim como a casa, com uma minúcia para a qual eu não via nenhum objeto.

Refazendo nossos passos, voltamos para a frente do prédio, tocamos a campainha e, mostrando nossas credenciais, fomos admitidos pelos policiais encarregados. Subimos para os aposentos onde o corpo de mademoiselle L'Espanaye fora encontrado, e onde ambas as falecidas ainda jaziam. A desordem do lugar havia, como de costume, sido deixada como estava. Não vi nada além do que fora declarado no *Gazette des Tribunaux*. Dupin escrutinizou tudo, incluindo os corpos das vítimas. Então, fomos para os outros cômodos, e depois para o pátio, com um gendarme acompanhando-nos o tempo todo. No caminho para casa, meu companheiro passou rapidamente no escritório de um dos jornais diários.

Já disse que meu amigo tinha inúmeros caprichos, e que *"je les ménageais"*:[7] para esta frase, não há equivalente em inglês. Ele estava, naquele momento, propenso a declinar qualquer conversa sobre os assassinatos, até o meio-dia do dia seguinte. Perguntou-me de repente, então, se eu havia observado algo de *peculiar* na cena da atrocidade. Havia algo em seu jeito de enfatizar a palavra "peculiar" que me fez estremecer, sem saber por quê.

— Não, nada de peculiar — respondi. — Pelo menos, nada além do que lemos nos jornais.

— O *Gazette* — respondeu — não mergulhou no horror incomum da coisa. Mas desconsidere as opiniões inúteis dessa publicação. Parece-me que este mistério é considerável insolúvel precisamente pelo motivo que faria com que fosse considerado facilmente resolvível; quero dizer, devido à natureza chocante de seus elementos. A polícia está confusa pela aparente ausência de motivo: não pelo assassinato em si, mas por sua atrocidade. Também está intrigada pela aparente impossibilidade de conciliar as vozes que foram ouvidas brigando com o fato de que ninguém foi descoberto no andar de cima, a não ser mademoiselle L'Espanaye, e de que não havia modo de sair sem ser visto pelo grupo

---

7 N. da T.: "Eu lidava com eles".

que subia. A completa desordem do cômodo; o cadáver empurrado, com a cabeça para baixo, pela chaminé; a horrenda mutilação do corpo da velha senhora. Todas essas considerações, junto com as que acabei de mencionar, e outras que não preciso citar, foram suficientes para paralisar os poderes, atrapalhando completamente o alardeado acúmen dos agentes do governo. Cometeram o erro crasso, porém comum, de confundir o incomum com o abstruso. Mas é por tais desvios da esfera comum que o raciocínio encontra seu caminho, tudo em busca da verdade. Em investigações como a que estamos fazendo agora não se deve perguntar "o que ocorreu", tanto quanto "o que ocorreu, que nunca ocorreu antes". Na verdade, a facilidade com a qual chegarei, ou já cheguei, à solução deste mistério é diretamente proporcional à sua aparente insolubilidade, aos olhos da polícia.

Encarei meu interlocutor, em um assombro mudo.

– Agora estou aguardando – continuou, olhando na direção da porta de nossa casa –, estou aguardando um indivíduo que, ainda que talvez não seja o autor desta chacina, deve estar implicado, até certo ponto, em seu cometimento. Da pior parte dos crimes cometidos, é provável que ele seja inocente. Espero estar certo quanto a esta suposição, pois foi sobre ela que construí minha expectativa de interpretar o enigma inteiro. Estou esperando o homem aqui, neste cômodo, a qualquer momento. É verdade que ele pode não vir; mas é provável que venha. Caso venha, será necessário detê-lo. Aqui estão duas pistolas; e nós dois sabemos como usá-las, quando a ocasião exigir.

Peguei as pistolas, mal sabendo o que fazia, ou acreditando no que ouvira, enquanto Dupin prosseguia, como se fizesse um solilóquio. Já falei sobre seus modos abstratos, nesses momentos. Seu discurso era dirigido a mim, mas sua voz, apesar de não ser nem um pouco alta, tinha aquela entonação comumente usada para falar com alguém que esteja a uma grande distância. Seus olhos, sem expressão, só encaravam a parede.

– O fato de que as vozes que foram ouvidas brigando – disse – pelo grupo nas escadarias não eram as vozes das próprias mulheres ficou completamente provado pelas evidências. Isso remove qualquer dúvida quanto à possibilidade de a velha senhora ter, primeiro, matado a filha e depois cometido suicídio. Falo sobre esta questão principalmente em nome do método, pois a força de madame L'Espanaye não teria sido, nem de longe, suficiente para empurrar o cadáver da filha chaminé acima, como foi encontrado; e a natureza dos ferimentos em seu próprio corpo impede completamente a ideia de autoflagelo. Os assassinatos, portanto, foram cometidos por terceiros, e as vozes destes foram as ouvidas brigando. Permita-me chamar sua atenção, não para todos os testemunhos relativos a tais vozes mas para o que havia de *peculiar* nestas declarações. Reparou em algo peculiar nas mesmas?

Observei que, ainda que todas as testemunhas concordassem em supor que a voz grossa era de um francês, havia muita discordância sobre a voz estridente, ou, como um indivíduo disse, a voz áspera.

– Esta era a prova em si – disse Dupin –, mas não a peculiaridade da prova. Não observou nada de distintivo. Ainda assim, *havia* algo a ser observado. As testemunhas, como comentou, concordaram em relação à voz grossa; foram unânimes. Mas, em relação à voz estridente, a peculiaridade não é o fato de que discordaram, e sim que, quando um italiano, um inglês, um espanhol, um holandês e um francês tentaram descrevê-la, cada um deles disse que era a de um *estrangeiro*. Cada um está seguro de que não era a voz de um de seus compatriotas. Todos comparam-na não com a voz de um indivíduo de uma nação cujo idioma entendem, mas o contrário. O francês supõe que seja a voz de um espanhol, e "poderia ter discernido algumas palavras, *se estivesse familiarizado com o espanhol*". O holandês insiste que era a voz de um francês, mas lemos que "por não falar francês, esta testemunha foi interrogada através de um intérprete". O inglês acha que é a voz de um alemão, e "não entende alemão". O espanhol "está certo" de que era a voz de um inglês, mas "julga com base na entonação", visto que "não conhece a língua inglesa". O italiano acredita que seja a voz de um russo, mas "nunca conversou com um nativo da Rússia". Um segundo francês discorda, além disso, da primeira testemunha e tem certeza de que a voz era de um italiano; porém, sem conhecer este idioma, está, assim como o espanhol, "convencido pela entonação". Agora, como aquela voz deve ter sido estranha, para ter ensejado testemunhos como estes? Que tons deve ter contido para que cidadãos das cinco grandes divisões da Europa não reconheçam nada de familiar? Aposto que dirá que poderia ser a voz de um asiático ou de um africano. Não há muitos deles em Paris, mas, sem negar a inferência, apenas chamarei sua atenção para três pontos. A voz é descrita por uma testemunha como "áspera, em vez de estridente". É classificada por outras duas como "rápida e desigual". Nenhuma palavra, nenhum som que se pareça com palavras foi mencionado por qualquer testemunha como tendo sido distinguível.

– Não sei – continuou Dupin – que impressão posso ter causado, até agora, sobre sua própria opinião; mas não hesito em dizer que deduções legítimas, mesmo desta parte do testemunho, a que diz respeito às vozes grossa e estridente, são por si só suficientes para engendrar uma suspeita que direcionaria todo o progresso subsequente, na investigação do mistério. Disse "deduções legítimas", mas minha intenção não é inteiramente expressada por este termo. Quero dizer que as deduções são as únicas adequadas, e que a suspeita advém *inevitavelmente* delas, como o resultado exclusivo. Qual é esta suspeita, contudo, não direi por enquanto. Apenas quero que mantenha em mente que, para mim, foi suficientemente convincente para ensejar uma forma definitiva, uma certa tendência, às minhas investigações nos aposentos.

Vamos nos transportar, agora, em nossa imaginação, àqueles aposentos. O que procuraremos primeiro? A saída usada pelos assassinos. Não é exagero dizer que nenhum de nós dois acredita em eventos sobrenaturais. Madame e mademoiselle L'Espanaye não foram mortas por espíritos. Os malfeitores eram sólidos, e escaparam de alguma forma material. Como então? Felizmente, há apenas um modo de se raciocinar sobre o assunto, e este modo *deve* nos levar a uma decisão definitiva. Examinemos, uma por uma, as possíveis saídas. Está claro que os assassinos estavam no cômodo onde mademoiselle L'Espanaye foi encontrada, ou, pelo menos, no adjacente, quando o grupo subiu pelas escadas. É, então, só nestes dois aposentos que precisamos buscar formas de egresso. A polícia vasculhou o chão, o teto e os tijolos das paredes, em todas as direções. Nenhuma saída *secreta* pode ter escapado de sua vigilância. Porém, sem confiar nos olhos *deles*, examinei tudo com os meus. Não havia nenhum modo de egresso secreto. Ambas as portas, que levam dos aposentos até o corredor, estavam seguramente trancadas, com a chave do lado de dentro. Vamos voltar nossa atenção para as chaminés. Estas, apesar de terem uma largura comum, estendendo-se por uns 2 ou 3 metros acima das lareiras, não permitem, por todo o seu comprimento, a passagem de um gato de tamanho grande. Sendo que a impossibilidade de sair por este meio é, assim, absoluta, só nos restam as janelas. Por aquelas do aposento da frente, ninguém poderia ter escapado sem ser visto pela multidão na rua. Os assassinos *devem* ter passado, então, pelas do aposento de trás. Agora, tendo chegado a esta conclusão da forma inequívoca, como fizemos, não cabe a nós, como examinadores racionais, rejeitá-la devido às aparentes impossibilidades. Só nos resta provar que estas aparentes "impossibilidades", na verdade, não o são.

Há duas janelas no cômodo. Uma delas não está obstruída por móveis, e é inteiramente visível. A parte inferior da outra está escondida pela cabeceira da pesada cama, que fica encostada na parede. Esta última janela foi encontrada firmemente trancada pelo lado de dentro. Resistiu à maior força daqueles que tentaram abri-la. Um grande buraco havia sido feito em seu batente, à esquerda, e um prego bem duro havia sido martelado quase que inteiramente nele. Ao examinar a outra janela, um prego semelhante foi encontrado, enfiado de forma similar, e tentativas vigorosas de erguer a janela também falharam. A polícia ficou, então, convencida de que a saída não fora por estas direções. E, portanto, considerou desnecessário retirar os pregos e abrir as janelas.

Meu próprio exame foi ligeiramente mais detalhado, pelo motivo que acabei de dar: porque sabia que era naquele momento que se precisava comprovar que todas as aparentes impossibilidades, na verdade, não o são.

Continuei a pensar como se segue, *a posteriori*. Os assassinos escaparam, realmente, por uma daquelas janelas. Se fosse esse o caso, não poderiam tê-las pregado novamente pelo lado de dentro, como haviam sido descobertas; fora essa consideração que interrompera, com sua obviedade, o escrutínio da polícia nesse sentido. Ainda assim, as janelas *estavam* pregadas. *Deve* ter, então, um jeito de se pregarem sozinhas. Não havia como escapar desta conclusão. Subi no batente desobstruído, retirei o prego com um pouco de dificuldade, e tentei erguer a janela. Resistiu a todos os meus esforços, como eu previra. Agora sabia que devia existir alguma mola escondida, e esta corroboração de minha ideia convenceu-me de que pelo menos minhas premissas estavam corretas, por mais misteriosas que as circunstâncias relativas aos pregos continuassem sendo. Uma busca cuidadosa logo revelou a mola escondida. Apertei-a e, satisfeito com a descoberta, não tentei erguer a janela.

Coloquei o prego de volta e examinei-o com atenção. Uma pessoa que saísse por aquela janela poderia tê-la fechado novamente, e a mola teria agido... mas o prego não poderia ter sido recolocado. A conclusão era clara, e diminuiu novamente o campo de minhas investigações. Os assassinos *devem* ter escapado pela outra janela. Supondo, então, que as molas das duas janelas eram iguais, como era provável, alguma diferença devia ter sido descoberta entre os dois pregos, ou, pelo menos, entre o modo como estavam fixados. Pisando no colchão sobre a cama, examinei minuciosamente o segundo batente, por cima da cabeceira. Passando a mão por trás desta última, logo descobri e apertei a mola, que era, como eu supusera, idêntica à sua vizinha. Olhei, então, para o prego. Era tão duro quanto o outro, e aparentemente colocado da mesma maneira, martelado quase até o fim.

Poderá dizer que fiquei perplexo; mas, se pensar assim, deve ter compreendido errado a natureza das induções. Para usar um jargão esportivo, não cometi nenhuma "falta". Não perdera o rastro nenhuma vez. Não havia nenhum defeito, em qualquer elo da corrente. Rastreara o segredo até seu resultado final, e o resultado era o *prego*. Como disse, tinha, sob todos os aspectos, a mesma aparência de seu companheiro da outra janela; mas esse fato não significava absolutamente nada (por mais conclusivo que possa parecer), quando comparado com a consideração de que a pista terminava naquele ponto. "Deve haver algo errado", disse eu, "em relação ao prego". Encostei nele; e a cabeça, cerca de 6 milímetros acima da base, partiu-se entre meus dedos. O resto da base ficara dentro do buraco, onde fora quebrado. A fratura era antiga, pois suas bordas estavam incrustadas com ferrugem, e parecia ter sido feita com um golpe de martelo, que embutira parcialmente, na parte de cima do batente inferior, a cabeça do prego. Recoloquei, então, com cuidado, a cabeça sobre a quebra de onde a tirara, e a semelhança com um prego perfeito estava completa: a fissura estava invisível. Apertando a mola, ergui a janela, gentilmente, por alguns centímetros; e a cabeça do prego subiu junto, continuando firme em sua base. Fechei a janela, e a semelhança com um prego intacto ficou, novamente, perfeita.

O enigma, até então, estava resolvido. O assassino escapara pela janela em cima da cama. Fechando-se sozinha, após a saída dele (ou talvez fechada de propósito), a janela fora trancada pela mola, e fora a retenção pela mola que a polícia pensara ser pelo prego, desconsiderando qualquer investigação adicional.

A próxima questão é o modo da descida. Sobre esse ponto, eu já me certificara, durante a volta que dei com você, ao redor do prédio. Cerca de 1,5 metro de distância do batente em questão, há um para-raios. A partir dele, seria impossível que alguém alcançasse a janela, quanto mais entrar por ela. Observei, contudo, que as venezianas do 4º andar eram daquele tipo peculiar chamado pelos carpinteiros parisienses de *ferrades*, um tipo que é raramente utilizado hoje em dia, mas frequentemente visto em mansões antigas em Lyons e Bordeaux. Têm o formato de uma porta comum (de uma parte só, e não dobradiça), exceto que a metade inferior é coberta por uma grade de ripas cruzadas, ou treliçada, que é perfeito para que alguém a agarre com as mãos. No presente caso, essas venezianas têm uma largura de 1 metro. Quando as vimos na parte de trás da casa, ambas estavam entreabertas; quero dizer, formavam ângulos retos com a parede. É provável que a polícia, assim como eu, tenha examinado a parte de trás do edifício; porém, se, ao fazê-lo, olharam para as *ferrades* na linha de sua largura (como devem ter feito), não perceberam como são largas, ou, em todo caso, deixaram de levar isso em consideração. Na verdade, após convencerem-se de que ninguém poderia ter saído por ali, naturalmente fariam uma busca meramente superficial. Ficou claro para mim, entretanto, que a veneziana da janela em cima da cama chegaria, se fosse aberta por completo e encostada na parede, a cerca de 60 centímetros do para-raios. Também ficara evidente que, empregando um grau incomum de atividade e coragem, entrar pela janela, usando o para-raios, poderia ter sido feito. Esticando-se por 1 metro (estamos supondo que a veneziana estava completamente aberta), um ladrão pode ter agarrado firmemente a treliça. Então, soltando o para-raios, apoiando os pés seguramente contra a parede, e dando um salto ousado, pode ter puxado e fechado a veneziana, e, se imaginarmos que a janela estivesse aberta, naquele momento, pode até mesmo ter pulado para dentro do quarto.

Quero que mantenha em mente que estou falando de um grau *bastante* incomum de atividade, como requisito para conseguir uma façanha tão perigosa e difícil. Pretendo demonstrar, primeiro, que é possível que isso tenha sido feito; mas, em segundo lugar, e principalmente, quero deixar clara a natureza *extraordinária*, e quase sobrenatural, da agilidade com que pode ter conseguido fazê-lo.

Dirá, sem dúvida, usando o linguajar jurídico, que, para "construir minha hipótese", eu deveria subestimar, em vez de insistir em avaliar por completo a atividade necessária, neste caso. Pode ser este o costume no direito, mas não é como procede a razão. Meu único objetivo é a verdade. Meu propósito imediato é fazer com que sobreponha a atividade *bastante incomum*, que acabei de mencionar, com aquela voz estridente (ou áspera) *muito peculiar*, sobre cuja nacionalidade ninguém concorda, e em cuja elocução não se pôde identificar uma única sílaba.

Ao ouvir estas palavras, minha mente formou um conceito vago e indefinido do que Dupin queria dizer. Eu parecia estar prestes a compreender, mas sem conseguir; assim como certas pessoas estão quase se lembrando de algo, sem conseguir, no final, efetivamente recordar. Meu amigo prosseguiu com seu discurso.

— Deve ter reparado — disse ele — que mudei a questão, do modo de egresso, para o modo de ingresso. Minha intenção era transmitir a ideia de que ambos foram feitos do mesmo modo, pelo mesmo ponto. Vamos voltar, agora, para o interior do cômodo. Examinemos as aparências, aqui. Foi dito que as gavetas da cômoda haviam sido vasculhadas, apesar de diversos artigos de vestuário continuarem dentro delas. A conclusão é absurda. É apenas um chute, muito tolo, e nada mais. Como vamos saber que as roupas encontradas nas gavetas não eram todas as que as gavetas originalmente continham? Madame L'Espanaye e sua filha viviam uma vida bastante retraída, não recebiam visitas, raramente saíam, e não tinham necessidade de possuir várias mudas de roupas. As que foram encontradas eram, no mínimo, de uma qualidade tão boa quanto seria de se esperar que estas senhoras possuíssem. Se um ladrão houvesse roubado alguma roupa, por que não levou as melhores? Por que não levou todas? Em resumo, por que abandonou 4 mil francos em ouro para ocupar-se de uma trouxa de roupas? O ouro *foi* abandonado. Quase que a quantia inteira mencionada por monsieur Mignaud, o banqueiro, foi descoberta em sacolas no chão. Quero, portanto, que você descarte de seus pensamentos a ideia equivocada de *motivo*, engendrada na mente dos policiais pela evidência relativa ao dinheiro sendo entregue na porta da casa. Coincidências dez vezes mais notáveis do que esta (a entrega do dinheiro e as recebedoras do mesmo sendo assassinadas três dias depois) acontecem a todos nós, a cada hora de nossa vida, sem atrair um momento de atenção. Coincidências são, em geral, grandes empecilhos para aquela classe de pensadores educados para não saber nada da teoria das probabilidades; teoria à qual os mais gloriosos objetos dos estudos humanos devem a mais gloriosa ilustração. Neste caso, se o ouro tivesse sumido, o fato de que fora entregue três dias antes teria sido mais do que uma coincidência. Teria corroborado a ideia do motivo. Porém, sob as verdadeiras circunstâncias do caso, se supusermos que o ouro é o motivo desse ultraje, também precisamos imaginar que o autor do crime é um idiota tão indeciso que abandonou por completo seu ouro e seu motivo.

Mantendo firmes em nossa mente os pontos para os quais chamei sua atenção – a voz peculiar, a agilidade incomum e a surpreendente ausência de motivo, em assassinatos tão atrozes como esses –, examinemos a chacina em si. Temos uma mulher que foi estrangulada até a morte, com força manual, e empurrada chaminé acima, de cabeça para baixo. Assassinos comuns não empregam tais métodos de homicídio. Muito menos descartam os cadáveres dessa forma. Quanto ao modo de enfiar o cadáver na chaminé, deve admitir que havia algo de excessivamente extravagante, algo inteiramente irreconciliável com nossas noções comuns dos atos humanos, até mesmo se supusermos que os autores são dos mais depravados entre os homens. Pense também sobre que força teria sido necessária para empurrar o corpo para *cima*, através de uma abertura tão pequena, com tanta ferocidade, que os esforços conjuntos de diversas pessoas mal foram suficientes para puxá-lo para *baixo*!

Concentremo-nos, agora, nos outros indícios do uso de uma força extraordinária. Na lareira, havia mechas grossas, muito grossas, de cabelo humano grisalho. Haviam sido arrancadas pelas raízes. Sabe como é necessária força para arrancar da cabeça, dessa forma, até mesmo 20 ou 30 fios de uma vez só. Viu as mechas em questão, tão bem quanto eu. As raízes (que visão horrível!) estavam grudadas em fragmentos do couro cabeludo, uma demonstração perfeita da potência prodigiosa usada para arrancar, talvez, 1 milhão de fios com um puxão só. A garganta da senhora não fora apenas cortada como também sua cabeça fora completamente separada do corpo: o instrumento fora uma simples navalha. Quero que examine, também, a ferocidade *brutal* desses atos. Não mencionarei as feridas no corpo de madame L'Espanaye. Monsieur Dumas e seu louvável assistente, monsieur Etienne, já confirmaram que foram causadas por algum instrumento contundente, e, até agora, esses cavalheiros têm estado absolutamente corretos. O instrumento contundente foi claramente a pedra do pavimento do pátio, sobre a qual a vítima caiu, pela janela sobre a cama. Essa ideia, por mais simples que pareça, escapou da polícia pelo mesmo motivo que a largura da veneziana passou despercebida: porque, devido ao assunto dos pregos, suas percepções haviam sido hermeticamente fechadas contra a possibilidade de as janelas terem sido abertas.

Se agora, além de tudo isso, você lembrar da estranha desordem no aposento, chegamos ao ponto em que podemos combinar as ideias de uma agilidade surpreendente, uma força sobre-humana, uma ferocidade brutal, uma carnificina sem motivo, uma *grotesquerie* de um horror absolutamente alijado da humanidade, e uma voz estranha para os ouvidos de pessoas de várias nações, desprovida de qualquer sílaba distinta ou inteligível. A que resultado chegamos? Que impressão causei sobre sua mente?

Senti minha pele se arrepiar, quando Dupin fez a pergunta.

– Um louco – respondi – fez tudo isso; algum lunático perigoso, fugido de um hospício próximo.

– Sob certos aspectos – retrucou –, sua ideia não é irrelevante. Mas a voz dos loucos, mesmo durante seus arroubos mais violentos, nunca bate com aquela voz peculiar, ouvida das escadarias. Todo louco vem de algum país, e sua língua, por mais que suas palavras sejam incoerentes, sempre tem a coerência de ser formada por sílabas. Além disso, os cabelos de um louco não são do tipo deste que tenho em minha mão. Soltei esse pequeno tufo dos dedos rígidos de madame L'Espanaye. Diga-me o que acha disso.

– Dupin! – disse, completamente abalado. – Esse cabelo é extremamente incomum... não é cabelo *humano*.

– Não disse que era – respondeu. – Mas, antes de estabelecermos esse ponto, quero que examine o esboço que fiz neste papel. É um retrato do que foi descrito, em um dos testemunhos, como "hematomas escuros e marcas profundas de unhas", no pescoço de mademoiselle L'Espanaye, e em outro (dos messrs. Dumas e Etienne) como "uma série de pontos brancos, evidentemente marcas de dedos".

– Perceberá – continuou meu amigo, desenrolando o papel sobre a mesa à nossa frente – que este desenho dá uma ideia de um aperto firme e fixo. Não parece que houve algum escorregão. Cada dedo reteve, possivelmente até a morte da vítima, o terrível aperto com o qual originalmente se alojou. Tente, agora, colocar todos os seus dedos, ao mesmo tempo, sobre as respectivas marcas.

Tentei em vão.

– É possível que não estejamos fazendo a experiência de forma justa – disse ele. – O papel está aberto sobre uma superfície plana, enquanto que o pescoço humano é cilíndrico. Aqui está um rolo de madeira, cuja circunferência é, aproximadamente, a mesma de um pescoço. Enrole o desenho nele, e tente de novo.

Foi o que fiz; mas a dificuldade ficou ainda mais óbvia do que antes.

– Isso – respondi – não é a marca de uma mão humana.

– Leia, agora – respondeu Dupin –, este trecho de Cuvier.

Era um relato anatômico, minucioso e descritivo, do grande orangotango fulvoso das Ilhas das Índias Orientais. A enorme estatura, as prodigiosas força e atividade, a ferocidade selvagem e as propensões imitativas desse mamífero são suficientemente conhecidas por todos. Compreendi imediatamente a totalidade do horror dos assassinatos.

— A descrição dos dedos — disse eu, enquanto esforçava-me para ler — está em perfeita conformidade com este desenho. Vejo que nenhum animal, a não ser o orangotango da espécie aqui mencionada, poderia ter deixado as marcas que você desenhou. Este tufo de pelo acastanhado, também, é idêntico ao do animal descrito por Cuvier. Mas não consigo compreender os detalhes deste horrendo mistério. Além disso, *duas* vozes foram ouvidas em discussão, e uma delas era inquestionavelmente a de um francês.

— Verdade; e deve lembrar-se de uma expressão atribuída quase que unanimemente, pelas testemunhas, a esta voz. A expressão *"mon Dieu!"* Esta, sob as circunstâncias, foi justamente caracterizada por uma das testemunhas (Montani, o confeiteiro) como uma expressão de admoestação ou repreensão. Portanto, foi sobre essas duas palavras que coloquei a maior parte de minhas esperanças de resolver por completo o enigma. Um francês tinha conhecimento do crime. É possível, na verdade, é mais do que provável que ele fosse inocente de qualquer participação na carnificina que ocorreu. O orangotango pode ter escapado dele. Ele pode tê-lo seguido até o aposento; mas, sob as circunstâncias perturbadoras que se seguiram, não deve ter conseguido recapturá-lo. O animal continua à solta. Não averiguarei essas suposições, que não tenho o direito de chamar por outro nome, visto que as reflexões sobre as quais se baseiam não são suficientemente profundas para serem apreciáveis por meu próprio intelecto, e por não poder tentar torná-las inteligíveis para a mente de terceiros. Vamos chamá-las de suposições, então, e tratá-las como tais. Se o francês em questão é, como suponho, realmente inocente dessa atrocidade, este anúncio que publiquei ontem à noite, quando voltamos para casa, no escritório do jornal *Le Monde* (que dedica-se a assuntos marítimos, e é muito buscado por marinheiros), fará com que venha à nossa residência.

Passou-me o jornal, e li o seguinte:
"CAPTURADO — No Bois de Boulogne, nas primeiras horas do dia

– (a manhã em que os assassinatos foram cometidos), um orangotango muito grande, de pelo castanho, da espécie de Bornéu. Seu dono (que descobriu-se ser um marinheiro, pertencente a uma embarcação maltesa) poderá pegá-lo de volta, mediante sua identificação satisfatória e o pagamento de certos encargos advindos de sua captura e manutenção. Compareça à Rua ---, nº ---, Faubourg St. Germain, no dia 3."

– Como é possível – perguntei – você saber que o homem é marinheiro, e de uma embarcação maltesa?

– Não *sei* – respondeu Dupin. – Não tenho *certeza*. Mas aqui tenho um pequeno pedaço de fita, que, com base em sua forma e aparência oleosa, foi evidentemente usada para amarrar o cabelo em um daqueles *rabos* de que os marinheiros tanto gostam. Ademais, este nó é um daqueles que poucas pessoas, além dos marinheiros, sabem atar, e peculiar dos malteses. Peguei a fita ao pé do para-raios. Não pode ter pertencido a nenhuma das falecidas. Agora, ainda que eu esteja enganado, no final das contas, quanto às deduções que fiz sobre a fita, sobre o francês fazer parte da tripulação de uma embarcação maltesa, o que escrevi no anúncio não terá feito nenhum mal. Se estiver errado, ele apenas suporá que me confundi com alguma circunstância que não se preocupará em averiguar. Mas, se estiver certo, terei obtido uma grande vantagem. Sabedor, porém inocente, do crime, o francês naturalmente hesitará em responder ao anúncio e exigir o orangotango de volta. Seu raciocínio será assim: "Sou inocente; sou pobre; meu orangotango vale muito; para alguém de minhas circunstâncias, é uma verdadeira fortuna. Por que deveria perdê-lo, por causa de meras apreensões de perigo? Aqui está ele, ao meu alcance. Foi encontrado no Bois de Boulogne, a uma vasta distância do local da carnificina. Como alguém poderia suspeitar que uma fera bruta cometeu os crimes? A polícia está perdida; não conseguiu encontrar a menor pista. Ainda que eles achem o animal, seria impossível provar que testemunhei os assassinatos ou implicar-me em alguma culpa, devido ao meu conhecimento. Acima de tudo, *sou conhecido*. Quem publicou o anúncio refere-se a mim como dono da fera. Não sei até onde vão seus conhecimentos. Se eu deixar de reivindicar uma posse tão valiosa, que sabem que é minha, farei com que, no mínimo, suspeitas recaiam sobre o animal. Não devo atrair atenção para mim mesmo ou para a fera. Responderei ao anúncio, pegarei o orangotango e o manterei por perto, até que esse assunto seja esquecido".

Naquele momento, ouvimos passos nos degraus.

– Esteja pronto – disse Dupin – com suas pistolas, mas não as use ou mostre, até que eu dê o sinal.

A porta da frente fora deixada aberta, e o visitante entrara, sem tocar a campainha, e subira diversos degraus da escada. Agora, contudo, parecia hesitar. Então, ouvimos seus passos descendo. Dupin começou a andar rapidamente na direção da porta, quando o ouvimos subindo de novo. Não recuou pela segunda vez, e sim subiu de forma decidida, e bateu na porta de nossa sala.

– Entre – disse Dupin, em um tom alegre e acolhedor.

Um homem entrou. Era evidentemente um marinheiro: alto, robusto e de aparência musculosa, com uma expressão um tanto quanto ousada, não de todo despreocupada. Seu rosto, muito bronzeado, estava mais da metade escondido por uma barba e um bigode. Trazia consigo um enorme bastão de madeira, que parecia ser sua única arma. Fez uma reverência desajeitada, e desejou-nos uma "boa noite" com sotaque francês, que, apesar de conter um toque de entonação de Neufchâtel,[8] indicava suficientemente raízes parisienses.

– Sente-se, amigo – disse Dupin. – Suponho que tenha vindo tratar do orangotango. Confesso que quase o invejo, por ser dono dele; é um animal notável, e sem dúvida muito valioso. Quantos anos imagina que ele tenha?

O marinheiro expirou longamente, com o ar de quem foi aliviado de

---

8 N. da T.: Cidade na Normandia.

um fardo intolerável, e então respondeu, com voz firme:

– Não tenho como saber, mas não pode ter mais de 4 ou 5 anos. Está com ele aqui?

– Ah, não, não tínhamos um lugar conveniente para guardá-lo aqui. Ele está nos estábulos da Rua Dubourg, logo ao lado. Pode buscá-lo pela manhã. Decerto que está preparado para identificar sua posse?
– Claro que sim, senhor.

– Ficarei triste de ter que despedir-me dele.

– Não quero que o senhor tenha tido todo este trabalho por nada – disse o homem. – Não é isso que espero. Estou muito disposto a pagar uma recompensa por ter encontrado o animal; quero dizer, uma soma razoável.

– Bem – respondeu meu amigo –, é muito justo, realmente. Deixe-me pensar! O que vou pedir? Ah! Já sei. Minha recompensa será a seguinte: você me dará todas as informações que tem sobre os assassinatos na Rua Morgue.

Dupin disse estas últimas palavras em um tom muito grave, e em uma voz muito baixa. Andou, também, muito delicadamente na direção da porta, trancou-a e colocou a chave no bolso. Então, tirou uma pistola do casaco e colocou-a, sem a menor pressa, em cima da mesa.

O rosto do marinheiro enrubesceu tanto, que parecia estar sufocando. Pôs-se de pé repentinamente e agarrou seu bastão, mas, dentro de um momento, já estava sentado de novo, tremendo violentamente e com uma expressão de terror. Não disse uma palavra. Tive muita pena dele, do fundo de meu coração.

– Meu amigo –, disse Dupin, em um tom gentil – está alarmando-se desnecessariamente, garanto. Não queremos causar nenhum mal. Juro pela honra de um cavalheiro, e de um francês, que não pretendemos machucá-lo. Sei perfeitamente que é inocente das atrocidades da Rua Morgue. Porém, não poderá negar que está implicado nelas, até certo ponto. Com base no que já falei, deve ter percebido que tive meios de obter informações sobre esta questão; meios com os quais você jamais sonhou. Sua situação agora é esta: não fez nada que poderia ter evitado, nada, certamente, que o torne culpável. Não cometeu nem mesmo algum roubo, quando poderia tê-lo feito impunemente. Não tem nada a esconder. Não tem motivos para esconder nada. Por outro lado, de acordo com todos os princípios honrados, tem o dever de confessar tudo de que sabe. Um homem inocente está preso, acusado do crime cujo autor você pode apontar.

O marinheiro recuperou muito de sua compostura, enquanto Dupin falava tais palavras; mas seus modos confiantes de antes haviam desaparecido por completo.

– Que Deus me ajude –, disse ele, após uma breve pausa –, contarei tudo o que sei sobre esse caso; mas não espero que acreditem em metade do que vou dizer. Seria um tolo, se esperasse. Ainda assim, sou inocente, e confessarei tudo, ainda que morra por isso.

O que declarou foi, em resumo, o seguinte: fizera, há algum tempo, uma viagem ao Arquipélago Indiano. Um grupo, do qual fazia parte, atracou em Bornéu e explorou o interior, em uma excursão de lazer. Ele próprio e um companheiro capturaram o orangotango. Com a morte de tal companheiro, ele tomou posse exclusiva do animal. Após muitos problemas, causados pela ferocidade intratável de seu prisioneiro, durante a viagem de volta, ele finalmente conseguiu guardá-lo em segurança, em sua própria casa, em Paris, onde o manteve cuidadosamente isolado, para não atrair a curiosidade desagradável de seus vizinhos, até que o animal se recuperasse de um machucado no pé, causado por uma farpa do navio. Seu objetivo final era vendê-lo.
Ao voltar de uma farra com outros marinheiros, na noite, ou melhor, na

manhã dos assassinatos, encontrou a fera ocupando seu próprio quarto, que invadira após sair de um armário adjacente, onde o homem imaginara que estivesse firmemente preso. Com uma navalha na mão e coberto de espuma, estava sentado na frente de um espelho, tentando barbear-se, o que, sem dúvida, já vira seu mestre fazendo, através do buraco da fechadura do armário. Aterrorizado ao ver uma arma tão perigosa sob a posse de um animal tão feroz e com tanta capacidade de usá-la, o homem passou alguns momentos sem saber o que fazer. Estava acostumado, contudo, a acalmar a criatura, mesmo em seus maiores arroubos de mal humor, usando um chicote, ao qual recorreu. Ao vê-lo, o orangotango saiu correndo imediatamente pela porta do quarto, desceu as escadas e de lá foi para a rua por uma janela, que fora infelizmente deixada aberta.

O francês seguiu-o, desesperado; o primata, ainda segurando a navalha, parava de vez em quando para olhar para trás e gesticular na direção de seu perseguidor, até este último quase o alcançar. E então partia novamente. A perseguição continuou, desse modo, por um longo tempo. As ruas estavam profundamente quietas, pois eram quase 3 da manhã. Ao passar por um beco, atrás da Rua Morgue, a atenção do fugitivo foi chamada por uma luz na janela aberta do quarto de madame L'Espanaye, no 4º andar de sua casa. Correndo para o prédio, o animal reparou no para-raios, escalou-o com uma agilidade inconcebível, agarrou a veneziana, que estava completamente aberta e encostada na parede, e lançou-se, assim, diretamente sobre a cabeceira da cama. A façanha inteira não levou nem um minuto. O orangotango abriu a veneziana novamente, com um chute, enquanto entrava no quarto.

Enquanto isso, o marinheiro ficou alegre e perplexo ao mesmo tempo. Tinha grandes esperanças de recapturar o bruto, pois seria difícil que conseguisse escapar da armadilha em que entrara, exceto através do para-raios, onde poderia ser interceptado enquanto descesse. Por outro lado, havia um grande motivo para preocupação quanto ao que poderia fazer dentro da casa. Esta última reflexão fez com que o homem continuasse seguindo o fugitivo. Um para-raios é escalado sem dificuldades, especialmente por um marinheiro; entretanto, ao chegar na altura da janela, que estava muito à sua esquerda, seu progresso parou. O máximo que poderia fazer era inclinar-se para enxergar o interior do quarto. O que vislumbrou quase o fez despencar de horror. Foi naquele momento que os gritos hediondos atravessaram a noite, despertando os habitantes da Rua Morgue. Madame L'Espanaye e sua filha, de camisola, pareciam estar ocupadas arrumando alguns papéis no baú de ferro já mencionado, que fora arrastado para o meio do cômodo. Estava aberto, e seu conteúdo jazia a seu lado, no chão. As vítimas deviam estar sentadas de costas para a janela; e, com base no tempo que se passou entre a entrada do animal e os gritos delas, parece provável que ele não tenha sido percebido de imediato. A batida da veneziana teria sido naturalmente atribuída ao vento.

Enquanto o marinheiro olhava de fora, o animal enorme agarrou madame L'Espanaye pelo cabelo (que estava solto, pois ela o escovava) e sacudiu a navalha ao redor de seu rosto, imitando os movimentos de um barbeiro. A filha estava deitada, imóvel; desmaiara. Os gritos e a luta da velha senhora (quando seu cabelo foi arrancado) tiveram o efeito de transformar o objetivo do orangotango, provavelmente pacíficos, em raiva. Com um movimento determinado de seu braço musculoso, ele quase separou sua cabeça do corpo. A visão do sangue elevou sua raiva a um frenesi. Rangendo os dentes e com os olhos brilhando, pulou sobre o corpo da garota e enfiou suas medonhas garras em seu pescoço, apertando-o até acabar com sua vida. Seu olhar errante e selvagem pousou, naquele momento, sobre a cabeceira da cama, acima da qual o rosto de seu mestre, rígido de horror, estava ligeiramente visível. A fúria do animal, que, sem dúvida, ainda pensava no temido chicote, transformou-se imediatamente em medo. Consciente de merecer punição, parecia desejar ocultar seus atos sangrentos, de modo que saiu pulando pelo quarto, em uma agitação agoniada e nervosa, jogando e quebrando os móveis conforme se mexia, e arrancando o colchão de cima da cama. Em conclusão, agarrou primeiro o corpo da filha, e empurrou-o chaminé acima, como foi encontrado; e então o da senhora, que imediatamente jogou de cabeça pela janela.

Quando o primata aproximou-se do batente, com seu fardo mutilado, o marinheiro encolheu-se, aterrado, na direção do para-raios e, mais deslizando do que descendo, correu imediatamente para casa, temendo as consequências da carnificina, e abandonando de bom grado, em seu terror, qualquer preocupação com o destino do orangotango. As palavras ouvidas pelo grupo na escadaria eram as exclamações de horror e medo do francês, misturadas com o tagarelar diabólico da fera.

Não tenho quase nada a acrescentar. O orangotango deve ter escapado do cômodo pelo para-raios, logo antes de a porta ser arrombada. Deve ter fechado a janela conforme passava. Foi posteriormente capturado pelo próprio dono, que obteve, em troca dele, uma grande quantia no Jardin des Plantes. Le Bom foi solto imediatamente após narrarmos as circunstâncias (com alguns comentários de Dupin) no escritório do delegado de polícia. Este funcionário público, por mais boa vontade que tivesse em relação ao meu amigo, não conseguiu ocultar completamente seu descontentamento com o rumo que as coisas haviam tomado, e permitiu-se alguns comentários sarcásticos sobre como cada um deveria cuidar de sua própria vida.

– Deixe que fale – disse Dupin, que não considerara necessário responder. – Deixe que discurse; aliviará sua consciência, e estou satisfeito por tê-lo derrotado em seu próprio castelo. Ainda assim, o fato de ele não ter conseguido resolver esse mistério não é motivo de surpresa, como ele supõe; pois, na verdade, nosso amigo delegado é ligeiramente astuto demais para ser profundo. Sua sabedoria não contém *estame*. É só cabeça, sem corpo, como as figuras da deusa Laverna, ou, no máximo, tem cabeça e ombros, como um bacalhau. Mas é uma criatura boa, no fim das contas. Gosto dele, especialmente por uma jogada de mestre em fingimento, com a qual conseguiu sua reputação de engenhosidade. Refiro-me ao modo que ele tem, *"de nier ce qui est, et d'expliquer ce qui n'est pas"*.[9](*)

---

9 N. da T.: "De negar o que é, e explicar o que não é". – Rousseau, *La Nouvelle Heloise*.

O Mistério de Marie Rogêt (*1)
Continuação de
"Os Assassinatos
na Rua Morgue"

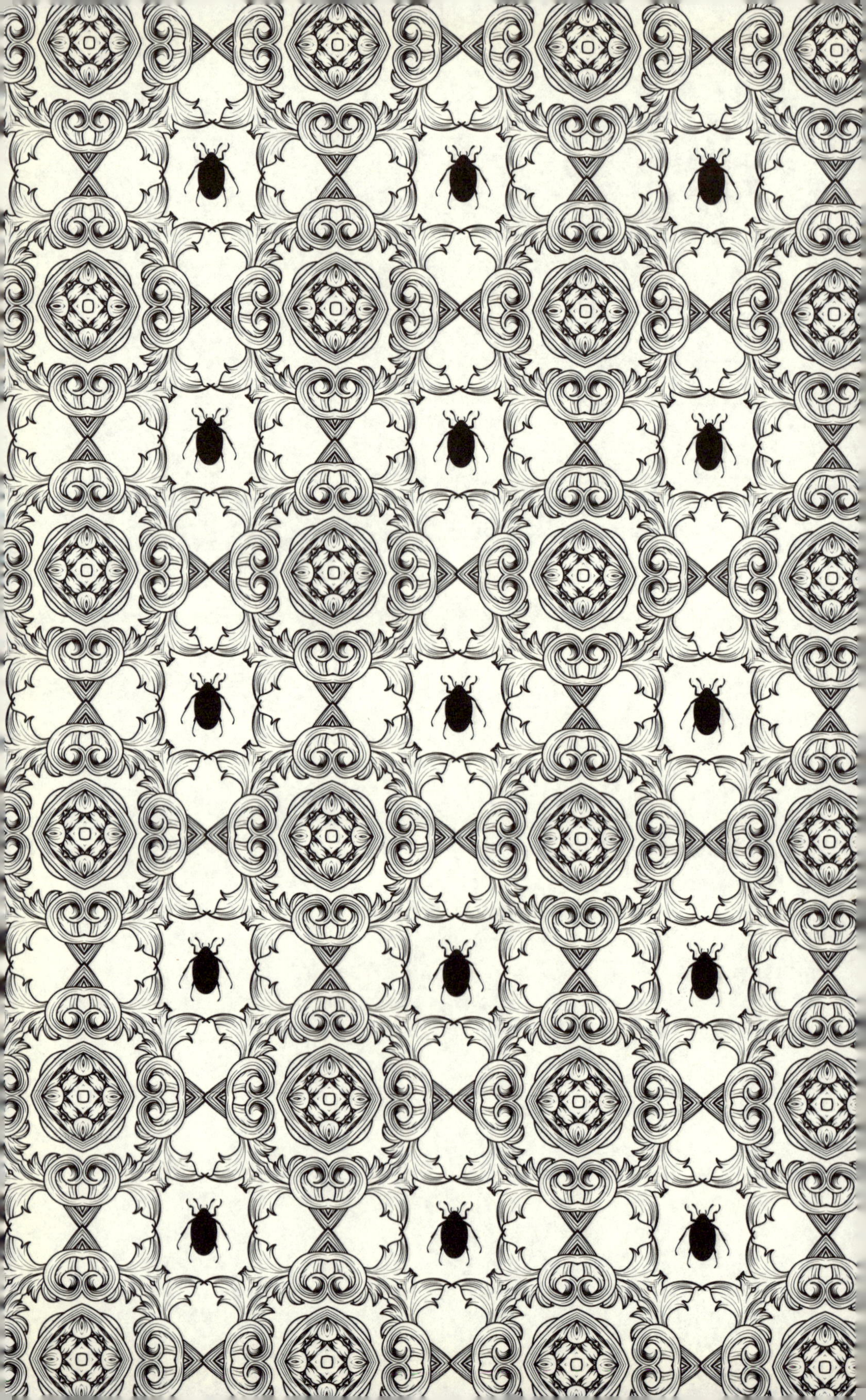

Es giebt eine Reihe idealischer Begebenheiten, die der Wirklichkeit parallel lauft. Selten fallen sie zusammen. Menschen und zufalle modifieiren gewohulich die idealische Begebenheit, so dass sie unvollkommen erscheint, und ihre Folgen gleichfalls unvollkommen sind. So bei der Reformation; statt des Protestantismus kam das Lutherthum hervor.

Há uma série ideal de eventos, que correm paralelamente aos reais. Raramente coincidem. Os homens e as circunstâncias geralmente modificam o curso ideal dos eventos, de modo que pareça imperfeito, e suas consequências são igualmente imperfeitas. Foi assim com a Reforma; em vez do protestantismo, veio o luteranismo.

– Novalis. (*2) *Moral Ansichten.*

Poucas pessoas, mesmo entre os pensadores mais calmos, nunca foram lançadas de surpresa a uma meia crença vaga, porém emocionante, no sobrenatural, devido a coincidências de natureza aparentemente tão maravilhosa que o intelecto é incapaz de considerá-las meras coincidências. Esses sentimentos – pois as meias crenças a que me refiro nunca têm a força total de pensamentos – são raramente sufocados por completo, a não ser por referência à doutrina do acaso, ou, para usar seu nome técnico, Cálculo de Probabilidades. Esse cálculo é, em essência, puramente matemático; e, assim, temos a anomalia da ciência mais rigidamente exata sendo aplicada à sombra e à espiritualidade do que há de mais intangível em especulação.

Será visto que os detalhes extraordinários que me pediram para publicar formam, no que tange a uma sequência temporal, o ramo primário de uma série de coincidências quase ininteligíveis, cujo ramo secundário, ou final, será reconhecido, por todos os leitores, no recente assassinato de Mary Cecilia Rogers, em Nova York.

Quando, em um artigo intitulado "Os Assassinatos na Rua Morgue", há cerca de um ano, tentei retratar algumas características marcantes da mentalidade de meu amigo, o Chevalier C. Auguste Dupin, não imaginei que fosse retomar o assunto. Esse retrato de sua personalidade era meu objetivo, que foi completamente alcançado pela sequência eletrizante de circunstâncias que exemplificaram as idiossincrasias de Dupin. Poderia ter dado outros exemplos, mas não teria comprovado nada além. Eventos recentes, contudo, devido a seus desdobramentos surpreendentes, fizeram com que eu compartilhasse outros detalhes, que carregarão um ar de confissão arrancada. Tendo ouvido o que ouvi há pouco, seria realmente muito estranho se eu permanecesse em silêncio quanto ao que escutei e vi há muito tempo.

Após a resolução da tragédia das mortes de madame L'Espanaye e sua filha, o *chevalier* imediatamente deixou o caso de lado e retomou seus velhos hábitos, de devaneios taciturnos. Sempre propenso à distração, embarquei prontamente em seus humores e, continuando a ocupar nossos aposentos em Faubourg St. Germain, ignoramos o futuro e dormimos tranquilamente no presente, transformando em sonhos o mundo tedioso ao nosso redor.

Mas tais sonhos não passaram sem interrupções. Pode-se facilmente supor que o papel de meu amigo no drama da Rua Morgue não deixara de causar impressão nas fantasias da polícia parisiense. Com seus emissários, o nome de Dupin transformara-se em uma palavra conhecida. Visto que a natureza simples das induções com as quais ele deslindara o mistério nunca havia sido explicada, nem mesmo para o delegado, ou para qualquer pessoa além de mim, é claro que não causa surpresa alguma o fato de que o caso era considerado pouco menos que um milagre ou de que as capacidades analíticas do *chevalier* lhe trouxeram a reputação de intuição. Sua franqueza o teria feito esclarecer qualquer um que perguntasse, mas seu humor indolente impediu que remexessem em um assunto cujo interesse para si mesmo acabara há muito. Foi assim que ele se encontrou no centro das atenções políticas, e não foram poucas as vezes em que a força policial tentou contratar seus serviços. Um dos casos mais notáveis foi o do assassinato de uma jovem garota, chamada Marie Rogêt.

Esse evento ocorreu cerca de dois anos após as atrocidades na Rua Morgue. Marie, cujos nome e sobrenome imediatamente chamam a atenção devido à sua semelhança com os da desafortunada "vendedora de charutos",[1] era filha única da viúva Estelle Rogêt. Seu pai morrera durante sua infância, e desde a morte dele, até 18 meses antes do assassinato, objeto de nossa narrativa, mãe e filha moraram juntas na Rua Pavée Saint Andrée (*3), onde a senhora era dona de uma pensão, auxiliada por Marie. Viveram dessa forma até que esta última fez 22 anos, quando sua grande beleza chamou a atenção de um perfumista, que ocupava uma das lojas no subsolo do Palais Royal, e cujos principais clientes eram os aventureiros desesperados que infestavam aquele bairro. Monsieur Le Blanc (*4) não desconhecia as vantagens ensejadas pelo trabalho da bela Marie em sua perfumaria, e sua proposta generosa foi aceita de bom grado pela garota, ainda que com um pouco mais de hesitação por parte de sua mãe.

As previsões do lojista se concretizaram, e seu estabelecimento logo tornara-se famoso, por causa dos encantos da jovial *grisette*.[2] Trabalhava para ele há um ano, quando seus admiradores foram pegos de surpresa por seu desaparecimento da loja. Monsieur Le Blanc não sabia explicar sua ausência, e madame Rogêt estava louca de preocupação e terror. Os jornais imediatamente noticiaram a história, e a polícia estava prestes a fazer sérias investigações, quando, uma bela manhã, uma semana mais tarde, Marie, em boa saúde, mas com um ar um tanto quanto tristonho, reapareceu em seu balcão de costume na perfumaria. Todas as perguntas, exceto as privadas, foram imediatamente abafadas. Monsieur Le Blanc alegou desconhecer qualquer detalhe, como antes. Marie, junto com sua mãe, respondeu todas as perguntas, dizendo que passara a semana na casa de um parente no interior. Assim, o assunto morreu, e foi esquecido por todos; pois a garota, ostensivamente para fugir da curiosidade impertinente de todos, deu adeus definitivamente ao perfumista e foi abrigar-se na casa de sua mãe, na Rua Pavée Saint Andrée.

---

1 N. da T.: Vítima de um assassinato na vida real, que inspirou Poe a escrever "Marie Rogêt".

2 N. da T.: Termo francês antiquado para se referir a uma jovem da classe trabalhadora.

Cerca de cinco meses após sua volta para casa, seus amigos foram alarmados por seu desaparecimento repentino, pela segunda vez. Passaram-se três dias sem nenhuma notícia. No quarto dia, seu cadáver foi encontrado flutuando no Sena (*5), perto da margem oposta ao Quartier, onde fica a Rua Saint Andrée, e em um ponto não muito distante do bairro afastado de Barrière du Roule (*6).

A atrocidade desse assassinato (pois ficou imediatamente claro que um assassinato fora cometido), a juventude e a beleza da vítima e, acima de tudo, sua notoriedade anterior conspiraram para causar uma intensa excitação na mente dos sensíveis parisienses. Não consigo lembrar-me de nenhuma ocorrência semelhante, que tenha produzido um efeito tão generalizado e tão intenso. Por várias semanas, com a discussão desse único e cativante assunto, até mesmo os tópicos políticos importantes foram esquecidos. O delegado exerceu esforços incomuns, e os poderes de toda a força policial parisiense foram, é claro, sobrecarregados ao máximo.

Por ocasião da descoberta do corpo, ninguém supôs que o assassino conseguiria esquivar-se, por mais do que um período breve, da investigação que foi imediatamente posta em marcha. Levou ainda uma semana para que fosse considerado necessário oferecer uma recompensa; mas mesmo esta limitou-se a 1.000 francos. Enquanto isso, a investigação prosseguia com vigor, ainda que não sempre com critério, e inúmeros indivíduos foram interrogados, mas sem resultado. Nesse período, a comoção popular aumentou incrivelmente. Ao final do décimo dia, foi considerado aconselhável dobrar a soma originalmente proposta; e, finalmente, após a segunda semana transcorrer sem qualquer descoberta, e depois de o preconceito que sempre existe em Paris contra a polícia ter sido extravasado na forma de diversas rebeliões, o delegado achou melhor oferecer a quantia de 20 mil francos, "pela condenação do assassino", ou, se ficasse provado que mais de uma pessoa estivera envolvida, "pela condenação de qualquer um dos assassinos". A declaração da recompensa prometia um perdão integral para qualquer cúmplice que trouxesse provas contra seus comparsas, e o texto era acompanhado, em todos os lugares, pelo cartaz particular de um comitê de cidadãos, oferecendo 10 mil francos, além da quantia proposta pela polícia. Toda a recompensa, assim, totalizava nada mais, nada menos do que 30 mil francos, que é uma soma extraordinária, considerando-se a condição humilde da jovem e a grande frequência, nas cidades grandes, de atrocidades como essa.

Ninguém mais duvidava de que agora o mistério seria imediatamente esclarecido. Mas apesar de prisões terem sido feitas, em um ou dois casos, nada foi descoberto, que implicasse os suspeitos, de modo que foram soltos imediatamente. Por mais estranho que possa parecer, a terceira semana depois da descoberta do corpo passou-se, sem que nenhuma parte do caso fosse elucidada, sem que mesmo um rumor dos eventos que tanto agitavam o público chegasse aos ouvidos de Dupin ou aos meus. Ocupados com pesquisas que absorviam toda a nossa atenção, fazia quase um mês que não saíamos de casa ou recebíamos visita, e apenas folheáramos rapidamente os principais artigos políticos dos jornais. As primeiras informações sobre o assassinato nos foram trazidas por G--- em pessoa. Visitou-nos no começo da tarde do dia 13 de julho de 18--, e ficou conosco até tarde da noite. Estava irritado pelo fracasso de todas as suas tentativas de descobrir os assassinos. Sua reputação, disse ele, com um ar distintamente parisiense, estava em jogo. Até mesmo sua honra corria perigo. Os olhos do público estavam sobre ele, e não havia qualquer sacrifício que ele não estivesse disposto a fazer para resolver o mistério. Concluiu um discurso, um tanto quanto engraçado, com um elogio ao que ele teve o prazer de chamar de tato de Dupin, e fez-lhe uma proposta direta, e certamente generosa, cuja natureza não sinto-me livre para divulgar, mas que não afeta o assunto de minha narrativa.

Meu amigo refutou o elogio da melhor forma que pôde, mas aceitou imediatamente a proposta, apesar de suas vantagens serem completamente condicionais. Após acertarem essa questão, o delegado pôs-se de pronto a explicar suas próprias opiniões, entremeando-as com longos comentários sobre as evidências, das quais ainda não estávamos de posse. Discursou de forma extremamente instruída, sem sombra de dúvida, enquanto eu ousava fazer uma sugestão ocasional, conforme a noite passava lentamente. Dupin, sentado imóvel em sua poltrona costumeira, era a personificação da atenção respeitosa. Passou a conversa toda de óculos, e uma olhadela ocasional por baixo de suas lentes esverdeadas era suficiente para convencer-me de que, só porque estava dormindo em silêncio, não significava que seu sono era menos profundo, durante as sete ou oito horas enfadonhas que precederam a partida do delegado.

Pela manhã, busquei, na delegacia, um relatório completo de todas as provas reunidas e, nos escritórios de vários jornais, uma cópia de cada um, do primeiro ao último, que publicaram quaisquer informações decisivas sobre o deprimente assunto. Livre de tudo o que já fora decididamente refutado, o conjunto de informações era o seguinte:

Marie Rogêt saíra da casa de sua mãe, da Rua Pavée St. Andrée, por volta das 9 horas da manhã, do domingo, em 22 de junho de 18--. Ao sair, avisou monsieur Jacques St. Eustache (*7), e apenas ele, de sua intenção de passar o dia com uma tia que residia na Rua des Drômes. A Rua des Drômes é uma via curta e estreita, porém populosa, não muito longe da margem do rio, e a cerca de 4 quilômetros, no curso mais direto possível, da pensão de madame Rogêt. St. Eustache era o noivo de Marie, e morava e fazia suas refeições na pensão. Deveria ter se encontrado com sua prometida ao fim do dia, e acompanhado a mesma até sua casa. À tarde, porém, choveu muito e, supondo que ela passaria a noite na casa da tia (como havia feito antes, em circunstâncias semelhantes), não achou necessário cumprir o combinado. Conforme a noite avançava, madame Rogêt (que é uma senhora enferma, de 70 anos de idade) foi ouvida expressando seu medo "de que nunca fosse rever Marie", mas essa observação chamou pouca atenção, na hora.

Na segunda-feira, descobriu-se que a jovem não estivera na Rua des Drômes; e, quando o dia passou sem notícias dela, uma busca tardia foi feita, em diversos pontos da cidade e cercanias. Contudo, foi só no quarto dia após seu desaparecimento que alguma coisa de satisfatória foi descoberta em relação a ela. Naquele dia (uma quarta-feira, dia 25 de junho), um tal de monsieur Beauvais (*8), que, junto com um amigo, estivera fazendo perguntas sobre Marie perto de Barrière du Roule, na margem do Sena oposta à Rua Pavée St. Andrée, foi informado de que um corpo acabara de ser puxado para a terra firme por alguns pescadores, que o haviam encontrado flutuando no rio. Ao ver o corpo, Beauvais, após uma certa hesitação, identificou-o como sendo o da atendente da perfumaria. Seu amigo reconheceu-a mais rapidamente.

O rosto estava coberto de sangue escuro, um pouco do qual saía da boca. Não se via nenhuma espuma, como seria o caso de alguém que se afogara. Não havia descoloração do tecido celular. Ao redor do pescoço havia hematomas e marcas de dedos. Os braços estavam dobrados por cima do peito e rígidos. A mão direita estava cerrada em punho; a esquerda, parcialmente aberta. No pulso esquerdo havia duas escoriações circulares, aparentemente marcas de corda, ou de uma corda com mais de uma volta. Uma parte do pulso direito também estava muito irritada, assim como as costas inteiras, especialmente as omoplatas. Ao trazer o corpo para a margem, os pescadores haviam amarrado uma corda nele, mas nenhuma das escoriações havia sido feita pela mesma. A carne do pescoço estava muito inchada. Não havia qualquer corte aparente ou machucados que parecessem ser causados por golpes. Um pedaço de renda fora encontrado amarrado com tanta força ao redor de seu pescoço, que não podia ser visto; estava completamente enterrado na carne, atado por um nó logo abaixo da orelha esquerda. Só isso já teria sido suficiente para causar sua morte. O testemunho médico confirmou a virtude da falecida com certeza. Havia sido submetida, disse, a uma violência brutal. O cadáver estava em tal condição, ao ser encontrado, que não poderia haver dificuldades para que fosse reconhecido por seus amigos.

Suas roupas estavam rasgadas e desarrumadas. No vestido exterior, um rasgo de cerca de 30 centímetros de largura fora feito, da barra até a cintura, mas não arrancado. Estava amarrado com três voltas ao redor da cintura, e preso por um tipo de prendedor nas costas. A combinação imediatamente abaixo do vestido era feita de musselina fina, e um pedaço da mesma, de

45 centímetros de largura, havia sido inteiramente rasgado; fora rasgado de forma bem reta, e com muito cuidado. Foi encontrado ao redor de seu pescoço, frouxo e amarrado com um nó firme. Sobre essa tira de musselina e a tira de renda, os cordões de uma touca haviam sido amarrados, e a touca estava pendurada. O nó nos cordões da touca não era de uma dama, e sim um nó ou liga de marinheiro.

Após o reconhecimento do corpo, este não foi, como de costume, levado para o mortuário (esta formalidade sendo supérflua), e sim rapidamente enterrado não muito longe do local onde fora trazido para a margem. Através dos esforços de Beauvais, a questão foi industriosamente abafada, o máximo possível; e vários dias se passaram antes que qualquer emoção pública fosse despertada. Um jornal semanal (*9), contudo, finalmente noticiou o tema; o cadáver foi exumado e reexaminado, mas nada foi descoberto, além do que já fora notado. As roupas, contudo, foram enviadas para a mãe e para os conhecidos da falecida, e positivamente identificadas como as que a jovem usava ao sair de casa.

Enquanto isso, a comoção aumentava de hora em hora. Diversos indivíduos foram presos e soltos. St. Eustache, especialmente, esteve sob suspeita, e não conseguiu, de início, dar uma explicação inteligível sobre seu paradeiro no domingo em que Marie saiu de casa. Subsequentemente, contudo, apresentou declarações escritas para monsieur G---, justificando satisfatoriamente cada hora do dia em questão. Conforme o tempo passava, e nenhuma descoberta era feita, milhares de rumores contraditórios circulavam, e os jornalistas ocupavam-se com sugestões. Entre elas, a que chamou mais atenção foi a ideia de que Marie Rogêt continuava viva – que o cadáver encontrado no Sena era de alguma outra jovem desafortunada. Seria adequado apresentar ao leitor alguns trechos que exemplificam a sugestão que menciono acima. Esses trechos são traduções literais do *L'Etoile* (*10), um jornal conduzido, em geral, com muita habilidade.

"Mademoiselle Rogêt saiu da casa de sua mãe no domingo de manhã, dia 22 de julho de 18--, com o propósito declarado de ir visitar sua tia ou alguma outra parenta, na Rua des Drômes. Após esse momento, não há provas de que alguém a viu. Não há sinal ou notícia dela... Absolutamente ninguém apareceu, até agora, e declarou tê-la visto naquele dia, após sair pela porta da casa da mãe. Agora, apesar de não termos provas de que Marie Rogêt estava no mundo dos vivos após as 9 horas do domingo, em 22 de junho, temos evidências de que, até aquela hora, estava viva. Ao meio-dia da quarta-feira, um cadáver de mulher foi descoberto flutuando no rio, na altura de Barrière du Roule. Isso foi, ainda que presumamos que Marie Rogêt foi jogada no rio dentro de três horas após ter saído da casa da mãe, apenas três dias após o momento em que saiu de casa; quase que três dias exatos. Mas é tolice supormos que o assassinato, se é que algum foi cometido, poderia ter sido consumado rápido o suficiente para permitir que seus assassinos jogassem o corpo no rio antes da meia-noite. Os culpados de crimes tão horrendos escolhem a escuridão em vez da luz. Assim, vemos que, se o corpo encontrado no rio fosse o de Marie Rogêt, só poderia ter estado na água durante dois dias e meio, ou três, no máximo. A experiência mostra que corpos de afogados, ou corpos jogados na água imediatamente depois de morte por violência, precisam de 6 a dez dias para se decompor, para que flutuem para a superfície. Ainda que um canhão seja disparado por cima de um cadáver, e este subir mais cedo, após cinco ou 6 dias de imersão, vai afundar de novo, se for deixado como está. Agora perguntamos, o que havia, neste caso, que causasse uma mudança no curso normal da natureza? Se o corpo houvesse sido mantido em seu estado mutilado na margem até a noite de terça-feira, alguma pista dos assassinos teria sido encontrada em terra. Também é duvidoso se o corpo flutuaria logo, mesmo que tivesse sido jogado dois dias após a morte da jovem. Ademais, é extremamente improvável que os vilões que cometeram tal assassinato, como se supõe, teriam jogado o corpo no rio sem nenhum peso para fazê-lo afundar, quando uma precaução como essa poderia ter sido facilmente tomada."

O editor continua, argumentando que o cadáver deve ter passado "não apenas três dias na água mas pelo menos cinco vezes isso", porque estava em um estado tão avançado de decomposição que Beauvais teve muita dificuldade para reconhecê-lo. Este último ponto, contudo, já foi inteiramente refutado. Continuo a tradução:

"Quais, então, são os fatos que monsieur Beauvais afirma que o fazem ter certeza de que o corpo era de Marie Rogêt? Ele rasgou a manga do vestido, e diz que encontrou marcas que o convenceram de sua identidade. O público em geral supôs que tais marcas consistiam em algum tipo de cicatriz. Ele esfregou o braço e encontrou pelos: algo tão indefinido, em nossa opinião, quanto se pode imaginar, tão pouco conclusivo quanto ter encontrado um braço dentro da manga. Monsieur Beauvais não voltou aquela noite, mas mandou um recado para madame Rogêt, às 7 horas da quarta-feira, dizendo que a investigação sobre a filha dela ainda estava em curso. Ainda que aceitemos que madame Rogêt, devido à idade e à tristeza, não conseguiu ir até o local (que já é muito para aceitar), decerto haveria alguém que achasse que valia a pena ir e acompanhar a investigação, se achassem que o corpo era de Marie. Ninguém foi. Nada foi dito ou ouvido sobre o assunto na Rua Pavée St. Andrée, que tenha chegado aos ouvidos dos ocupantes do mesmo prédio. Monsieur St. Eustache, o amado e futuro marido de Marie, que morava na casa de sua mãe, afirma que não ficou sabendo da descoberta do cadáver de sua prometida até o dia seguinte, quando monsieur Beauvais entrou em seu quarto e contou-lhe. Visto que se trata de uma notícia dessas, parece-nos ter sido recebida com bastante frieza."

Era dessa forma que o jornal tentava dar a impressão de apatia, por parte dos parentes de Marie, inconsistente com a suposição de que tais parentes acreditavam que o cadáver fosse dela. Suas insinuações podem ser resumidas da seguinte forma: Marie, com a conivência de seus amigos, ausentara-se da cidade por motivos que diziam respeito à sua castidade; e estes amigos, mediante a descoberta de um cadáver no Sena, ligeiramente parecido com a jovem, haviam aproveitado a oportunidade de fazer o público acreditar em sua morte. Mas L'Etoile adiantara-se. Ficou absolutamente provado que a apatia que imaginaram jamais existira; a velha senhora estava frágil demais, e tão nervosa que não conseguira cuidar de nenhum assunto. St. Eustache, longe de ter recebido a notícia com frieza, ficara louco de tristeza, e comportara-se com tamanho desespero que monsieur Beauvais convencera um de seus parentes a cuidar dele, e impedi-lo de comparecer ao exame após a exumação. Além disso, apesar de L'Etoile ter alegado que o corpo fora enterrado novamente às custas dos cofres públicos, que uma tentadora oferta de uma sepultura particular fora absolutamente recusada pela família, e que nenhum membro da família comparecera à cerimônia; repito, apesar de tudo isso ter sido afirmado pelo jornal, para enfatizar a impressão que pretendia causar, todas as asseverações foram satisfatoriamente refutadas. Em uma edição subsequente do jornal, uma tentativa foi feita de jogar as suspeitas sobre o próprio Beauvais. O editor escreveu:

"Uma mudança no caso acaba de ocorrer. Nos foi dito que, em uma certa ocasião, enquanto uma tal de madame B--- estava na casa de madame Rogêt, monsieur Beauvais, que estava de saída, disse a ela que a chegada de um gendarme estava sendo esperada, e que ela, madame B., não deveria dizer nada para o gendarme até sua volta, e deixasse que ele cuidasse do assunto. Na atual situação, monsieur Beauvais parece controlar absolutamente tudo. Nem um passo pode ser dado sem monsieur Beauvais, pois, não importa para onde vamos, tropeçamos nele. Por algum motivo, decidiu que ninguém além dele deve se envolver com os procedimentos, e tirou os homens da família do caminho, de acordo com as declarações deste último, de forma bastante singular. Parece ter sido muito avesso a permitir que os parentes da jovem vissem o corpo."

Com o fato publicado a seguir, a suspeita assim lançada sobre Beauvais recebeu uma certa confirmação. Um visitante que apareceu em seu escritório, alguns dias antes do desaparecimento da jovem, e durante a ausência do ocupante, vira uma rosa enfiada na fechadura de sua porta, e o nome "Marie" escrito em uma lousa logo ao lado.

A impressão geral, até onde pudemos perceber, com base nos jornais, parecia ser de que Marie fora vítima de uma gangue de malfeitores, pelos quais havia sido arrastada para o outro lado do rio, maltratada e assassinada. *Le Commerciel* (*11), contudo, uma publicação extremamente influente, esforçou-se para combater essa ideia popular. Cito um ou dois trechos de suas colunas:

"Estamos convencidos de que a perseguição esteve, até agora, em uma trilha falsa, no que tange a ter se concentrado em Barrière du Roule. É impossível uma pessoa tão conhecida por milhares de pessoas, como essa jovem fora, ter percorrido três quarteirões sem que alguém a visse; e qualquer um que a tivesse visto se lembraria, pois ela despertava o interesse de todos que a conheciam. Quando saiu, as ruas estavam cheias. É impossível que tenha ido até Barrière du Roule ou à Rua des Drômes, sem ter sido reconhecida por uma dúzia de pessoas; ainda assim, ninguém apareceu para dizer que a viu fora da casa da mãe, e não há nenhuma prova de que realmente saiu, exceto o testemunho relativo à intenção que ela mesma declarou. Seu vestido estava rasgado, enrolado em seu corpo e atado; com isso, seu corpo fora carregado como uma trouxa. Se o assassinato houvesse sido cometido em Barrière du Roule, não haveria necessidade para tal arranjo. O fato de que o corpo foi encontrado flutuando lá perto não é prova de onde foi jogado na água... Um pedaço da anágua da desafortunada jovem, com 60 centímetros de comprimento e 30 de largura, fora rasgado e amarrado debaixo de seu queixo, passando por trás da cabeça, provavelmente para impedir que gritasse. Isso foi feito por sujeitos que não tinham lenços."

Um ou dois dias antes de recebermos a visita do delegado, contudo, uma informação importante chegou aos ouvidos da polícia, que pareceu derrubar pelo menos a parte principal dos argumentos do *Le Commerciel*. Dois meninos, filhos de uma certa madame Deluc, enquanto vagavam pelo bosque perto de Barrière du Roule, entraram em um matagal cerrado, onde havia três ou quatro pedras grandes, formando um tipo de assento, com encosto e banquinho para os pés. Sobre a pedra de cima, havia uma anágua branca; sobre a segunda, um lenço de seda. Uma sombrinha, luvas e um lenço de bolso também foram encontrados ali. O lenço tinha o nome "Marie Rogêt". Fragmentos de vestido foram descobertos nos espinheiros ao redor. A terra estava pisoteada, os arbustos amassados e havia inúmeras evidências de uma luta. Entre o matagal e o rio, as cercas haviam sido derrubadas, e o chão dava provas de que algum fardo pesado fora arrastado por ali.

Um jornal semanal, *Le Soleil* (*12), fez os seguintes comentários sobre a descoberta; comentários estes que apenas refletiam o que toda a imprensa parisiense pensava:

"É evidente que todos os artigos estavam lá há, pelo menos, três ou quatro semanas; estavam todos mofados devido às chuvas, e grudados por causa do mofo. A grama crescera ao redor e sobre alguns deles. A seda da sombrinha era forte, mas seus fios estavam repuxados por dentro. A parte superior, que fora dobrada e dobrada, estava toda mofada e apodrecida, e rasgou quando abriram a sombrinha... Os pedaços de seu vestido, arrancados pelos arbustos, eram de cerca de 8 centímetros de largura e 15 de comprimento. Uma parte era a barra do vestido, que fora remendada; a outra era um pedaço da saia, que não a barra. Pareciam tiras arrancadas, e estavam sobre o arbusto de espinheiro, a cerca de 30 centímetros do chão... Não pode haver dúvidas, portanto, de que o local do evento hediondo fora descoberto."

Após essa descoberta, novas provas apareceram. Madame Deluc declarou que é dona de uma estalagem à beira da estrada, não muito longe da margem do rio, do outro lado de Barrière du Roule. O bairro é afastado, mais do que o normal. É o costumeiro refúgio dominical dos cafajestes da cidade, que cruzam o rio de barco. Por volta das 3 horas da tarde, do domingo em questão, uma jovem chegou à estalagem, acompanhada por um rapaz de pele escura. Os dois passaram algum tempo lá. Ao partirem, pegaram a estrada que dava para um bosque cerrado nos arredores. A atenção de madame Deluc foi atraída pelo vestido que a jovem usava, por sua semelhança a um que pertencera a uma parenta falecida. Reparou particularmente em um lenço. Logo após a partida do casal, uma gangue de delinquentes apareceu, comportou-se de forma barulhenta, comeu e bebeu sem pagar, seguiu a rota do jovem e da garota, voltou para a estalagem ao cair da noite e cruzou o rio de volta, aparentemente com muita pressa.

Foi logo após escurecer, naquela mesma noite, que madame Deluc e seu filho mais velho ouviram os gritos de uma mulher na vizinhança da estalagem. Os gritos foram desesperados, porém breves. Madame D. não só reconheceu o lenço encontrado nos arbustos como também o vestido descoberto no cadáver. Um motorista de ônibus, Valence (*13), agora também declara que viu Marie Rogêt cruzar o Sena em uma balsa, no domingo em questão, acompanhada por um rapaz de pele escura. Ele, Valence, conhecia Marie, e não poderia enganar-se quanto à sua identidade. Os artigos encontrados nos arbustos foram positivamente identificados pelos parentes de Marie.

As provas e as informações assim coletadas por mim, dos jornais, mediante uma sugestão de Dupin, englobavam apenas mais uma questão; porém, tal questão aparentava ser de extrema importância. Parece que, imediatamente após a descoberta das roupas, conforme descrito acima, o corpo sem vida, ou quase sem vida, de St. Eustache, noivo de Marie, foi encontrado nos arredores do que todos agora supõem ser a cena do crime. Um frasco rotulado "láudano", vazio, foi descoberto ao lado dele. Seu hálito comprovava o uso do veneno. Morreu sem falar nada. Em sua pessoa foi encontrada uma carta, brevemente declarando seu amor por Marie e sua intenção de autodestruição.

– Nem preciso dizer – declarou Dupin, ao terminar de ler minhas anotações – que este caso é muito mais complexo do que o da Rua Morgue, do qual difere em um aspecto importante. Este é um caso de crime comum, ainda que atroz. Não há nada particularmente extravagante nele. Observe que, por esse motivo, o mistério foi considerado fácil, quando, justamente por isso, deveria ter sido considerado difícil de resolver. Assim, primeiro acharam desnecessário oferecer uma recompensa. Os lacaios de

G--- compreenderam de imediato como e por que tal atrocidade poderia ter sido cometida. Conseguiram imaginar um modo – muitos modos – e um motivo – muitos motivos. E, por não ser impossível que qualquer um destes numerosos modos e motivos seja o verdadeiro, tiveram a certeza de que um deles deveria ser. Mas o caso relativo a essas hipóteses variadas e a própria plausibilidade ensejada por cada uma delas deveriam ter sido considerados indicações de dificuldades de elucidação, em vez de facilidades. Já observei que é pelas proeminências acima do plano do ordinário que a razão encontra seu caminho, se é que o encontra, na busca pela verdade, e que a pergunta apropriada, em casos como este, não é tanto "o que ocorreu?", quanto "o que ocorreu, que nunca ocorrera antes?" Nas investigações na casa de madame L'Espanaye (*14), os agentes de G--- foram desencorajados e confundidos pela própria natureza incomum, que, para um intelecto adequadamente regulado, teria sido um sinal do mais garantido sucesso; enquanto esse mesmo intelecto poderia ter mergulhado em desespero, devido à natureza comum de todas as provas visíveis no caso da vendedora de perfumes, que resultaria em nada além de um triunfo fácil para os funcionários públicos.

No caso de madame L'Espanaye e sua filha, não havia, mesmo no começo de nossas investigações, qualquer dúvida de que um assassinato fora cometido. A ideia de suicídio foi desconsiderada imediatamente. Agora, também, estamos livres desde o início de qualquer suspeita de que a vítima morreu pelas próprias mãos. O corpo encontrado em Barrière du Roule foi descoberto sob tais circunstâncias que não nos permitem ter dúvidas quanto a esse importante ponto. Mas foi sugerido que o cadáver encontrado não é o de Marie Rogêt, pela condenação de cujo assassino, ou assassinos, nossa recompensa foi oferecida, e relativamente a quem nosso acordo foi exclusivamente feito com o delegado. Nós dois conhecemos esse cavalheiro muito bem. Não podemos confiar muito nele. Se, começando nossas investigações na data em que o corpo foi encontrado, e de lá seguindo o rastro do assassino, descobrirmos que o corpo seja de alguém que não o de Marie; ou, se começando da época em que Marie estava viva, descobrirmos que não foi assassinada, em ambos os casos nosso trabalho será em vão, visto que é com monsieur G--- que temos que lidar. Para nossos próprios fins, portanto, se não para os fins da justiça, é indispensável que nosso primeiro passo seja determinar que a identidade do cadáver é a da desaparecida Marie Rogêt.

Os argumentos do jornal *L'Etoile* tiveram efeito sobre o público, e está claro que a referida publicação está convencida da importância dos mesmos, com base no modo em que começa um de seus artigos sobre o assunto: "Vários jornais matinais", escreve, "mencionam o artigo *conclusivo*, publicado no *Etoile* de domingo". Para mim, tal artigo conclui muito pouco além do que o zelo de seu autor. Devemos manter em mente que, no geral, o objetivo de nossos jornais é mais criar uma sensação, defender uma visão do que auxiliar a causa da verdade. Este último objetivo só é perseguido quando coincide com o primeiro. A publicação que apenas concorda com a opinião comum (independentemente de quão embasada tal opinião seja) não conquista as massas. O povo só considera profundo aquele que sugere *contradições pungentes* das ideias gerais. No raciocínio, assim como na literatura, é o epigrama que é apreciado mais imediata e universalmente. Em ambos, está no nível mais baixo da ordem de méritos.

O que quero dizer é que foi a mistura de epigrama com melodrama, da ideia de que Marie Rogêt continua viva, que sugeriu a teoria ao *L'Etoile* e garantiu uma boa recepção pelo público. Examinemos os pontos principais do argumento do jornal, tentando evitar a incoerência com a qual foi primeiro defendido.

O objetivo principal do escritor é mostrar, com a brevidade do intervalo de tempo entre o desaparecimento de Marie e a descoberta do corpo flutuando, que o cadáver não poderia ser o dela. A redução desse intervalo à sua menor dimensão possível tornou-se imediatamente a meta do escritor. Na precipitada perseguição de tal meta, ele apressa-se a fazer uma mera presunção, logo de início. "É tolice supor", diz ele, "que o assassinato, se é que algum foi cometido, poderia ter sido consumado rápido o suficiente para permitir que seus assassinos jogassem o corpo no rio antes da meia-noite." Perguntamos imediatamente, e com muita razão, por quê? Por que é tolice supor que o assassinato tenha sido cometido *apenas cinco minutos* após a jovem sair da casa de sua mãe? Por que é tolice supor que o assassinato tenha sido cometido a qualquer hora do dia? Assassinatos são cometidos em todos os horários. Porém, se esse houvesse ocorrido a qualquer momento, entre as 9 da manhã do domingo e às 23h45, ainda teria havido tempo suficiente "para jogar o corpo no rio, antes da meia-noite". Essa presunção, então, resulta exatamente nisto: que o assassinato não foi cometido no domingo. E, se permitirmos que o *L'Etoile* presuma isso, podemos permitir que tome qualquer liberdade. Podemos imaginar que o parágrafo que se inicia com "é tolice supor que o assassinato, etc.", como quer que tenha sido impresso no *L'Etoile*, surgiu na mente de seu autor da seguinte forma: "É tolice supor que o assassinato, se é que algum foi cometido, poderia ter sido consumado rápido o suficiente para permitir que seus assassinos jogassem o corpo no rio antes da meia-noite; é tolice, dizemos, supor tudo isso, e supor, ao mesmo tempo (como estamos decididos a supor), que o corpo não tenha sido jogado no rio depois da meia-noite", frase esta que, em si, é irrelevante, mas não tão completamente absurda quanto a que foi impressa.

– Se meu objetivo – continuou Dupin – fosse meramente construir uma teoria contra esse trecho do argumento do *L'Etoile*, eu poderia facilmente deixar como está. Entretanto, não é com o *L'Etoile* que temos que lidar, e sim com a verdade. A frase em questão tem apenas um significado, da forma como foi escrita, significado este que já estabeleci satisfatoriamente. Mas precisamos olhar por trás das meras palavras, examinando a ideia obviamente pretendida com as mesmas, e que estas não conseguiram transmitir. O desígnio do jornalista era dizer que, a qualquer período do dia ou da noite do domingo em que esse assassinato tenha sido cometido, é improvável que os assassinos tenham ousado levar o corpo até o rio antes da meia-noite. E é aí que a presunção da qual reclamo efetivamente é feita. Presumem que o assassinato tenha sido cometido em tal local, e sob tais circunstâncias, que carregar o cadáver até o rio tenha acabado sendo necessário. Agora, a morte pode ter ocorrido às margens do rio ou dentro dele; e, assim, podem ter recorrido ao lançamento do corpo no rio, a qualquer hora do dia ou da noite, como o meio de descarte mais óbvio e imediato. Compreenda que não sugiro que nada disso tenha sido provável ou coincidente com minha própria opinião. Minha intenção, até aqui, não faz referência aos fatos do caso. Quero apenas adverti-lo em relação a todo o tom da sugestão do *L'Etoile*, chamando sua atenção para sua natureza *ex parte* desde o início.

Tendo estabelecido um limite que combine com suas noções preconcebidas e presumido que, se o corpo fosse de Marie, só poderia ter ficado dentro da água por muito pouco tempo, o jornal prossegue: "A experiência mostra que corpos de afogados ou corpos jogados na água imediatamente depois de morte por violência precisam de 6 a dez dias para se decompor, para que flutuem para a superfície. Ainda que um canhão seja disparado por cima de um cadáver, e este subir mais cedo, após cinco ou 6 dias de imersão, vai afundar de novo, se for deixado como está". Essas afirmações foram aceitas tacitamente por todos os jornais de Paris, exceto pelo *Le Moniteur* (*15). Esta publicação tenta combater somente a parte do parágrafo que faz referência a "corpos de afogados", citando umas cinco ou 6 ocasiões em que os corpos de indivíduos, que sabia-se que haviam se afogado, foram encontrados flutuando após o transcurso de menos tempo do que o que insiste o *L'Etoile*. Mas há algo de excessivamente antifilosófico na tentativa do *Le Moniteur*, de rechaçar as afirmações gerais do *L'Etoile* com menção a exemplos específicos que contradizem as mesmas. Se fosse possível dar 50, em vez de cinco, exemplos de corpos encontrados flutuando depois de dois ou três dias, esses 50 exemplos ainda poderiam ser considerados meras exceções à regra do *L'Etoile*, até que a própria regra pudesse ser refutada. Admitindo-se a regra (e isso o *Le Moniteur* não nega, apenas insistindo em suas exceções), o argumento do *L'Etoile* tem permissão de permanecer em pleno vigor, pois este argumento não finge ser mais do que uma questão de probabilidade de o corpo ter subido à superfície em menos de três dias; e essa probabilidade estará a favor da posição do *L'Etoile*, até que os exemplos tão infantilmente aduzidos tenham uma quantidade suficiente para estabelecer uma regra contrária.

Verá imediatamente que todos os argumentos nesse sentido devem ser, se é que algum deve ser feito, contra a regra em si; e, para tal fim, precisamos examinar o raciocínio da regra. O corpo humano, no geral, não é nem muito mais leve nem muito mais pesado do que as águas do Sena; quero dizer, a gravidade específica do corpo humano, sob suas condições naturais, é mais ou menos igual à massa de água doce que desloca. O corpo de pessoas gordas e corpulentas, com ossos pequenos, e de mulheres, geralmente, é mais leve do que o das pessoas magras e de ossos grandes, e dos homens; e a gravidade específica das águas de um rio é um tanto quanto influenciada pela presença da maré do mar. Porém, deixando a maré fora da equação, pode ser dito que muito poucos corpos humanos afundam de qualquer forma, até mesmo em água doce, por si só. Quase qualquer pessoa, se cair em um rio, conseguirá flutuar, se deixar que a gravidade específica da água seja adequadamente aduzida em comparação com a sua própria; quero dizer, se deixar que seu corpo todo seja submerso, com tão poucas exceções quanto for possível. A posição adequada para aqueles que não sabem nadar é a posição reta, de quem anda sobre a terra, com a cabeça jogada inteiramente para trás, e submersa, deixando só a boca e as narinas acima da linha da água. Sob essas circunstâncias, descobrimos que flutuamos sem dificuldade ou esforço. É evidente, contudo, que a gravidade do corpo e da massa de água deslocada é muito bem equilibrada, e que um mínimo elemento faz com que ela em qualquer um dos casos prevaleça. Um braço, por exemplo, erguido acima da água, e assim privado de apoio, é um peso adicional suficiente para submergir a cabeça inteira, enquanto que o auxílio acidental do menor pedaço de madeira permitirá que a pessoa eleve a cabeça e olhe ao redor. Agora, quando uma pessoa que não saiba nadar começa a debater-se, os braços são invariavelmente erguidos, enquanto tenta manter a cabeça em sua posição perpendicular de costume. O resultado é a imersão da boca e das narinas, e a entrada, durante seus esforços para respirar debaixo da água, de água nos pulmões. Muita água também vai para o estômago, e o corpo torna-se mais pesado devido às diferenças entre o peso do ar que originalmente distendia essas cavidades, e o do fluido que agora as preenche. Essa diferença é suficiente para fazer com que o corpo afunde, via de regra; mas é insuficiente em casos de indivíduos com ossos pequenos e uma quantidade anormal de matéria flácida ou gordurosa. Esses indivíduos flutuam até mesmo depois de morrerem afogados.

O cadáver, supondo-se que esteja no fundo do rio, lá permanecerá até que, de alguma forma, sua gravidade específica novamente se torne menor do que a da massa da água que desloca. Esse efeito é causado pela decomposição ou de outra forma. O resultado da decomposição é a geração de gás, distendendo os tecidos celulares e todas as cavidades, e dando a aparência inchada, que é tão horrível. Quando essa distensão progride tanto, que o volume do corpo aumenta significativamente, sem um aumento correspondente de massa ou peso, sua gravidade específica torna-se menor do que a da água deslocada, e então segue para a superfície. Mas a decomposição é alterada por inúmeras circunstâncias: é apressada ou atrasada por diversos agentes, por exemplo, o calor ou o frio da estação, a impregnação mineral ou pureza da água, sua profundidade ou superficialidade, se está em movimento ou estagnada, pelo temperamento do corpo, se estava infectado ou livre de doenças antes da morte. Assim, é evidente que não podemos atribuir um período com um mínimo de precisão, durante o qual o cadáver subirá devido à decomposição. Sob certas circunstâncias, esse resultado aconteceria dentro de uma hora; sob outras, pode nem ocorrer. Há infusões químicas com as quais um corpo animal pode ser preservado da corrupção para sempre; o cloreto de mercúrio é uma delas. Mas, além da decomposição, pode haver, e geralmente há, uma geração de gases dentro do estômago, devido à fermentação acética de matéria vegetal (ou dentro de outras cavidades, por outras causas), suficiente para induzir uma distensão que traz o corpo à superfície. O efeito produzido por um tipo de canhão é uma simples vibração. Isso pode soltar o corpo da lama mole ou no lodo em que estiver atolado, permitindo que suba, quando outros fatores já o prepararam para fazê-lo; ou pode sobrepujar a tenacidade de algumas outras partes putrescentes do tecido celular, permitindo que as cavidades distendam-se sob a influência dos gases.

Assim, tendo exposto toda a filosofia do assunto, podemos testá-la facilmente com as afirmações do *L'Etoile*. "A experiência mostra", diz o jornal, "que corpos de afogados ou corpos jogados na água imediatamente depois de morte por violência precisam de 6 a dez dias para se decompor, para que flutuem para a superfície. Ainda que um canhão seja disparado por cima de um cadáver, e este subir mais cedo, após cinco ou 6 dias de imersão, vai afundar de novo, se for deixado como está".

Este parágrafo inteiro deve parecer, agora, um amontoado de inconsequências e incoerências. A experiência não mostra que "corpos de afogados" precisam de 6 a dez dias para se decompor o suficiente para que subam à superfície. A ciência e a experiência mostram que o período de sua subida é, necessariamente, indeterminado. Ademais, se um corpo subiu à superfície devido ao disparo de um canhão, não "afundará de novo, se for deixado como está", até que a decomposição esteja em estado tão avançado que permita que os gases gerados escapem. Mas desejo chamar sua atenção para a distinção feita entre "corpos de afogados" e "corpos jogados na água imediatamente depois de morte por violência". Apesar de o escritor admitir a distinção, ainda assim inclui os dois casos na mesma categoria. Já mostrei como o corpo de alguém que esteja se afogando torna-se especificamente mais pesado do que a massa de água, e que não afundaria de modo algum, se não se debatesse, elevando os braços acima da superfície e tentando respirar abaixo dela, que faz com que a água substitua o ar original dos pulmões. Mas não se debateria ou tentaria respirar debaixo da água um corpo "jogado na água imediatamente depois de morte por violência". Assim, neste último caso, o corpo, via de regra, não afundaria de forma alguma, fato este que o *L'Etoile* evidentemente ignora. Quando a decomposição chega a um ponto avançado, quando a maior parte da carne já não está mais nos ossos, é quando perdemos o cadáver de vista, mas não antes disso.

E agora o que achamos do argumento de que o corpo encontrado não poderia ser o de Marie Rogêt, porque foi encontrado flutuando depois de apenas três dias terem se passado? Se houvesse se afogado, sendo mulher, poderia nunca ter afundado; ou, se houvesse afundado, poderia ter reaparecido dentro de 24 horas ou menos. Mas ninguém supõe que tenha morrido afogada; e, tendo sido morta antes de ser jogada no rio, poderia ter sido encontrada flutuando a qualquer momento depois disso.

"Porém", diz o *L'Etoile*, "se o corpo houvesse sido mantido em seu estado mutilado na margem até a noite de terça-feira, alguma pista dos assassinos teria sido encontrada em terra". Nesse ponto, é difícil entender, de início, a intenção do escritor. Pretende antecipar-se ao que imagina que seria uma objeção à sua teoria, a saber: que o corpo fora mantido na margem por dois dias, sofrendo uma decomposição rápida, mais rápida do que se estivesse submerso. O autor supõe que, se fosse esse o caso, o cadáver poderia ter aparecido na superfície na quarta-feira, e acha que seria apenas sob tais circunstâncias que poderia ter surgido. Do mesmo modo, apressa-se a mostrar que o cadáver não fora mantido na margem, pois, se fosse esse o caso, "alguma pista dos assassinos teria sido encontrada em terra". Presumo que esteja sorrindo por causa dessa conclusão. Não consegue entender como a mera duração da permanência do corpo na margem funcionaria para multiplicar as pistas dos assassinos. Eu tampouco consigo.

"Além disso, é extremamente improvável", continua nosso jornal, "que os vilões que cometeram tal assassinato, como se supõe, tenham jogado o corpo no rio sem nenhum peso para fazê-lo afundar, quando uma precaução como esta poderia ter sido facilmente tomada". Repare, aqui, na risível confusão de pensamentos! Ninguém, nem mesmo o *L'Etoile* contesta o fato de que *o corpo encontrado* foi vítima de um assassinato. As marcas de violência são óbvias demais. O que nosso autor pretende é apenas demonstrar que esse cadáver não é de Marie. Deseja provar que Marie não foi assassinada, e não que o cadáver não o foi. Contudo, sua observação prova somente este último ponto. Temos, aqui, um cadáver sem nenhum peso amarrado. Assassinos, ao jogá-lo n'água, não teriam deixado de amarrar um peso a ele. Portanto, o corpo não foi jogado por assassinos. É só isso que é comprovado, se é que alguma coisa o é. A questão da identidade não é nem mesmo abordada, e o *L'Etoile* esforça-se imensamente para negar o que admitiu apenas um minuto antes. "Estamos perfeitamente convencidos", diz, "de que o corpo encontrado é de uma mulher assassinada".

Tampouco é este o único caso, mesmo nesta divisão do assunto, em que o autor inadvertidamente raciocina contra ele mesmo. Seu propósito evidente, como já disse, é reduzir ao máximo o intervalo entre o desaparecimento de Marie e a descoberta do cadáver. Ainda assim, insiste no fato de que ninguém viu a jovem, desde o momento em que saiu da casa da mãe. "Não temos provas", diz, "de que Marie Rogêt estava no mundo dos vivos após as 9 horas do domingo, em 22 de junho". Como seu argumento é obviamente *ex parte*, deveria, pelo menos, ter deixado esse assunto de fora; pois, se alguém houvesse visto Marie, digamos, na segunda ou na terça-feira, o intervalo em questão teria sido muito reduzido, e, com base em seu próprio raciocínio, a probabilidade de o corpo ser o da jovem diminuiria bastante. Entretanto, é bem divertido observar que o *L'Etoile* insiste nesse ponto, acreditando piamente que está fortalecendo seu argumento geral.

Vamos reler a parte deste argumento que faz referência à identificação do corpo por Beauvais. Relativamente aos pelos no braço, o *L'Etoile* foi obviamente dissimulado. Monsieur Beauvais, por não ser um idiota, jamais poderia ter usado o simples fato de que o corpo tinha pelos nos braços para identificá-lo. Não existe braço sem pelos. A generalidade da expressão do *L'Etoile* é uma mera perversão da fraseologia da testemunha. Ele deve ter falado sobre alguma peculiaridade daqueles pelos. Deve ter sido uma peculiaridade de cor, quantidade, comprimento ou localização.

"Seus pés", diz o jornal, "eram pequenos. Assim como milhares de outros. Sua cinta-liga não serve de prova alguma. O mesmo pode ser dito das flores em seu chapéu. Algo em que monsieur Beauvais insiste fortemente é que a fivela da cinta-liga encontrada havia sido puxada para trás para fazer com que a cinta subisse. Isso não quer dizer nada, pois a maioria das mulheres acha melhor levar um par de cintas para casa, e adaptá-las ao tamanho dos membros que deverão circundar, em vez de experimentá-las na loja em que as compraram". Nesse trecho, é difícil imaginar que o escritor está falando sério. Se monsieur Beauvais, em sua busca pelo corpo de Marie, descobrisse um cadáver que correspondesse, em relação ao tamanho geral e à aparência da jovem desaparecida, poderia formar, justificadamente (sem qualquer referência à questão do vestuário), a opinião de que sua busca fora bem-sucedida. Se, além da questão do tamanho e contorno gerais, houvesse visto que o braço tinha uma aparência peculiar e peluda, que observara em Marie enquanto viva, sua opinião seria justificadamente fortalecida, e o aumento da certeza poderia ser proporcional à peculiaridade, ou característica inusitada, dos pelos. Se os pés de Marie sendo pequenos, os do cadáver também o eram, o aumento da probabilidade de o corpo ser de Marie não seria um aumento em uma proporção meramente aritmética, como também altamente geométrica, ou acumulativa. Acrescente-se a isso os sapatos que sabia-se que estava usando no dia de seu desaparecimento e, ainda que tais sapatos possam ser "vendidos aos montes", aumentamos tanto a probabilidade, que beiramos a certeza. O que, por si só, não seria prova de identidade, torna-se a mais certa das evidências, por sua posição corroborativa. Consideremos, ainda, as flores no chapéu, que correspondiam àquelas usadas pela jovem desaparecida, e não precisamos de mais nada. Se fosse apenas uma flor, já não precisaríamos de mais nada; o que dizer, então, de duas, três ou mais? Cada flor sucessiva é uma evidência múltipla, prova não *acrescentada* às outras, e sim multiplicadas por centenas ou milhares. Descobrimos, então, que a falecida usava cintas-ligas iguais às que a jovem usava quando viva, e é quase tolice prosseguir. Mas descobriu-se que essas cintas-ligas haviam sido apertadas, pelo puxar das fivelas para trás, exatamente do modo como Marie fez com as suas, logo antes de sair de casa. É, agora, loucura ou hipocrisia duvidar. O que o *L'Etoile* diz, sobre esse encurtamento da cinta-liga ser algo comum, só prova sua insistência em permanecer em erro. A natureza elástica da cinta-liga é demonstração suficiente de quão incomum é diminuir sem comprimento com a fivela. O que é criado para ajustar-se sozinho precisa de ajustes externos muito raramente. Deve ser por acidente, no sentido estrito da palavra, que as cintas de Marie precisavam ser apertadas como foi descrito. Elas já teriam estabelecido amplamente sua identidade. Mas a questão não é que descobriu-se que o cadáver tinha as cintas-ligas da jovem desaparecida, ou seus sapatos, ou seu chapéu, as flores em seu chapéu, seus pés, uma marca peculiar em seu braço, seu tamanho geral e aparência; a questão é que o cadáver tinha cada uma dessas características, todas *conjuntamente*. Se ficasse provado que o editor do *L'Etoile realmente* tinha dúvidas, sob essas circunstâncias, não haveria necessidade, nesse caso, de instituir-se um inquérito quanto à sua sanidade mental. Achou que seria sagaz imitar o palavrório dos advogados, que, em sua maioria, contentam-se com imitar os preceitos quadrados dos tribunais. Gostaria de observar que muito do que é rejeitado como evidência por um tribunal é a melhor evidência para o intelecto. Pois o tribunal, que deixa-se guiar pelos princípios gerais das evidências – os princípios reconhecidos e registrados –, é avesso a mudanças em casos específicos. E esse pleno cumprimento dos princípios, com uma desconsideração rigorosa das exceções conflitantes, é um modo garantido de se atingir a máxima verdade alcançável, em qualquer longo período de tempo. A prática, no todo, é filosófica; mas não é menos certo que enseje vastos erros individuais (*16).

Com relação às insinuações feitas contra Beauvais, você estará disposto a desconsiderá-las em um segundo. Já decifrou o verdadeiro caráter desse bom cavalheiro. É um intrometido, com muito romance e pouca inteligência. Qualquer um com tal constituição, em uma ocasião de verdadeiro tumulto, imediatamente põe-se a agir de forma que atraia suspeitas para si mesmo, por parte dos mais argutos ou dos mal-intencionados. Monsieur Beauvais (como parece, com base em suas anotações) conversou em particular com o editor do *L'Etoile*, e ofendeu-o ao exprimir a opinião de que o corpo, apesar da teoria do editor, era comprovadamente o de Marie. "Ele insiste", diz o jornal, "em declarar que o corpo é de Marie, mas não consegue apontar uma circunstância, além das que já comentamos, para fazer com que os outros acreditem." Ora, sem nos referirmos novamente ao fato de que provas mais contundentes, "para fazer com que os outros acreditem", jamais poderiam ter sido produzidas, podemos observar que um homem pode muito bem acreditar, em um caso como este, sem ser capaz de dar um único motivo de sua crença a um terceiro. Não há nada mais vago do que as impressões de uma identidade individual. Cada pessoa reconhece seu vizinho, mas em poucos casos alguém é capaz de dar um motivo para tal reconhecimento. O editor do *L'Etoile* não tinha o direito de se ofender com a crença irracional de monsieur Beauvais.

Veremos que as circunstâncias que o envolvem combinam muito mais com minha hipótese de um romântico intrometido do que com a sugestão de culpa, feita pelo editor. Ao adotarmos a interpretação mais caridosa, não teremos dificuldades para compreender a rosa na fechadura; o nome "Marie", na lousa; o fato de que "tirou os homens da família do caminho"; ter sido "muito avesso a permitir que os parentes da jovem vissem o corpo"; o alerta dado a madame B., de que não deveria conversar com os policiais até que ele, Beauvais, voltasse; e, por último, sua aparente determinação de que "ninguém além dele deveria envolver-se com os procedimentos". Parece-me inquestionável que Beauvais era um admirador de Marie; que ela flertava com ele; e que ele tinha a ambição de que pensassem que ele usufruía de sua confiança e intimidade. Não direi mais nada quanto a esse ponto; e, visto que as provas refutam por completo as declarações do *L'Etoile*, no que tange à questão da apatia por parte da mãe e dos outros parentes, apatia esta que seria inconsistente com a suposição de que acreditavam que o corpo fosse dela –, prosseguiremos como se a questão de sua identidade houvesse sido estabelecida de forma plenamente satisfatória.

— E o que – perguntei – pensa das opiniões do *Le Commerciel?*

— Que, em espírito, são muito mais dignas de atenção do que quaisquer outras que tenham sido emitidas sobre o assunto. As deduções com base nas premissas são filosóficas e agudas; mas as premissas, em dois momentos, pelo menos, são fundamentadas em observações imperfeitas. O *Le Commerciel* deseja declarar que Marie foi capturada por alguma gangue de delinquentes de pequena monta, não muito longe da porta da casa de sua mãe. "É impossível", insiste a publicação, "uma pessoa tão conhecida por milhares de pessoas, como esta jovem fora, ter percorrido três quarteirões sem que alguém a visse". É esta a ideia de um homem que reside há muito tempo em Paris, uma figura pública, cujas andanças pela cidade limitam-se basicamente aos arredores de seu escritório. Ele sabe que mal pode andar uma dúzia de quarteirões ao redor de seu próprio escritório, sem ser reconhecido e abordado. E, sabendo da extensão de seus relacionamentos pessoais com outros, e de outros com ele, compara sua notoriedade com a da vendedora de perfumes, não encontra grandes diferenças entre eles e imediatamente chega à conclusão de que ela, em seus passeios, teria tantas chances de ser reconhecida quanto ele nos dele. Este só poderia ser o caso se os passeios que ela dava fossem da mesma natureza, imutável e metódica, e dentro da mesma região limitada que os dele. Ele anda de um lado para o outro, em intervalos regulares, dentro de uma periferia confinada, cheia de indivíduos que o observam por terem um interesse em sua profissão, que é parecida com a deles. Mas pode-se supor que os passeios de Marie, no geral, eram irregulares. Nesse caso específico, será considerado mais provável que ela tenha seguido uma rota que diferisse mais ainda de seus caminhos costumeiros. O paralelo que imaginamos existir na mente do *Le Commerciel* só se sustentaria caso dois indivíduos atravessassem a cidade inteira. Nesse caso, presumindo que os dois tivessem o mesmo número de conhecidos, as chances de ocorrerem encontros pessoais também seriam as mesmas. De minha parte, considero não só possível como também mais do que provável que Marie tenha tomado, em qualquer horário, qualquer um dos caminhos entre sua própria residência e a de sua tia, sem se encontrar com um único indivíduo que conhecesse ou por quem fosse conhecida. Ao analisarmos essa questão integral e adequadamente, devemos manter firme em mente a grande desproporção entre os conhecidos do indivíduo mais famoso de Paris e a população inteira da cidade.

Contudo, qualquer força que ainda pareça existir na sugestão do *Le Commerciel* diminuirá bastante, ao levarmos em consideração o horário em que a jovem saiu. "Quando saiu, as ruas estavam cheias", diz o *Le Commerciel*. Mas não foi assim. Eram 9 horas da manhã. Às 9 da manhã de qualquer dia da semana, *exceto o domingo*, as ruas da cidade estão, realmente, lotadas de pessoas. Às 9 horas da manhã de um domingo, a maioria está dentro de casa, preparando-se para ir à igreja. Nenhuma pessoa observadora pode ter deixado de reparar na atmosfera peculiarmente deserta da cidade, das 8 às 10 horas da manhã, de todo dia do Senhor. Entre as 10 e as 11, as ruas estão cheias, mas não em um horário tão cedo quanto o referido.

Há outro ponto em que parece haver uma deficiência de observação por parte do *Le Commerciel*. "Um pedaço", escreve, "da anágua da desafortunada jovem, com 60 centímetros de comprimento e 30 de largura, fora rasgado e amarrado debaixo de seu queixo, passando por trás da cabeça, provavelmente para impedir que gritasse. Isso foi feito por sujeitos que não tinham lenços." Se esta ideia é bem fundamentada ou não, avaliaremos mais tarde; porém, com "sujeitos que não tinham lenços", o editor se refere à classe mais baixa de bandidos. Estes, contudo, são justamente o tipo de pessoa que sempre teria lenços, mesmo quando desprovidos de camisas. Deve ter reparado como, nos últimos anos, o lenço tornou-se absolutamente indispensável para os canalhas mais convictos.

– E o que devemos pensar – perguntei – do artigo no *Le Soleil*?

– Que é uma pena que seu editor não tenha nascido um papagaio, caso em que teria sido o papagaio mais ilustre de toda a sua raça. Limitou-se a repetir os itens individuais das opiniões já publicadas, coletando-os, com um empenho louvável, deste e daquele jornal. "Todos os artigos estavam lá há, pelo menos, três ou quatro semanas; e não pode haver dúvida, portanto, de que o local do evento hediondo fora descoberto." Os fatos reafirmados pelo *Le Soleil* estão bem longe de remover minhas dúvidas quanto a esse assunto, e os examinaremos depois com mais atenção, relativamente a outra divisão do tema.

Agora, precisamos dedicar-nos a outras investigações. Decerto que não deixou de reparar na extrema negligência do exame do corpo. Claro que a questão da identidade foi prontamente determinada ou deveria ter sido; mas havia outros pontos a serem averiguados. O corpo fora espoliado de alguma forma? A falecida tinha alguma joia em sua pessoa, ao sair de casa? Se sim, estava com ela, quando foi encontrada? Estas são perguntas importantes, absolutamente intocadas pela evidência, e há outras, de igual relevância, que não receberam atenção. Precisamos tentar satisfazer-nos com investigações pessoais. O caso de St. Eustache precisa ser reexaminado. Não suspeito dele, mas prossigamos metodicamente. Averiguaremos, sem deixar dúvida, a validade das declarações feitas quanto ao seu paradeiro no domingo. Declarações desta natureza costumam ser objeto de embuste. Caso não haja nada de errado, contudo, excluiremos St. Eustache de nossas investigações. Seu suicídio, por mais que corrobore alguma suspeita, se descobrirmos que as declarações eram enganosas, não é uma circunstância inexplicável ou que nos faça desviar do caminho da análise comum, caso não haja qualquer engano.

O que proponho agora é que descartemos os pontos interiores desta tragédia, e concentremo-nos em suas adjacências. Não é um erro incomum, em investigações como esta, limitar o inquérito ao imediato, com total desconsideração dos eventos colaterais ou circunstanciais. É um erro dos tribunais confinar as provas e as discussões aos limites da relevância aparente. Ainda assim, a experiência nos mostra, e uma filosofia verdadeira sempre mostrará, que uma grande, talvez a maior, parte da verdade advém do que parece ser irrelevante. Foi através do espírito deste princípio, se não precisamente de sua natureza literal, que a ciência moderna resolveu calcular o imprevisto. Mas talvez você não esteja me entendendo. A história do conhecimento humano tem mostrado, ininterruptamente, que é aos eventos colaterais, incidentais ou acidentais que devemos as mais numerosas e valiosas descobertas, a ponto de ter se tornado necessário, para qualquer intenção de melhoria, fazer não apenas grandes concessões, como as maiores, para invenções que surgem por sorte e fora do que pode ser comumente esperado. Não é mais filosófico basear, sobre o que já foi, uma visão do que pode ser. Acidentes são admitidos como parte da subestrutura. Tornamos a sorte uma questão de cálculo absoluto. Sujeitamos o que não é procurado nem imaginado às fórmulas matemáticas das escolas.

Repito que não é nada além de um fato a maior parte da verdade surgir dos eventos colaterais; e é meramente em conformidade com o espírito do princípio envolvido neste fato que eu desviaria as investigações, neste caso, do local inteiramente examinado, e até agora infrutífero, onde o evento em si ocorreu, para as circunstâncias contemporâneas que o cercam. Enquanto você verifica a validade das declarações, examinarei os jornais com um escopo mais amplo do que você usou. Até agora, só exploramos o campo da investigação, mas será deveras estranho se uma pesquisa abrangente dos jornais, como a que proponho, não nos fornecer alguns detalhes que estabeleçam uma direção para nossas averiguações.

Obedecendo a sugestão de Dupin, fiz uma análise escrupulosa da questão das declarações. O resultado foi uma firme convicção de sua validade, e da consequente inocência de St. Eustache. Enquanto isso, meu amigo dedicou-se, com o que parecia-me ser uma atenção absolutamente desprovida de objetivo, a analisar os diversos arquivos de jornais. Ao final de uma semana, ele colocou à minha frente os seguintes trechos:

"Há cerca de três anos e meio, uma perturbação muito semelhante com a atual foi causada pelo desaparecimento desta mesma Marie Rogêt, da perfumaria de monsieur Le Blanc, no Palais Royal. Ao cabo de uma semana, contudo, ela reapareceu em seu balcão costumeiro, tão bem quanto sempre estivera, exceto por uma ligeira palidez, que não era de todo incomum. Monsieur Le Blanc e a mãe da jovem disseram que ela apenas estivera visitando alguém conhecido no interior, e o caso foi rapidamente abafado. Presumimos que a atual ausência seja uma anomalia da mesma natureza, e que, ao final de uma semana, ou talvez um mês, a teremos em nosso meio, novamente." – *Jornal Vespertino*, segunda-feira, 23 de junho. (*17).

"Um jornal vespertino de ontem refere-se a um antigo desaparecimento misterioso de mademoiselle Rogêt. É sabido que, durante a semana de sua ausência da perfumaria de Le Blanc, ela esteve em companhia de um jovem oficial da marinha, famoso por sua devassidão. Supõe-se que uma briga providencial fez com que voltasse para casa. Temos o nome do libertino em questão, que está atualmente lotado em Paris, mas, por motivos óbvios, nos absteremos de publicá-lo." – *Le Mercurie*, manhã de terça-feira, 24 de junho (*18).

"Uma atrocidade, da natureza mais bárbara, foi cometida perto desta cidade, anteontem. Um cavalheiro, acompanhado por sua mulher e filha, contratou, pouco antes de o sol se pôr, os serviços de 6 jovens, que remavam ociosamente um barco de uma margem do Sena para a outra, para que os levassem até o outro lado do rio. Ao chegarem na margem oposta, os três passageiros desembarcaram, e já haviam andado o suficiente para terem perdido o barco de vista, quando a filha descobriu que havia esquecido a sombrinha. Voltou para buscá-la, foi agarrada pela gangue, levada rio abaixo, amordaçada, tratada brutalmente e finalmente levada à margem, em um lugar não muito longe daquele em que originalmente entrara no barco com seus pais. Os criminosos escaparam, por enquanto, mas a polícia está em seu rastro, e alguns deles logo serão capturados." – *Jornal Matutino*, 25 de junho (*19).

"Recebemos algumas notificações, cujo objetivo é atribuir a autoria da barbaridade cometida recentemente a Mennais (*20); mas, visto que este cavalheiro foi completamente exonerado por uma investigação idônea, e já que os argumentos de nossos vários correspondentes parecem ter mais zelo do que profundidade, não aconselhamos que os tornem públicos." – *Jornal Matinal*, 28 de junho (*21).

"Recebemos várias comunicações, escritas com vigor, aparentemente vindas de várias fontes, e que esforçam-se para assegurar que a infeliz Marie Rogêt tornou-se vítima de um dos numerosos grupos de malfeitores que infestam os arredores da cidade aos domingos. Nossa opinião é decididamente em favor dessa suposição. Tentaremos reservar espaço para alguns destes argumentos em breve." – *Jornal Vespertino*, terça-feira, 31 de junho (*22).

"Na segunda-feira, um dos barqueiros ligados ao departamento da receita viu um barco vazio descendo o Sena. As velas estavam deitadas no fundo do barco. O barqueiro rebocou-o, levando-o para a sede da administração dos barcos. No dia seguinte, foi levado de lá, sem o conhecimento de nenhum dos oficiais. O leme continua na sede." – *Le Diligence*, quinta-feira, 26 de junho.

Ao ler estes vários trechos, não só pareceram-me irrelevantes mas tampouco conseguia perceber como qualquer um deles poderia ter algum significado para o assunto em questão. Esperei alguma explicação por parte de Dupin.

– Não tenho a intenção – disse ele – de demorar-me no primeiro ou no segundo trecho. Copiei-os principalmente para mostrar a você a extrema negligência da polícia, que, até onde posso compreender, pelo que diz o delegado, não se preocupou, sob qualquer aspecto, em examinar o oficial da marinha acima referido. Ainda assim, é loucura dizer que não há qualquer conexão *presumível* entre o primeiro e o segundo desaparecimento de Marie. Suponhamos que a primeira fuga terminou em uma briga entre os amantes, e com a volta para a casa da traída. Estamos, agora, preparados para considerar uma segunda fuga (se soubermos que uma fuga ocorreu, novamente) uma indicação da renovação das atenções do traidor, em vez de resultante de novas propostas por um segundo indivíduo: estamos preparados para considerar a fuga uma reconciliação com o antigo amado, em vez do início de um novo amor. As chances são de dez para um, de que aquele que já fugira com Marie proporia uma nova fuga, em vez de ela, que já recebera uma proposta de fuga de um indivíduo, receber também de outro. Nesse sentido, deixe-me chamar sua atenção para o fato de que o tempo que transcorreu entre a primeira fuga, efetiva, e a segunda fuga, suposta, é de apenas alguns meses mais longo do que o período que os homens da nossa marinha costumam passar no mar. Será que o amante fora interrompido, em sua primeira infâmia, pela necessidade de partir para o mar, e será que agarrara a primeira chance, após sua volta, para perseguir novamente seus desígnios abjetos, que ainda não haviam sido completamente alcançados... ou não completamente alcançados por *ele*? Não sabemos nada sobre qualquer uma dessas coisas.

Você dirá, contudo, que, na segunda instância, não houve fuga, como imaginado. Certamente que não; mas estamos preparados para dizer que não houve um desígnio frustrado? Além de St. Eustache, e talvez Beauvais, não encontramos nenhum pretendente reconhecido, declarado ou honrado de Marie. Não há palavra sobre qualquer um outro. Quem, então, é o amante secreto, de quem seus parentes (pelo menos a maioria deles) nada sabem, mas que Marie encontra na manhã do domingo, e em quem confia tanto, que não hesita em permanecer em sua companhia após o escurecer, em meio aos bosques solitários de Barrière du Roule? Quem é o amante secreto, pergunto, sobre quem a maioria de seus parentes não sabem nada? E o que significa a profecia insólita de madame Rogêt, na manhã da partida de Marie: "Receio que nunca vá ver Marie novamente".

Mas, ainda que não possamos imaginar que madame Rogêt estava ciente da intenção de fuga, não podemos, pelo menos, supor que a jovem tinha tal objetivo? Ao sair de casa, deu a entender que ia visitar a tia na Rua des Drômes, e pediu que St. Eustache a buscasse ao escurecer. Sei que, logo de cara, esse fato parece refutar minha sugestão; mas vamos refletir. Que ela realmente encontrou-se com um companheiro, e com ele cruzou o rio, chegando a Barrière du Roule bem tarde, por volta das 3 horas, é sabido. Mas, ao concordar em acompanhar esse indivíduo de tal forma (por qualquer motivo que seja, com a ciência de sua mãe ou não), ela deve ter pensado no objetivo que declarara ao sair de casa, e na surpresa e suspeita que despertaria em seu noivo, St. Eustache, quando chegasse no horário marcado, na rua des Drômes, e descobrisse que ela não estivera lá, e, mais do que isso, quando voltasse para a pensão, com essa informação tão alarmante, e ficasse sabendo que ela continuava ausente. Afirmo que ela deve ter pensado em tais coisas. Deve ter previsto a tristeza de St. Eustache, as suspeitas de todos. Não é possível que planejasse voltar para casa e enfrentar essas suspeitas; mas as suspeitas tornam-se irrelevantes para ela, se supusermos que não pretendia voltar.

Podemos imaginá-la pensando da seguinte forma: "Vou encontrar uma certa pessoa para fugirmos, ou com outro propósito, conhecidos só por mim. É preciso que não haja chances de interrupção, deve haver tempo suficiente para que escapemos de perseguição. Vou dar a entender que visitarei e passarei o dia com minha tia, na Rua des Drômes. Direi a St. Eustache que não venha me buscar até o fim do dia; dessa forma, minha ausência de casa, pelo período mais longo possível, sem causar suspeitas ou ansiedade, será explicada e terei mais tempo do que de qualquer outra maneira. Se pedir que St. Eustache venha me buscar após o sol se pôr, com certeza não virá antes; mas, se não pedir que venha em horário algum, meu tempo para escapar diminuirá, pois esperarão que eu volte mais cedo, e minha ausência logo despertará preocupação. Agora, se eu pretendesse voltar, se minha intenção fosse apenas sair para passear com o indivíduo em questão, não pediria que St. Eustache fosse me encontrar, pois, ao fazê-lo, ele certamente descobriria que estava enganando-o, fato de que eu poderia mantê-lo ignorante para sempre, saindo de casa sem avisá-lo de minhas intenções e voltando antes de escurecer, dizendo, então, que tinha ido visitar minha tia na Rua des Drômes. Porém, como não pretendo voltar nunca, ou, pelo menos, não dentro das próximas semanas, ou até que certas ocultações tenham sido feitas, ganhar tempo é a única coisa com a qual preciso me preocupar".

Você observou, em suas anotações, que a opinião mais popular sobre este triste caso é, e foi desde o início, que a jovem foi vítima de uma gangue de malfeitores. A opinião popular, sob certas condições, não pode ser desconsiderada. Quando surge sozinha, quando manifesta-se por si só, de forma estritamente espontânea, devemos considerá-la análoga à *intuição*, que é a idiossincrasia das pessoas geniais. Em 99 casos entre 100, eu obedeceria sua decisão. Mas é importante que não encontremos traços palpáveis de *sugestão*. A opinião precisa ser unicamente *do público*, e a distinção costuma ser extremamente difícil de perceber e manter. Neste caso, parece-me que esta "opinião pública" sobre uma gangue foi excessivamente induzida pelo evento colateral detalhado no terceiro trecho que selecionei. Paris inteira está em alvoroço pela descoberta do cadáver de Marie, uma jovem bela e notória. Esse cadáver é encontrado com marcas de violência, flutuando no rio. Mas então é noticiado que, no mesmo ou por volta do período que se supõe que a garota tenha sido assassinada, uma barbaridade de natureza semelhante à que sofrera a falecida, ainda que em menor extensão, foi perpetrada por uma gangue de jovens delinquentes, em uma segunda jovem garota. É de se surpreender que uma atrocidade conhecida influencie o julgamento popular sobre a outra, desconhecida? Esse julgamento estava aguardando uma direção, e o crime conhecido pareceu fornecê-la de forma tão oportuna! Marie foi encontrada no rio, e a atrocidade conhecida também fora cometida no mesmo. A conexão entre os dois eventos tinha uma aparência tão palpável, que a verdadeira surpresa seria se a população não a percebesse e aproveitasse. Mas, na verdade, o crime que sabemos como foi cometido é uma prova de que o outro, cometido quase que ao mesmo tempo, não foi cometido desta forma. Teria sido um milagre, realmente, se, enquanto uma gangue de delinquentes estivesse cometendo, em qualquer localidade, um crime dos mais ultrajantes, outra gangue semelhante estivesse, em um local semelhante, na mesma cidade, sob as mesmas circunstâncias, com os mesmos meios e instrumentos, engajada em um crime da mesmíssima natureza, exatamente ao mesmo tempo! Apesar disso, no que a opinião da população quer que acreditemos, senão nesta extraordinária sequência de coincidências?

Antes de prosseguirmos, consideremos a suposta cena do assassinato, no bosque de Barrière du Roule. Esse bosque, apesar de denso, estava ao lado de uma via pública. Dentro dele, havia três ou quatro pedras grandes, formando um tipo de assento, com encosto e banquinho para os pés. Sobre a pedra de cima, foi descoberta uma anágua branca; sobre a segunda, um lenço de seda. Uma sombrinha, luvas e um lenço de bolso também foram encontrados ali. No lenço de bolso, estava bordado o nome "Marie Rogêt". Fragmentos de vestido foram encontrados nos galhos ao redor. A terra fora pisoteada, os arbustos estavam amassados, e havia inúmeras provas de uma luta violenta.

Não obstante a aclamação com a qual a descoberta do bosque foi recebida pela imprensa, e a unanimidade com a qual isso supostamente indicava o exato local do crime, devemos admitir que havia bons motivos para dúvidas. Que era a cena do crime, posso acreditar, ou não; mas há um excelente motivo para duvidar. Se a verdadeira cena fosse, como o *Le Commerciel* sugeriu, nos arredores da Rua Pavée St. Andrée, os autores do crime, supondo-se que ainda residissem em Paris, teriam obviamente ficado aterrorizados com a atenção do público, inteiramente dirigida ao local adequado; e, em um certo tipo de mente, teria surgido imediatamente a necessidade de fazer algo para despistar tal atenção. E, assim, visto que o bosque de Barrière du Roule já estava sob suspeitas, a ideia de colocar os artigos onde seriam encontrados poderia ter sido naturalmente cogitada. Não há provas concretas, apesar da suposição do *Le Soleil,* de que os artigos haviam passado mais do que alguns dias no bosque, enquanto que há muitas provas circunstanciais de que não poderiam ter ficado lá, sem atrair atenção, durante os 20 dias que transcorreram entre o domingo fatal e a tarde em que foram encontrados pelos meninos. "Estavam todos mofados", escreveu o *Le Soleil,* adotando as opiniões de seus predecessores, "devido às chuvas, e grudados por causa do mofo. A grama crescera ao redor e sobre alguns deles. A seda da sombrinha era forte, mas seus fios estavam repuxados por dentro. A parte superior, que fora dobrada e dobrada, estava toda mofada e apodrecida, e rasgou quando abriram a sombrinha". Quanto ao fato de a grama ter "crescido ao redor e sobre alguns deles", é óbvio que esse fato só poderia ter sido confirmado pelas palavras e, portanto, das lembranças, de dois meninos pequenos, pois estes pegaram os artigos e levaram-nos para casa, antes que fossem vistos por um terceiro. Mas a grama cresce, especialmente com tempo quente e úmido (como no período do assassinato), até 5 ou 7 centímetros, em um único dia. Uma sombrinha deixada sobre a grama recém-plantada poderia, em uma semana, estar completamente escondida pelo capim crescente. E, quanto ao mofo em que o editor do *Le Soleil* insiste, tão pertinazmente a ponto de usar a palavra mais de uma vez no breve parágrafo acima citado, ele realmente desconhece tanto a natureza do mesmo? Precisa que lhe digam que é uma das muitas classes de fungos, cuja característica mais comum é surgir e decair dentro de 24 horas?

Assim, vemos, logo de cara, que o que foi mais triunfantemente aduzido, para apoiar a ideia de que os artigos estiveram "pelo menos três ou quatro semanas" no bosque, é absurdamente nulo, no que tange a qualquer evidência do fato. Por outro lado, é extremamente difícil acreditar que esses artigos possam ter permanecido no bosque por mais do que uma semana, por um período mais longo do que de um domingo a outro. Qualquer um que conheça os arredores de Paris sabe da extrema dificuldade de encontrar um local isolado, a não ser que se vá para bem longe dos subúrbios. Não se pode imaginar, nem por um momento, um canto inexplorado ou até mesmo pouco frequentado, em meio às suas matas ou aos seus bosques. Que qualquer um que seja, em seu coração, um amante da natureza, mas continue preso por seus deveres à poeira e ao calor desta grande metrópole, que qualquer pessoa desse tipo tente, até mesmo durante a semana, saciar sua sede pela solidão em meio às cenas de beleza natural que nos cercam de perto. A cada dois passos, verá que os encantos são quebrados pelas vozes e pela intrusão de algum malfeitor ou grupo de delinquentes barulhentos. Pode até buscar privacidade em meio à folhagem mais densa, mas será em vão. São precisamente esses cantos onde há mais imundos, onde os templos são mais profanados. Com dor no coração, o vagante fugirá de volta para a poluída Paris, considerando-a menos odiosa, por ser um antro de poluição menos incongruente. Mas, se a vizinhança da cidade é tão lotada durante a semana, como fica muito mais, aos domingos! É especialmente neste dia, que, livres das exigências do trabalho, os malfeitores da cidade buscam os arredores, não por amor ao campo, que desprezam, e sim para escapar das amarras e convenções da sociedade. Desejam menos o ar fresco e as árvores verdejantes e mais as liberdades do interior. Ali, na estalagem à beira da estrada ou debaixo das copas das árvores, longe de quaisquer olhos que não os de seus comparsas, entregam-se aos desvarios de diversões falsas: o resultado da combinação de liberdade com rum. Não digo nada que não seja óbvio para qualquer observador objetivo, quando repito que o fato de os artigos em questão terem permanecido sem ser descobertos por um período mais longo do que de um domingo a outro, em qualquer bosque nas vizinhanças imediatas de Paris, deve ser considerado nada menos do que um milagre.

Mas não faltam outros motivos para suspeitar que os artigos foram colocados no bosque para desviar a atenção da verdadeira cena da barbaridade. Primeiro, permita-me chamar sua atenção para a data da descoberta dos mesmos. Compare-a com a data do quinto trecho que copiei dos jornais. Descobrirá que a descoberta seguiu-se, quase que imediatamente, às cartas urgentes enviadas para o jornal vespertino. Tais cartas, apesar de variadas e aparentemente vindas de diferentes fontes, tratavam todas do mesmo assunto, isto é, dirigir a atenção para uma gangue de malfeitores, que seriam os autores do crime, e para o bairro de Barrière du Roule, supostamente o local onde fora cometido. Nesse sentido, é claro, a suspeita não é que, em decorrência dessas cartas, ou da atenção do público por elas desviada, os artigos foram encontrados pelos garotos; e sim que os artigos poderiam muito bem não ter sido encontrados antes pelos meninos, por não estarem no bosque anteriormente, tendo sido colocados lá apenas na data das cartas, ou logo antes disso, pelos próprios autores culpados das mesmas.

Esse bosque é singular, excessivamente singular. É incomumente denso. Dentro de suas paredes naturais havia pedras extraordinárias, formando um assento, com encosto e banquinho para os pés. E o bosque, tão cheio de arte natural, estava na vizinhança imediata, a poucos passos, da residência de madame Beluc, cujos filhos tinham o costume de examinar de perto os arbustos ao redor, em busca de casca de sassafrás. Seria uma aposta absurda, com uma probabilidade de mil para um, que não tenha se passado um único dia, sem que se encontrasse pelo menos um desses meninos escondido no salão umbroso ou entronizado em seu trono natural? Quem hesitar em fazer tal aposta nunca foi criança ou já se esqueceu de sua infância. Repito: é extremamente difícil compreender como os artigos permaneceram naquele bosque, sem ser descobertos, por um período maior do que um ou dois dias; assim, há bons motivos para suspeitar, apesar da ignorância dogmática do *Le Soleil,* que foram colocados no local em um momento comparativamente tardio.

Mas ainda há outros motivos, mais contundentes, para acreditar que foram desta forma colocados, além dos que já defendi. Assim, permita-me conduzir sua atenção para a disposição altamente artificial dos artigos. Sobre a pedra de cima jazia uma anágua branca; sobre a segunda, um lenço de seda; espalhados ao redor, uma sombrinha, um par de luvas e um lenço de bolso, no qual estava bordado o nome "Marie Rogêt". Este é justamente o arranjo que seria feito por uma pessoa não muito inteligente, que desejasse desfazer-se dos artigos de forma natural. Mas não é, de forma alguma, um arranjo natural. Eu esperaria ter visto as coisas todas sobre o chão e pisoteadas. Dentro dos estreitos limites daquele caramanchão, dificilmente seria possível que a anágua e o lenço de seda continuassem em seus lugares sobre as pedras, quando estavam sujeitos a esbarrões de um lado para o outro, por várias pessoas em luta. "Havia sinais", foi dito, "de uma luta; a terra fora pisoteada, os arbustos estavam amassados", mas a anágua e o lenço de seda foram encontrados como se houvessem sido colocados sobre uma prateleira. "Os pedaços de seu vestido, arrancados pelos arbustos, eram de cerca de 8 centímetros de largura e 15 de comprimento. Uma parte era a barra do vestido, que fora remendada; a outra era um pedaço da saia, que não a barra. Pareciam tiras arrancadas". Aqui, o *Le Soleil* inadvertidamente usou uma frase bastante suspeita. Os pedaços, conforme descritos, pareciam-se, mesmo, com "tiras arrancadas", mas de propósito e com a mão. É um dos mais raros acidentes, um pedaço ser "arrancado" de qualquer roupa, como esta em questão, por um espinho. Devido à própria natureza desses tecidos, um prego ou um espinho preso nos mesmos os rasgaria na retangular, dividindo-os em duas partes longitudinais, a ângulos retos um com o outro, encontrando-se em um vértice onde o espinho entrou; mas não é possível imaginar que a parte seja "arrancada". Nunca ouvi falar disso, e você tampouco. Para arrancar um pedaço de tecido, duas forças distintas, em duas direções diferentes, seriam necessárias, em quase todos os casos. Se o tecido tiver duas extremidades; por exemplo, se for um lenço de bolso, do qual alguém queira arrancar uma tira, neste caso, e somente nele, uma única força servirá para tal fim. Mas, no presente caso, trata-se de um vestido, que tem só uma borda. Espinhos arrancando um pedaço do interior, em que não há uma extremidade exposta ... isso só poderia acontecer por um milagre, e um único espinho não conseguiria fazê-lo. Porém, mesmo quando há uma borda exposta, dois espinhos seriam necessários, um deles operando em duas direções distintas, e o outro em uma. E isso supondo-se que a borda não tem bainha. Se tiver, o assunto está quase fora de questão. Vemos, assim, os inúmeros e grandes obstáculos a pedaços serem "arrancados" pela mera ação de "espinhos"; mesmo assim, querem que acreditemos que não só um pedaço foi arrancado como vários. E uma dessas partes é a bainha, ainda por cima! Outro pedaço fazia "parte da saia, e não da bainha"; quer dizer, foi completamente arrancado por espinhos, do interior do vestido! Afirmo que é justificável não acreditar nesse tipo de coisas; porém, se tomadas em conjunto, talvez ainda formem um motivo menos razoável para suspeitas, do que a incrível circunstância de os artigos terem sido deixados naquele bosque, em primeiro lugar, por assassinos que tiveram precaução suficiente para pensar em remover o cadáver. Você não terá compreendido direito, contudo, se supuser que é minha intenção negar que o bosque foi a cena do crime. Algum delito pode ter sido cometido ali, ou, mais possivelmente, algum acidente pode ter ocorrido na propriedade de madame Deluc. Mas, na verdade, esta é uma questão de pouca monta. Não estamos tentando descobrir o local do assassinato, e sim seus autores. O que aduzi, não obstante o detalhamento com que o fiz, foi com o objetivo, em primeiro lugar, de demonstrar a tolice das afirmações confiantes e obstinadas do *Le Soleil* e, em segundo, e principalmente, de conduzir-lhe, pelo caminho mais natural, a uma contemplação mais profunda da dúvida quanto a esse assassinato ter sido o trabalho de uma gangue ou não.

Retomaremos esta questão fazendo uma simples alusão aos detalhes repugnantes relativos ao médico interrogado no inquérito. Basta dizer que suas inferências publicadas, relativamente à quantidade de malfeitores, foram justamente ridicularizadas como imprecisas e completamente sem embasamento por todos os anatomistas de Paris. A questão não é que o evento não possa ter ocorrido como foi inferido, e sim que não havia fundamentação para tal inferência: não havia bastante para outra?

Reflitamos, agora, sobre os "sinais de luta", e permita-me perguntar o que se supõe que tais sinais demonstram. Uma gangue. Mas não demonstram, na verdade, a ausência de uma gangue? Que briga pode ter ocorrido, uma luta tão violenta e duradoura, a ponto de ter deixado "sinais" em todas as direções, entre uma jovem fraca e indefesa e a quadrilha de malfeitores imaginada? Bastaria o aperto silencioso de alguns braços fortes, e tudo estaria acabado. A vítima estaria absolutamente passiva, à mercê deles. Mantenha em mente, neste sentido, que os argumentos defendidos contra o bosque ser a cena do crime são apenas contra o local ter sido a cena de uma atrocidade cometida por mais do que um único indivíduo. Se imaginarmos apenas um atacante, podemos conceber, apenas com base nessa teoria, uma luta tão violenta, e de natureza tão obstinada, a ponto de ter deixado "sinais" aparentes.

Volto a repetir. Já mencionei a suspeita despertada pelo fato de que alguém permitiu, em primeiro lugar, que os artigos em questão fossem deixados no bosque onde foram descobertos. Parece quase impossível essas provas de culpa terem sido deixadas acidentalmente onde foram achadas. Houve presença de espírito suficiente (supomos) para remover o corpo; ainda assim, permitem que uma prova ainda mais positiva do que o corpo (cujas características poderiam ter sido rapidamente apagadas pela desintegração) continue, conspicuamente, na cena do crime: refiro-me ao lenço de bolso, com o nome da falecida. Se isso foi um lapso, não foi o lapso de uma quadrilha. Podemos imaginar apenas que tenha sido o lapso de um indivíduo. Vejamos. Um indivíduo cometeu o assassinato. Está sozinho com o fantasma da falecida. Está chocado com o que jaz imóvel à sua frente. Seu arroubo de fúria passou, e seu coração tem bastante espaço para o assombro natural com o que fez. Ele não tem nada daquela confiança inevitavelmente inspirada por fazer parte de um grupo. Está sozinho com a morta. Treme e fica atordoado. Ainda assim, é necessário desfazer-se do corpo. Carrega-o até o rio, mas deixa para trás as outras provas de sua culpa, pois é difícil, senão impossível, carregar o fardo inteiro ao mesmo tempo, e será mais fácil voltar para buscar o que ficou. Mas, em sua árdua jornada até o rio, seus medos aumentam. Ouve os sons de outras pessoas a seu redor. Uma dúzia de vezes escuta ou imagina escutar os passos de algum observador. Até mesmo as luzes da cidade o transtornam. Mesmo assim, finalmente, e após longas e frequentes pausas de agonia profunda, chega até a margem do rio e descarta seu hediondo fardo, talvez usando um barco. Mas, agora, o que poderia convencê-lo, que ameaça de vingança poderia ter o poder de convencer o assassino solitário a voltar pelo caminho árduo e solitário, para o bosque e suas lembranças de gelar o sangue? Ele não volta, quaisquer que sejam as consequências. Não conseguiria voltar, nem que quisesse. Seu único pensamento é em sua fuga imediata. Dá as costas para sempre àqueles arbustos horrendos, e corre, como se estivesse fugindo da fúria vindoura.

Mas como isso poderia ter acontecido com uma gangue? O fato de estarem em grupo os tornaria confiantes, se é que confiança é algo que falte no íntimo de um notório malfeitor; e são notórios os malfeitores que sempre formam as supostas gangues. Afirmo que o fato de estarem em grupo impediria o terror atordoante e irracional que imaginei paralisando um homem sozinho. Ainda que pudéssemos imaginar que uma, duas ou três pessoas cometeriam um lapso, este seria remediado por uma quarta. Não teriam deixado nada para trás, pois poderiam facilmente ter carregado tudo de uma vez só. Não haveria necessidade de voltar. Considere, agora, que, no vestido do cadáver, quando encontrado, "um rasgo de cerca de 30 centímetros de largura fora feito, da barra até a cintura, mas não arrancado. Estava amarrado com três voltas ao redor da cintura, e preso por um tipo de prendedor nas costas". Isso foi feito com o óbvio objetivo de criar uma alça pela qual carregar o corpo. Mas por que um grupo de homens pensaria em recorrer a tal expediente? Para três ou quatro, os membros do cadáver teriam sido não só suficientes como também ideais. Essa medida foi tomada por um único indivíduo, e isso nos traz ao fato de que, "entre o matagal e o rio, as cercas haviam sido derrubadas, e o chão dava provas de que algum fardo pesado fora arrastado por ali"! Mas um grupo de pessoas teria tido o trabalho supérfluo de arrastar por ali um cadáver que poderia ter erguido sobre qualquer cerca, em um instante? Um grupo teria arrastado um corpo de tal maneira que deixaria traços evidentes do arrasto?

Nesse sentido, precisamos fazer referência a uma observação do *Le Commerciel*, observação sobre a qual, até certo ponto, já comentei. "Um pedaço", diz o jornal, "da anágua da desafortunada jovem, com 60 centímetros de comprimento e 30 de largura, fora rasgado e amarrado debaixo de seu queixo, passando por trás da cabeça, provavelmente para impedir que gritasse. Isso foi feito por sujeitos que não tinham lenços".

Já sugeri que um malfeitor genuíno nunca está sem um lenço de bolso. Mas não é contra esse fato que agora faço uma advertência especial. Não foi pela falta de um lenço, para os fins imaginados pelo *Le Commerciel,* que essa bandagem foi empregada, como é evidenciado pelo fato de que o lenço foi deixado no bosque; e o objetivo não era "impedir gritos", com base também no fato de que a bandagem foi usada, em vez daquilo que teria servido muito melhor para esses fins. Mas as palavras usadas para descrever a evidência falam da tira em questão como tendo sido "encontrado ao redor de seu pescoço, frouxo e amarrado com um nó firme". Esse linguajar é suficientemente vago, mas difere, de forma relevante, do usado pelo *Le Commerciel*. A tira tinha 30 centímetros de largura e, portanto, apesar de ser feita de musselina, formaria uma forte amarra, quando dobrada ou amassada longitudinalmente. E foi, mesmo, descoberta amassada. Minha inferência é a seguinte. O assassino solitário, após carregar o corpo por alguma distância (do bosque ou de outro lugar), usando a bandagem presa ao redor de sua parte do meio, achou o peso, nesse modo de proceder, grande demais para sua força. Decidiu arrastar o fardo; as provas mostram que foi arrastado. Com esse objetivo em mente, tornou-se necessário amarrar algo como uma corda a uma de suas extremidades. O melhor lugar para amarrá-la seria ao redor do pescoço, onde a cabeça impediria que escorregasse. E então o assassino sem dúvida pensou sobre a bandagem ao redor dos quadris. Teria utilizado a mesma, se não fosse por suas voltas ao redor do cadáver, o nó que a atrapalhava e a reflexão de que não havia sido "arrancada" da roupa. Era mais fácil rasgar uma nova tira da anágua. Arrancou-a, amarrou-a ao redor do pescoço de sua vítima, e assim arrastou-a para a beira do rio. O fato de que essa "bandagem", que só foi conseguida após muito esforço e tempo, e que prestava-se a seu propósito de forma imperfeita, o fato de que essa bandagem foi usada, em primeiro lugar, demonstra que a necessidade de seu uso surgiu de circunstâncias advindas em um momento em que o lenço não estava mais à disposição; quero dizer, advindas, como imaginamos, após ele ter saído do bosque (se é que esteve no bosque), e já estava na estrada entre o bosque e o rio.

Mas as provas, você dirá, de madame Deluc (!) apontam especificamente para a presença de uma quadrilha, nos arredores do bosque, no exato momento do assassinato, ou próximo do mesmo. Concordo. Duvido que não havia uma dúzia de gangues como a descrita por madame Deluc, em Barrière du Roule e em seus arredores, durante ou perto do momento em que ocorreu a tragédia. Mas a quadrilha que atraiu para si a clara censura, apesar do testemunho um tanto quanto tardio, e muito suspeito, de madame Deluc, é a única que a honesta e escrupulosa senhora afirma ter comido seus bolos e tomado seu conhaque, sem se importar em pagar por eles. *Et hinc illæ iræ?*[3]

Mas qual é exatamente o testemunho de madame Deluc? "Uma gangue de delinquentes apareceu, comportou-se de forma barulhenta, comeu e bebeu sem pagar, seguiu a rota do jovem e da garota, voltou para a estalagem ao cair da noite e cruzou o rio de volta, aparentemente com muita pressa."

Ora, essa "pressa" possivelmente pareceu maior ainda aos olhos de madame Deluc, que pensava longa e lamentosamente sobre seus bolos e cerveja profanados, pelos quais ainda poderia nutrir uma tênue esperança de remuneração. Senão, por que enfatizaria a pressa, já que o sol estava se pondo? Não é motivo de surpresa, decerto, até mesmo uma quadrilha de delinquentes apressar-se para voltar para casa, quando um rio largo precisa ser cruzado em barcos pequenos, quando uma tempestade se aproxima e quando cai a noite.

Digo "cai a noite", pois esta ainda não havia chegado. O sol ainda se punha, quando a pressa indecente daqueles "delinquentes" foi uma ofensa aos olhos da sóbria madame Deluc. Mas nos é dito que foi naquela mesma noite que madame Deluc, junto com seu filho mais velho, "ouviram os gri-

---

3 N. da T.: "Por isso esta raiva?"

tos de uma mulher na vizinhança da estalagem". E que palavras madame Deluc usa para se referir ao período da noite em que tais gritos foram ouvidos? "Foi logo após escurecer", disse ela. Mas "logo após escurecer" já está, pelo menos, escuro; e "enquanto o sol se punha" certamente ainda é dia. Assim, fica absolutamente claro que a gangue saiu de Barrière du Roule antes dos gritos ouvidos (?) por madame Deluc. E apesar de, em todos os muitos relatos de seu testemunho, as expressões relativas em questão serem distinta e invariavelmente usadas exatamente como as usei nesta conversa com você, nenhum dos jornais, ou algum dos lacaios da polícia, reparou na evidente discrepância.

Acrescentarei só mais um argumento contra uma gangue; mas este carrega, pelo menos em minha opinião, um peso inteiramente irresistível. Sob as circunstâncias da grande recompensa oferecida e do perdão absoluto a qualquer delator, não se pode imaginar, nem por um momento, que algum membro de uma quadrilha de malfeitores desimportantes, ou de qualquer grupo de homens, demoraria muito para trair seus cúmplices. Cada membro de uma gangue, nesta situação, receia tanto uma traição quanto anseia por recompensas ou preocupa-se com sua fuga. Trai ávida e apressadamente, para que não seja, ele mesmo, o traído. O fato de que o segredo não foi divulgado é a melhor prova de que é, de fato, um segredo. Os horrores desse ato sombrio são conhecidos apenas por um ou dois seres humanos vivos, e por Deus.

Vamos somar, agora, os escassos, porém certeiros, frutos de nossa longa análise. Chegamos à ideia de um acidente fatal sob o teto de madame Deluc ou um assassinato cometido no bosque de Barrière du Roule, por um amante ou pelo menos por um companheiro íntimo e secreto da falecida. Esse companheiro tem a pele escura. Essa pele, o "nó" na bandagem, e o "nó de marinheiro", com o qual o chapéu fora amarrado, apontam para um marujo. Seu relacionamento com a falecida, uma jovem alegre, porém não miserável, demonstra que está acima do nível de um marinheiro comum. Nesse sentido, as cartas bem escritas e urgentes, enviadas para os jornais, são um bom elemento de corroboração. A primeira fuga, conforme mencionada pelo *Le Mercurie*, tende a misturar a ideia desse marinheiro com a do "oficial da marinha", que se sabe que foi o primeiro a induzir a infeliz jovem a cometer uma transgressão.

E é nesse ponto que a reflexão sobre a ausência do sujeito de pele escura encaixa-se muito bem. Permita-me observar que a pele desse homem é escura e morena; não era um tom moreno comum, que foi o único ponto lembrado por Valence e madame Deluc. Mas por que esse homem está ausente? Foi assassinado pela gangue? Se o foi, por que só há traços da garota assassinada? Seria uma suposição natural que a cena dos dois crimes fosse idêntica. E onde está seu cadáver? Os assassinos provavelmente teriam descartado os dois do mesmo modo. Mas podemos dizer que esse homem está vivo, e impedido de se fazer conhecer, por medo de ser acusado do assassinato. Podemos supor que essa consideração influencie seus atos agora, depois de tanto tempo, pois testemunhas disseram que o viram com Marie, mas não teria qualquer efeito no momento do evento. A primeira reação de um inocente seria noticiar o crime, e ajudar a identificar os malfeitores. Seria essa a medida aconselhável. Ele fora visto com a jovem, cruzara o rio com ela em uma balsa aberta. Denunciar os assassinos teria parecido, até mesmo para um idiota, o meio mais certo e seguro de isentar-se de suspeitas. Não podemos supor que ele, naquele domingo fatal, fosse ao mesmo tempo inocente e ignorante do crime cometido. Entretanto, apenas sob tais circunstâncias é possível imaginar que ele teria deixado, se estivesse vivo, de denunciar os assassinos.

E que meios temos para chegar à verdade? Veremos esses meios multiplicando-se e tornando-se mais distintos, conforme prosseguimos. Vamos remexer o fundo da história da primeira fuga. Analisemos todo o caso do "oficial", com suas atuais circunstâncias, e seu paradeiro no período exato do assassinato. Comparemos umas com as outras as diversas cartas enviadas ao jornal vespertino, com o objetivo de culpar uma quadrilha. Após fazermos isso, comparemos essas cartas, no que tange ao estilo e à letra, com as anteriormente enviadas para o jornal matutino, que insistiam tão veementemente na culpa de Mennais. E, quando tudo estiver terminado, comparemos novamente essas várias cartas com a letra conhecida do oficial. Tentemos verificar, através de repetidos interrogatórios a madame Deluc e seus filhos, assim como ao motorista de ônibus, Valence, mais alguma informação sobre a aparência e o porte do "homem de pele escura". Perguntas, se feitas habilidosamente, não deixarão de extrair, de alguma dessas partes, informações sobre esse ponto específico (ou outros), informações estas que as próprias partes podem nem estar cientes de que possuem. E, agora, vamos rastrear o barco rebocado pelo barqueiro na manhã da segunda-feira, no dia 23 de junho, e removido da sede da administração dos barcos sem o conhecimento do oficial responsável e sem o leme, em algum momento antes da descoberta do cadáver. Com o devido cuidado e perseverança, encontraremos o rastro desse barco, com certeza, pois não só o barqueiro que o rebocou poderá identificá-lo como também o leme está disponível. O leme de um barco à vela não teria sido abandonado, sem perguntas, por alguém com a consciência limpa. Agora, deixe-me fazer uma pausa para sugerir uma questão. A apreensão do referido barco não foi anunciada. Ele fora levado em silêncio para a sede da administração dos barcos, e removido sob o mesmo silêncio. Mas como seu proprietário, ou usuário, logo na manhã da terça-feira, ficou sabendo, sem ser através de um anúncio, da localização do barco apreendido na segunda, a menos que imaginemos alguma conexão com a marinha, alguma conexão permanente que o levasse a estar ciente dos detalhes de seus assuntos, suas notícias locais insignificantes?

Ao mencionar o assassino solitário arrastando seu fardo para a margem, já sugeri a probabilidade de o mesmo ter se valido de um barco. Agora concluímos que Marie Rogêt foi lançada de um barco. Este teria sido, naturalmente, o caso. O cadáver não pode ter sido arremessado das águas rasas da margem do rio. As marcas peculiares nas costas e nos ombros da vítima sugerem as madeiras do convés de um barco. O fato de que o corpo foi encontrado sem um peso amarrado também corrobora a ideia. Se houvesse sido empurrado da margem, um peso teria sido colocado. Só podemos explicar sua ausência se supusermos que o assassino deixou de tomar a precaução de arranjar um, antes de partir com o barco. Quando chegou a hora de jogar o corpo na água, sem dúvida reparou no lapso, mas, àquela altura, não teria mais nada a fazer. Qualquer risco seria preferível a voltar para a maldita margem do rio. Tendo se livrado de sua carga hedionda, o assassino deve ter corrido para chegar na cidade. Lá, em algum cais obscuro, teria saltado para a terra firme. Mas o barco... teria amarrado? Sua pressa deve ter sido grande demais para pensar em coisas como amarrar o barco. Ademais, ao prendê-lo no cais, deve ter sentido que produzia provas contra si mesmo. Seu pensamento natural teria sido afastar de si tudo o que o ligasse ao crime. Não só teria fugido do cais como também não teria permitido que o barco lá permanecesse. Com certeza, o teria lançado à deriva. Prossigamos imaginando. Pela manhã, o miserável é tomado pelo horror indizível de descobrir que o barco foi apreendido e detido em um local que ele costuma frequentar diariamente; em um local, talvez, que seus deveres o forçam a frequentar. Na manhã seguinte, sem ousar pedir o leme, remove-o. Agora, onde estará o barco sem leme? Que esta seja uma das primeiras coisas que devemos descobrir. Com a primeira pista que obtivermos sobre isso, a aurora de nosso sucesso se iniciará. Esse barco nos guiará, com uma rapidez que surpreenderá até mesmo a nós, àquele que o usou na meia-noite do domingo fatal. Surgirá corroboração atrás de corroboração, e o assassino será encontrado.

[Por motivos que não especificaremos, mas que parecerão óbvios para muitos leitores, tomamos a liberdade de omitir, do manuscrito que nos foi enviado, a parte que detalha a investigação da pista, aparentemente pequena, obtida por Dupin. Acreditamos que seja aconselhável apenas declarar, brevemente, que o resultado desejado ocorreu, e que o delegado cumpriu pontualmente, ainda que com relutância, os termos de seu acordo com o *chevalier*. O artigo do sr. Poe termina conforme segue. – Editores (*23)][4]

Será entendido que falo de coincidências, e nada mais. O que disse acima, sobre este tópico, deve ser suficiente. Em meu próprio coração, não

---

4 N. da T.: Este trecho é uma observação dos editores da revista em que o conto foi publicado pela primeira vez, em 1843.

habita qualquer fé no sobrenatural. O fato de que a natureza e seu Deus são dois, nenhuma pessoa que reflete negará. Que este último, tendo criado a primeira, pode controlá-la ou modificá-la, conforme queira, também é inquestionável. Digo "conforme queira", pois é uma questão de vontade, e não, como a insanidade da lógica presume, de poder. Não é uma questão de que a Deidade não possa modificar suas leis, e sim de que O insultamos, imaginando uma possível necessidade de sua modificação. Em sua origem, essas leis foram criadas para abarcar todas as contingências que possam existir no futuro. Para Deus, tudo é agora.

Repito, então, que falo dessas coisas apenas como coincidências. E digo mais: no que relato, será visto que, entre o destino da infeliz Mary Cecilia Rogers, até onde é sabido, e o destino de uma tal de Marie Rogêt, até uma certa época de sua história, existiu um paralelo que, ao contemplar sua maravilhosa exatidão, deixa a razão tirar envergonhada. Afirmo que tudo isso será visto. Mas não se deve supor, nem por um momento, que, ao prosseguir com a triste narrativa de Marie, desde a época acima mencionada, e ao seguir o rastro do mistério que a envolveu, até o desfecho do mesmo, minha intenção oculta é sugerir uma extensão do paralelo ou até mesmo sugerir que as medidas adotadas, em Paris, para descobrir o assassino da garota, ou as medidas fundadas em qualquer raciocínio semelhante produziriam algum resultado semelhante.

Pois, em relação à última parte da suposição, deve-se considerar que a menor variação nos fatos dos dois casos pode ensejar os mais importantes erros de cálculo, desviando completamente os dois cursos de eventos; muito parecido com, na aritmética, um erro que sozinho pode ser insignificante, mas que acaba por produzir um resultado completamente incorreto, por força de multiplicação em todas as etapas do processo. E, em relação à primeira parte, não podemos deixar de manter em mente que o próprio Cálculo de Probabilidades, ao qual aludi, proíbe qualquer ideia de extensão do paralelo: a proíbe com uma positividade forte e decidida, proporcional à duração e exatidão de tal paralelo. Esta é uma daquelas proposições anômalas que, aparentando apelar para um pensamento inteiramente separado do matemático, é de um tipo que apenas um matemático consegue cogitar. Por exemplo, nada é mais difícil do que convencer o leitor comum de que o fato de o número 6 ter saído duas vezes seguidas no dado é motivo suficiente para apostar a maior soma na hipótese de que o 6 não sairá uma terceira vez. Uma sugestão nesse sentido costuma ser imediatamente rejeitada pelo intelecto. Não parece que os dois lançamentos do dado, que acabaram de ser feitos e que agora pertencem completamente ao passado, podem influenciar o lançamento que só existe no futuro. A chance de sair um 6 parece ser exatamente como era, em qualquer momento comum; quer dizer, sujeita apenas à influência dos vários outros lançamentos de dados que podem ser feitos. E esta é uma reflexão que parece tão óbvia, que tentativas de contradizê-la são recebidas mais frequentemente com um sorriso irônico do que com qualquer coisa que se assemelhe à atenção respeitosa. O erro aqui envolvido, um erro crasso, evocativo de malícia, não posso tentar expor, dentro dos limites a mim atribuídos neste momento; e, para a mente filosófica, não precisa de explicação. É suficiente dizer, aqui, que faz parte de uma série infinita de erros que surgem no caminho da razão, por causa de sua propensão a buscar a verdade nos detalhes.

Notas – Marie Rogêt

(*1) Por ocasião da publicação original de "Marie Rogêt", as notas aqui contidas foram consideradas desnecessárias; mas o transcurso de diversos anos, desde a tragédia em que se baseia o conto, torna conveniente sua inclusão, e também de algumas palavras para explicar o propósito geral. Uma jovem, Mary Cecilia Rogers, foi assassinada nos arredores de Nova York; e, apesar de sua morte ter causado uma comoção intensa e duradoura, o mistério que a cerca continuava sem resposta, no momento em que este conto foi escrito e publicado (em novembro de 1842). Aqui, alegando relatar a história de uma *grisette* parisiense, o autor seguiu, em detalhes, os fatos essenciais do assassinato de Mary Rogers na vida real, e apenas traçou paralelos entre os não essenciais. Assim, todos os argumentos baseados na ficção aplicam-se à verdade, e uma investigação da verdade era o objetivo. O "Mistério de Marie Rogêt" foi escrito à distância da cena da atrocidade, e usando apenas os jornais como meios de investigação. Dessa forma, muita coisa escapou do escritor, que ele poderia ter usado se lá estivesse em pessoa e houvesse visitado os locais. Pode não ser inadequado registrar que as confissões de duas pessoas (uma das quais era a madame Deluc da narrativa), feitas em momentos diferentes, muito depois da publicação, confirmaram integralmente não só a conclusão geral como também absolutamente todos os principais detalhes hipotéticos através dos quais chegou-se a tal conclusão.

(*2) O pseudônimo de Von Hardenburg.

(*3) Rua Nassau.

(*4) Anderson.

(*5) O rio Hudson.

(*6) Weehawken.

(*7) Payne.

(*8) Crommelin.

(*9) O jornal *Mercury*, de Nova York.

(*10) O *Brother Jonathan*, de Nova York, editado pelo sr. H. Hastings Weld.

(*11) O jornal *Journal of Commerce*, de Nova York.

(*12) O jornal *Saturday Evening Post*, da Filadélfia, editado pelo sr. C.I. Peterson.

(*13) Adam.

(*14) Vide "Os Assassinatos na Rua Morgue".

(*15) O jornal *Commercial Advertiser*, de Nova York, editado pelo coronel Stone.

(*16) "Uma teoria baseada nas qualidades de um objeto impedirá que se desdobre de acordo com seus objetos; e aquele que arrume os tópicos com base em suas causas deixará de avaliá-los de acordo com seus resultados. Assim, a jurisprudência de todas as nações mostrará que, quando a lei torna-se uma ciência e um sistema, deixa de ser justiça. Os erros, aos quais a devoção cega aos princípios da classificação levou às leis comuns, podem ser vistos observando-se a frequência com a qual a legislatura foi obrigada a intervir para restaurar a equidade que seu esquema perdera."
– Landor.

(*17) O jornal *Express*, de Nova York.

(*18) O jornal *Herald*, de Nova York.

(*19) O jornal *Courier and Inquirer*, de Nova York.

(*20) Mennais foi um dos indivíduos originalmente suspeitos e presos, mas acabou sendo solto devido a uma total falta de provas.

(*21) O jornal *Courier and Inquirer*, de Nova York.

(*22) O jornal *Evening Post*, de Nova York.

(*23) Da revista em que o artigo foi originalmente publicado.

O EMBUSTE DO BALÃO

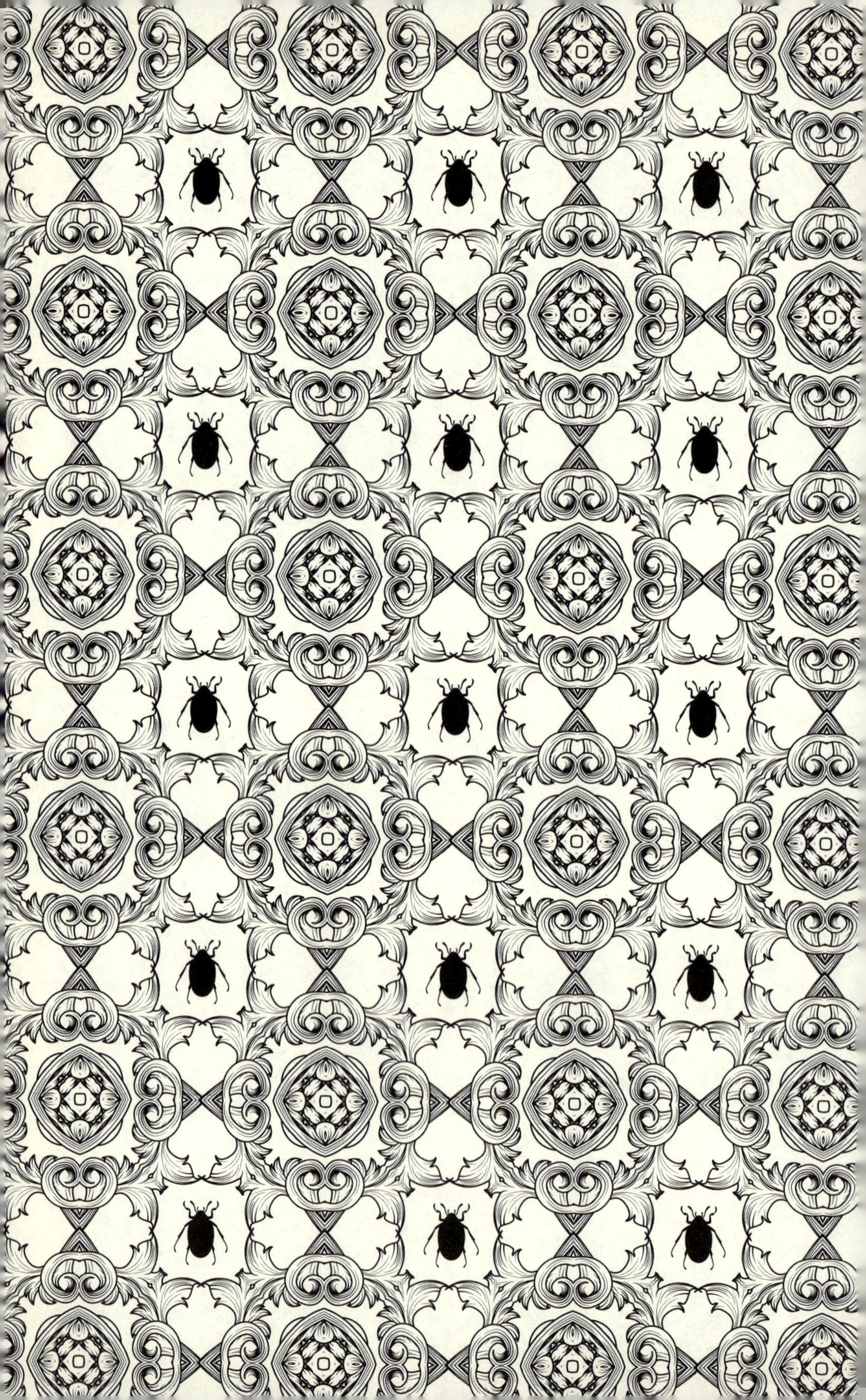

Notícia chocante telegrafada de Norfolk! Atlântico atravessado em três dias! Sinal de triunfo da Máquina Voadora do sr. Monck Mason! Chegada à Ilha Sullivan, perto de Charleston, Carolina do Sul, do sr. Mason, sr. Robert Holland, sr. Henson, sr. Harrison Ainsworth e quatro outros, no Balão Dirigível "Victoria", após uma travessia de 75 horas, de terra a terra! Todos os detalhes da viagem!

[O seguinte *jeu d'esprit*,[1] com o título acima, cheio de magníficas letras maiúsculas, entremeado por notas de admiração, foi originalmente publicado, na verdade, no jornal diário *New York Sun*, e lá serviu integralmente para criar um alimento indigestível para os *quidnuncs*,[2] durante as poucas horas entre uma entrega do correio de Charleston e a outra. A corrida para comprar "o único jornal que tinha a notícia" foi algo mais do que prodigiosa; e, com efeito, se (como alguns afirmam) o "Victoria" realmente *não fez* a viagem relatada, será difícil encontrar o motivo pelo qual *não a teria feito*.]

O grande problema foi finalmente resolvido! O ar, assim como a terra e os oceanos, foi subjugado pela ciência, e se tornará uma estrada comum e conveniente para a raça humana. O Atlântico foi cruzado em um balão! E sem dificuldades, tampouco, sem qualquer grande perigo aparente e com total controle da máquina, dentro do período inconcebivelmente curto de 75 horas, de costa a costa! Através dos esforços de um agente na cidade de Charleston, Carolina do Sul, conseguimos ser os primeiros a fornecer ao público um relato detalhado desta extraordinária viagem, que foi realizada entre sábado, dia 8, às 11 horas, e às 14 horas, da terça-feira, dia 9, por: Sir Everard Bringhurst; sr. Osborne, sobrinho de Lord Bentinck; sr. Monck Mason e sr. Robert Holland, os conhecidos aeronautas; sr. Harrison Ainsworth, autor de *Jack Sheppard*, entre outras obras; e sr. Henson, o projetista da última e malsucedida máquina voadora, junto com dois marinheiros de Woolwich. No total, oito pessoas. Os detalhes abaixo po-

---

1 N. da T.: Brincadeira; texto espirituoso.

2 N. da T.: Fofoqueiros.

dem ser considerados autênticos e precisos, sob todos os aspectos, pois, com ligeiras exceções, foram copiados verbatim dos diários conjuntos do sr. Monck Mason e do sr. Harrison Ainsworth, responsáveis, gentilmente, por cederem a nosso agente muitas informações orais sobre o balão em si, sua construção e outros assuntos de interesse. A única alteração ao manuscrito recebido foi para transformar o relato apressado de nosso agente, sr. Forsyth, em um texto coeso e inteligível.

"O BALÃO

Dois recentes insucessos retumbantes, do sr. Henson e de Sir George Cayley, enfraqueceram muito o interesse público pelo assunto da navegação aérea. O esquema do sr. Henson (que, de início, foi considerado bastante factível, até mesmo por cientistas) baseava-se no princípio de um plano inclinado, iniciando-se em uma eminência, por uma força extrínseca, aplicada e continuada pela revolução de pás colidentes, semelhantes, quanto a seu formato e número, às pás de um moinho. Porém, em todos os experimentos feitos com modelos, na Galeria Adelaide, descobriu-se que a operação dessas pás, além de não impulsionar a máquina, ainda impedia seu voo. A única força propulsora que demonstrou foi o mero ímpeto, adquirido com a descida pelo plano inclinado; e esse ímpeto carregara a máquina mais longe quando as pás estavam paradas do que quando estavam em movimento, fato que demonstra, com suficiência, sua inutilidade. E, na ausência da propulsão, que também era a força sustentadora, todo aparelho necessariamente caía. Essa consideração levou Sir George Cayley a pensar somente em adaptar uma pá a alguma máquina que tivesse, por si só, uma força independente de apoio; em resumo, a um balão. Contudo, a ideia era inédita, ou original, para Sir George apenas em relação ao modo de sua aplicação prática. Exibiu um modelo de sua invenção na Instituição Politécnica. O princípio propulsor, ou a força, também foi, nesse caso, aplicado a superfícies interrompidas, ou pás, postas em movimento giratório. Havia quatro pás, mas descobriu-se que eram absolutamente ineficazes para mover o balão ou auxiliar seu poder de ascensão. Todo o projeto foi, assim, um fracasso total.

Foi nesta conjuntura que o sr. Monck Mason (cuja viagem de Dover a Weilburg, no balão 'Nassau', causara tanta comoção em 1837) concebeu a ideia de empregar o princípio do parafuso de Arquimedes para fins de propulsão pelo ar, corretamente atribuindo o fracasso dos esquemas do sr. Henson e de Sir George Cayley à interrupção da superfície nas pás independentes. Conduziu seu primeiro experimento no Salão Willis, mas depois levou seu modelo para a Galeria Adelaide.

Assim como o balão de Sir George Cayley, o seu era um elipsoide. Seu comprimento era de 4,14 metros; sua altura, de 2 metros. Continha cerca de 9 metros cúbicos de gás, que, se fosse hidrogênio puro, suportaria 9,5 quilos, ao ser inflado pela primeira vez, antes que o gás tivesse tempo de deteriorar-se ou escapar. O peso da máquina inteira e dos aparatos era de 7,5 quilos, sobrando cerca de 2 quilos. Abaixo do centro do balão havia uma estrutura de madeira leve, medindo cerca de 3 metros de comprimento, presa ao balão em si por uma rede, da forma costumeira. Essa estrutura suspendia uma cesta de vime.

O parafuso consiste em um eixo feito de tubo de latão oco, com comprimento de 45 centímetros, através do qual, sobre uma semiespiral inclinada a 15 graus, passa uma série de raios de fios de aço, com 60 centímetros de comprimento, projetando, assim, 30 centímetros de cada lado. Esses raios são conectados às extremidades exteriores por duas faixas de arame achatado; o conjunto todo, assim, forma a estrutura do parafuso, que é completada por uma cobertura de seda oleada, com furos e esticada para apresentar uma superfície razoavelmente uniforme. Em cada ponta do eixo, esse parafuso é suportado por pilares de latão oco, que descem do aro. Nas pontas inferiores desses tubos, há buracos onde os pivôs do eixo giram. Do final do eixo mais próximo da cesta sai uma gaste de aço, que liga o parafuso ao pinhão de uma peça de mola presa à cesta. Operando tal mola, faz-se com que o parafuso gire com grande rapidez, transmitindo um movimento progressivo ao conjunto como um todo. Através do leme, a máquina é prontamente virada em qualquer direção. A mola tem uma grande força, em comparação com suas dimensões, sendo capaz de erguer

20,5 quilos em um barril de 10 centímetros de diâmetro, após a primeira volta, gradualmente aumentando conforme girava. Pesava, no total, 4 quilos. O leme era uma estrutura leve de ripas cobertas por seda, com um formato que se assemelhava a uma raquete, media cerca de 90 centímetros, e sua parte mais larga tinha 30. Seu peso era de aproximadamente 60 gramas. Podia ser colocado na horizontal, e dirigido para cima ou para baixo, assim como para a direita ou para a esquerda, permitindo, assim, que o aeronauta transferisse a resistência do ar que, em uma posição inclinada, obrigatoriamente gira ao passar para qualquer lado em que deseje agir, o que faz com que o balão seja virado para a direção oposta.

Este modelo (que, por falta de tempo, descrevemos de forma imperfeita) foi colocado em ação na Galeria Adelaide, onde alcançou uma velocidade de 8 quilômetros por hora, apesar de, estranhamente, ter atraído muito pouco interesse, em comparação com a anterior máquina complexa do sr. Henson, de tão decidido que está o mundo a desprezar qualquer coisa que carregue consigo um ar de simplicidade. Para atingir o grande objetivo da navegação aérea, supunha-se geralmente que algum aplicativo extremamente complicado deveria ser construído, com base em algum princípio dinâmico incomumente profundo.

Contudo, o sr. Mason ficou tão convencido do derradeiro sucesso de sua invenção, que decidiu construir imediatamente, se possível, um balão com capacidade suficiente para testar a questão, com uma viagem um tanto longa, e sua meta original era cruzar o Canal da Mancha, como antes, no balão Nassau. Para alcançar seu objetivo, solicitou e obteve o patrocínio de Sir Everard Bringhurst e do sr. Osborne, dois cavalheiros famosos por seus conhecimentos científicos, especialmente por seu interesse no progresso da aerostação.[3] O projeto, conforme exigido pelo sr. Osborne, foi mantido em absoluto segredo do público; as únicas pessoas que tinham conhecimento do projeto sendo as efetivamente dedicadas à construção da máquina, que foi construída (sob a superintendência do sr. Mason, do

---

3 N. da T.: Um dos ramos da aeronáutica que se refere ao transporte aéreo por meios mais leves do que o ar.

sr. Holland, de Sir Everard Bringhurst e do sr. Osborne) na propriedade deste último cavalheiro, perto de Penstruthal, no País de Gales. O sr. Henson, acompanhado por seu amigo, sr. Ainsworth, foi recebido para uma visita particular ao balão, no último sábado, quando os dois cavalheiros fizeram os arranjos finais para serem incluídos na aventura. Não fomos informados do motivo de os dois marinheiros também terem sido incluídos no grupo, mas, dentro de um ou dois dias, forneceremos aos nossos leitores todos os detalhes relativos a esta viagem espetacular.

O balão é composto de seda, coberta com borracha. Suas dimensões são vastas, contendo mais de 1.000 metros cúbicos de gás; mas, visto que o gás carbonífero foi utilizado no lugar do hidrogênio, mais caro e inconveniente, o poder de sustentação da máquina, quando inflada por completo e imediatamente após a inflação, não é mais do que 1.150 quilos. O gás carbonífero não só é muito mais barato como também facilmente obtido e administrado.

Para sua introdução ao uso comum, para fins de aerostação, estamos em dívida com o sr. Charles Green. Até sua descoberta, o processo da inflação não só era extremamente caro como também incerto. Dois dias, até mesmo três, costumam ser desperdiçados em tentativas inúteis de obter hidrogênio suficiente para encher um balão, do qual o gás tem a tendência de escapar, devido à sua extrema sutileza e afinidade com a atmosfera ao redor. Em um balão suficientemente perfeito para reter seu conteúdo de gás carbonífero inalterado, no que tange à quantidade, por 6 meses, uma quantidade igual de hidrogênio não poderia ser mantida, em igual pureza, por 6 semanas.

Visto que a força de sustentação é estimada em 1.100 quilos, e os pesos combinados do grupo totalizam apenas 540, houve uma sobra de 560, dos quais outros 540 foram tomados pelo lastro, arrumado em sacos de diferentes tamanhos, com seus respectivos pesos anotados neles; também por cordas, barômetros, telescópios, barris contendo provisões para duas semanas, garrafas de água, capas, mochilas e vários outros itens indispensáveis, incluindo um aparelho para esquentar café, inventado para fazê-lo com hidróxido de cálcio, para não ser necessário usar fogo, se fosse considerado prudente. Todos esses artigos, exceto o lastro, e alguns outros insignificantes, foram suspensos do aro na parte de cima. A cesta é muito menor e proporcionalmente mais leve do que a que fora presa ao modelo. É feita de um vime leve, e é maravilhosamente forte, para uma máquina de aparência tão frágil. Sua borda tem cerca de 1,20 metro de altura. O leme também é muito maior, proporcionalmente, do que o do modelo, e o parafuso consideravelmente menor. O balão também é equipado com um arpéu e uma corda-guia, esta última sendo absolutamente indispensável. Algumas palavras de explicação serão necessárias, a esta altura, para nossos leitores que não estejam familiarizados com os detalhes da aerostação.

Assim que o balão decola da terra, fica sujeito à influência de muitas circunstâncias, que tendem a criar uma diferença em seu peso, aumentando ou diminuindo seu poder de ascensão. Por exemplo, pode haver uma deposição de orvalho sobre a seda, que pode totalizar dezenas de quilos; uma parte do lastro precisa, então, ser jogada para fora, senão a máquina pode descer. Quando o lastro for descartado, e o calor do sol fizer com que o orvalho se evapore, ao mesmo tempo que expande o gás dentro da seda, o conjunto todo subirá de novo, rapidamente. Para controlar tal ascensão, o único recurso é (na verdade, *era*, até a invenção, pelo sr. Green, da corda-guia) permitir que o gás escape pela válvula; porém, com a perda do gás ocorre uma perda geral proporcional do poder de ascensão, de modo que, em um período comparativamente breve, até mesmo o melhor balão construído esgotará todos os seus recursos e voltará à terra. Este era o grande obstáculo a viagens longas.

A corda-guia remedia essa dificuldade, do modo mais simples possível. É apenas uma corda bastante longa, que deixa arrastar-se atrás da cesta, cujo efeito é impedir que o balão mude de nível, de qualquer forma relevante. Se, por exemplo, houver uma deposição de umidade sobre a seda, e a máquina começar a descer, por causa disso, não haverá necessidade de descartar lastro para remediar o aumento do peso, pois é corrigido, ou compensado, em uma proporção absolutamente precisa, depositando no solo exatamente a quantidade de corda que seja necessária. Se, por outro lado, quaisquer circunstâncias causarem uma leveza indevida, e a consequente subida, isso é imediatamente compensado pelo peso adicional da corda erguida do solo. Assim, o balão não pode subir nem descer, exceto dentro de limites muito estreitos, e seus recursos, seja o gás, seja o lastro, permanecem comparativamente intactos. Ao passar sobre um corpo de água, torna-se necessário usar pequenas barricas de cobre ou madeira, enchidas com um lastro líquido, de natureza mais leve do que a água. Esses flutuam e cumprem todos os propósitos da corda em terra. Outra tarefa assaz importante da corda-guia é apontar a *direção* do balão. A corda se arrasta, em terra ou na água, enquanto o balão está livre; este último, consequentemente, está sempre na frente, quando algum progresso estiver sendo feito: portanto, uma comparação com a bússola das posições relativas dos dois objetos sempre indicará o *curso*. Do mesmo modo, o ângulo formado pela corda com o eixo vertical da máquina indica a *velocidade*. Quando não há qualquer ângulo, quer dizer, quando a corda estiver pendurada perpendicularmente, o aparelho inteiro está parado; mas, quanto maior o ângulo, ou quanto mais à frente esteja o balão da ponta da corda, maior a velocidade, e vice-versa.

Como o objetivo original era cruzar o Canal da Mancha, e pousar tão perto de Paris quanto fosse possível, os viajantes tomaram a precaução de se preparar com passaportes para todas as partes do continente, especificando a natureza da expedição, como no caso da viagem com o Nassau, que isentava os aventureiros das costumeiras formalidades burocráticas: eventos inesperados, contudo, fizeram com que esses passaportes fossem inúteis.

Começaram a inflar o balão bem discretamente, ao raiar do dia, numa manhã de domingo, no dia 6 deste mês, no pátio de Wealvor House, a propriedade do sr. Osborne, que dista cerca de 1,5 quilômetro de Penstruthal, no norte do País de Gales; e, às 11h07, quando tudo já estava pronto para a partida, o balão foi solto e ergueu-se suave, porém constantemente, em uma direção quase ao sul. Durante a primeira meia hora, nem o parafuso nem o leme foram usados. Prosseguiremos, agora, com o diário, conforme transcrito pelo sr. Forsyth, manuscrito em conjunto pelos srs. Monck Mason e Ainsworth. O corpo do texto, conforme exibido, está na letra do sr. Mason, com uma observação ao final de cada dia, pelo sr. Ainsworth, que está preparando, e logo dará ao público, um relato mais detalhado, e sem dúvida eletrizante, da viagem."

"O DIÁRIO

Sábado, 6 de abril. Todo preparativo que tinha chances de atrapalhar-nos foi feito durante a noite, de modo que começamos a inflar o balão hoje de manhã, ao raiar do dia; porém, devido a uma névoa cerrada, que entravou as dobras da seda e fez com que ficassem impossíveis de manejar, não partimos antes das 11. Então, soltamos o balão, muito animados, e subimos suave e firmemente, com uma leve brisa vinda do norte, que nos levou na direção do Canal da Mancha. Vimos que a força de ascensão era maior do que esperávamos, e conforme subíamos e passávamos por cima das colinas, aproximando-nos dos raios do sol, nossa subida tornou-se bastante rápida. Não quis, contudo, perder gás logo no início da aventura, de modo que decidi continuar subindo, naquele momento. Logo ficamos sem corda-guia, mas mesmo após tê-la erguido da terra continuamos subindo com muita rapidez. O balão estava incomumente firme, e com uma aparência linda. Cerca de dez minutos após nossa partida, o barômetro indicava uma altitude de 4.500 metros. O clima estava notavelmente bom, e a visão dos campos vizinhos, muito românticos quando vistos de qualquer ponto, estava particularmente sublime. Os inúmeros desfiladeiros profundos pareciam lagos, por causa dos densos vapores que os cobriam, e os pináculos e os rochedos do sudeste, empilhados em uma confusão inextricável, pareciam-se exatamente com as cidades gigantes das fábulas orientais. Estávamos nos aproximando rapidamente das montanhas do sul, mas nossa elevação era mais do que suficiente para permitir que passássemos com segurança sobre elas. Dentro de mais alguns minutos, planamos por cima delas em grande estilo; e o sr. Ainsworth e os marinheiros ficaram surpresos com sua aparente falta de altitude, quando vistas do balão, por causa da tendência que uma grande elevação tem de reduzir as desigualdades das superfícies abaixo, transformando-as quase em um plano. Às 11h30, ainda prosseguindo na direção sul, vimos pela primeira vez o Canal de Bristol; e, dentro de mais 15 minutos, a fileira da rebentação do litoral apareceu imediatamente abaixo de nós, e já estávamos sobre o mar. Decidimos, então, soltar gás suficiente para colocar nossa corda-guia dentro da água, com as boias presas nela. Fizemos isso imediatamente e começamos uma descida gradativa. Cerca de 20 minutos depois, nossa primeira boia mergulhou, e com o toque da segunda, logo depois, permanecemos parados no que tange à elevação. Estávamos todos, então, ansiosos para testar a eficiência do leme e do parafuso, de modo que os colocamos em ação prontamente para alterar nossa direção mais para o leste, em linha reta para Paris. Usando o leme, efetuamos instantaneamente a necessária mudança de direção, e nosso curso foi estabelecido quase a um ângulo reto com o do vento; quando ativamos a mola do parafuso, ficamos exultantes ao ver que nos impulsionou prontamente, como desejáramos. Naquele momento, demos vivas de alegria, e jogamos ao mar uma garrafa, que continha um pedaço de pergaminho com um breve relato sobre o princípio da invenção. Entretanto, mal havíamos acabado de comemorar, quando um acidente imprevisível aconteceu, que desanimou-nos enormemente. A barra de aço que conectava a mola com a pá foi repentinamente tirada do lugar, na extremidade da cesta (pelo balanço da cesta devido ao movimento de um dos dois marinheiros que nos acompanhavam), e ficou fora do alcance dentro de um instante, pendurada no pivô do eixo do parafuso. Enquanto tentávamos recuperá-la, com nossa atenção absolutamente ocupada, fomos envoltos por uma forte corrente de vento vinda do leste, que levou-nos, com uma força que aumentava rapidamente, na direção do Atlântico. Logo vimos que estávamos viajando em direção ao mar aberto, a uma velocidade de, no mínimo, 80 ou 95 quilômetros por hora, de modo que chegamos à ilha de Cape Clear, que estava a mais ou menos 65 quilômetros ao norte de nossa posição, antes de termos prendido novamente a barra e conseguirmos pensar no que estava acontecendo. Foi naquele momento que o sr. Ainsworth fez uma proposta extraordinária, mas, em minha opinião, nem um pouco desarrazoada ou quimérica, com a qual o sr. Holland imediatamente concordou: propôs que aproveitássemos a forte rajada de vento que nos carregava e, em vez de voltar para Paris, tentássemos chegar ao litoral da América do Norte. Após uma ligeira reflexão, consenti de bom grado com a ousada proposta, que estranhamente foi alvo de objeções apenas dos dois marinheiros. Como éramos o grupo mais forte, contudo, prevalecemos sobre seus medos e nos mantivemos decididamente em curso. Direcionamos o balão para o oeste, mas, como o arrasto das boias atrapalhava significativamente nosso progresso, e tínhamos o balão completamente sob nosso comando, para subir ou descer, primeiro jogamos fora 20 quilos de lastro, e depois recolhemos (com um molinete) uma parte suficiente da corda para que ela pendesse por cima da superfície do mar. Sentimos o efeito dessas medidas imediatamente, na forma de uma velocidade de progresso muito maior; e, conforme o vento aumentava, voávamos com um progresso quase inconcebível, com a corda-guia voando atrás da cesta, como a bandeirola de um barco. Desnecessário dizer que precisamos de muito pouco tempo para perder de vista o litoral. Passamos sobre incontáveis embarcações, de todos os tipos, algumas das quais tentaram nos ultrapassar, mas sem sucesso. Causamos a maior comoção a bordo de todas, o que alegrou muito todos nós, especialmente nossos dois marinheiros, que, àquela altura sob a influência de umas doses de gim, pareciam decididos a deixar que o vento levasse todos os seus escrúpulos ou medos. Muitos barcos dispararam canhões; e, no geral, fomos saudados com muita celebração (que ouvimos com uma clareza surpreendente) e acenos de chapéus e lenços. Prosseguimos daquela maneira durante o dia inteiro, sem qualquer incidente relevante, e enquanto a noite caía ao nosso redor, fizemos uma estimativa aproximada da distância que percorrêramos. Não poderia ter sido menos de 800 quilômetros, provavelmente muito mais. A hélice era mantida em constante operação, e indubitavelmente auxiliou muito nosso progresso. Conforme o sol se punha, a ventania tornava-se um verdadeiro furacão, e o oceano abaixo de nós estava claramente visível por causa de sua fosforescência. O vento soprou do leste a noite inteira, e serviu como o melhor augúrio de sucesso. O sofrimento causado pelo frio não foi pouco, e a umidade da atmosfera estava extremamente desagradável, mas o amplo espaço na cesta permitiu que nos deitássemos e, com nossas capas e alguns cobertores, passamos suficientemente bem."

P.S. (do sr. Ainsworth): "Estas últimas nove horas foram, sem dúvida, as mais emocionantes de minha vida. Não consigo imaginar nada mais sublime do que o estranho perigo e a inovação de uma aventura como esta. Que Deus permita que sejamos bem-sucedidos! Peço por sucesso não só pelo bem de minha insignificante pessoa mas pelo bem do conhecimento humano, e pela vastidão do triunfo. Apesar disso, este feito é tão evidentemente possível, que a única pergunta é por que ninguém tentou antes. Se houver uma única ventania como a que agora nos acolhe, se um vendaval deste impulsionar um balão por quatro ou cinco dias (estes ventos frequentemente duram mais do que isso), o viajante será facilmente carregado, dentro deste período, de costa a costa. Com um vento destes, o largo Atlântico transforma-se em um mero lago. Estou mais atônito, agora, com o silêncio supremo que reina no mar abaixo de nós, apesar de sua agitação, do que com qualquer outro fenômeno que se apresenta. Das águas não emana nenhum barulho na direção dos céus. O imenso oceano se contorce e é torturado sem reclamar. As ondas gigantescas sugerem a ideia de inúmeros demônios mudos, debatendo-se em agonia impotente. Em uma noite como esta é para mim, o homem vive: vive um século inteiro de uma vida comum, e eu não trocaria este deleite arrebatador por todo um século de existência ordinária".

Domingo, dia 7 (manuscrito do sr. Mason). "Esta manhã, o vento, antes nível 10, diminuíra para 8 ou 9, em termos de nós (para uma embarcação no mar), e nos carrega, talvez, a uns 50 quilômetros por hora, ou mais. Entretanto, desviou consideravelmente para o norte, e agora, ao pôr do sol, estamos mantendo o curso para o oeste, principalmente através do parafuso e do leme, que cumprem admiravelmente seu propósito. Minha opinião é que este projeto foi absolutamente bem-sucedido, e que a fácil navegação pelo ar, em qualquer direção (não exatamente no meio de uma ventania), não é mais problemática. Não poderíamos ter enfrentado o forte vento de ontem, mas, subindo, poderíamos ter saído de sua influência, se necessário. Estou convencido de que, contra uma brisa forte, poderíamos fazer progresso com a hélice. Ao meio-dia de hoje, subimos a quase 7.700 metros, descartando lastro. Fizemos isso para buscar uma corrente mais direta, mas não encontramos nenhuma tão favorável quanto a que agora estamos. Temos uma abundância de gás para levar conosco para o outro lado desta lagoinha, ainda que a viagem dure três semanas. Não tenho o menor receio quanto ao resultado. A dificuldade foi estranhamente exagerada e mal compreendida. Consigo escolher minha corrente e, ainda que veja que *todas* as correntes estão contra mim, posso fazer um progresso bastante aceitável com a hélice. Não houve qualquer incidente digno de registro. A noite promete ser límpida."

P.S. (do sr. Ainsworth): "Tenho pouco a registrar, exceto o fato (que, para mim, é bastante surpreendente) de que, a uma elevação igual à de Cotopaxi, não passei por um frio intenso demais, não tive dores de cabeça, nem dificuldades para respirar; descobri que tampouco tiveram o sr. Mason, o sr. Holland ou Sir Everard. O sr. Osborne reclamou de uma constrição no peito, mas logo passou. Voamos a uma grande velocidade, durante o dia, e já devemos ter percorrido mais da metade do caminho sobre o Atlântico. Passamos sobre umas 20 ou 30 embarcações de diversos tipos, e todas parecem maravilhosamente atônitas. Cruzar o oceano em um balão não é um feito tão difícil, no final das contas. *Omne ignotum pro magnifico.*[4] Obs.: A uma elevação de 7.700 metros, o céu parece quase preto, e as estrelas são claramente visíveis, enquanto o mar não parece convexo (como poderia ser suposto), e sim absoluta e inequivocamente *côncavo*". (*1)

Segunda-feira, dia 8 (manuscrito do sr. Mason). "Esta manhã, tivemos novamente alguns probleminhas com a barra da hélice, que precisa ser inteiramente remodelada, por medo de algum acidente sério. Refiro-me à barra de aço, e não às pás; estas não têm o que melhorar. O vento tem

---

4 N. da T.: "Tudo o que é desconhecido é considerado magnífico".

soprado constante e fortemente do nordeste o dia todo, e até agora a sorte parece decidida a nos favorecer. Logo antes do nascer do sol, ficamos todos um tanto quanto alarmados por alguns barulhos e pancadas no balão, acompanhados pela aparente subsidência rápida da máquina inteira. Estes fenômenos foram causados pela rápida expansão do gás, devido ao aumento do calor na atmosfera e a consequente perturbação das pequenas partículas de gelo que cobriram a rede durante a noite. Jogamos várias garrafas para as embarcações abaixo. Vi uma delas ser recolhida por um grande navio, parece que é um dos transatlânticos de Nova York. Tentei ler seu nome, mas não consegui ter certeza. O telescópio do sr. Osborne discerniu algo como 'Atalanta'. Agora já é meia-noite, e continuamos mais ou menos na direção oeste, a um ritmo rápido. O mar está peculiarmente fosforescente."

P.S. (do sr. Ainsworth): "Já são 2 horas da manhã, e tudo está quase calmo, até onde posso ver; mas é muito difícil determinar esta questão, visto que nos movemos completamente *junto* com o ar. Não durmo desde que saímos de Wealvor, mas não aguento mais, e preciso tirar uma soneca. Não podemos estar longe do litoral americano".

Terça-feira, dia 9 (manuscrito do sr. Mason). "Uma da tarde. O litoral da Carolina do Sul está plenamente visível. O grande problema foi resolvido. Cruzamos o Atlântico, tranquila e facilmente, e o fizemos em um balão! Deus seja louvado! Quem dirá que algo é impossível, depois disso?"

É neste ponto que o diário termina. Alguns detalhes da descida foram informados, contudo, pelo sr. Ainsworth ao sr. Forsyth. O mar estava quase que completamente calmo, quando os viajantes primeiro enxergaram o litoral, que foi imediatamente reconhecido por ambos os marinheiros e pelo sr. Osborne. Como este último tem conhecidos em Fort Moultrie, decidiram imediatamente descer em seus arredores. Pousaram o balão na praia (a maré estava baixa e a areia dura, reta e admiravelmente adaptada para uma aterrissagem) e baixaram o arpéu, que prendeu-se firmemente e de imediato. Os habitantes da ilha e do forte apareceram em bando, é claro, para ver o balão; mas foi com a maior dificuldade que qualquer um deles foi convencido a acreditar na viagem que fora feita: a travessia do Atlântico. O arpéu foi baixado precisamente às 2 horas da tarde; assim, a viagem toda foi concluída em 75 horas, ou menos, na verdade, contando de costa a costa. Nenhum acidente sério ocorreu. Nenhum perigo real foi percebido, em momento algum. O balão foi esvaziado e guardado sem problemas; e, quando o manuscrito que serviu de base para a compilação desta narrativa foi enviado de Charleston, o grupo ainda estava em Fort Moultrie. Sua próxima intenção não é conhecida, mas podemos seguramente prometer aos nossos leitores informações adicionais, na segunda-feira ou durante o dia seguinte, no máximo.

Esta é indubitavelmente a empreitada mais estupenda, mais interessante e mais importante já realizada, ou até mesmo tentada, pelo homem. Seria inútil tentar determinar, agora, que eventos magníficos podem se seguir.

(*1) Nota: O sr. Ainsworth não tentou explicar este fenômeno, que é, contudo, facilmente elucidado. Se uma linha fosse baixada de uma elevação de 7.700 metros, perpendicularmente à superfície da Terra (ou do mar), ela formaria o lado perpendicular de um triângulo reto, cuja base se estenderia do ângulo reto ao horizonte, e a hipotenusa do horizonte para o balão. Mas a altitude de 7.700 metros é pouco ou nada, em comparação com a extensão do horizonte. Em outras palavras, a base e a hipotenusa do suposto triângulo seriam tão longas, em comparação com o lado perpendicular, que as duas primeiras seriam quase paralelas. Desse modo, o horizonte do aeronauta pareceria *nivelado* com a cesta. Mas, como o ponto imediatamente abaixo dele parece estar, e está, a uma grande distância abaixo dele, ele parece também, é claro, estar a uma grande distância abaixo do horizonte. Por isso a impressão de *concavidade*; e tal impressão continua até que a elevação tenha uma proporção tão grande em relação à extensão do horizonte, que o aparente paralelismo da base e da hipotenusa desapareça, quando a verdadeira convexidade da Terra torna-se clara.

Mensagem encontrada em uma garrafa

> *Qui n'a plus qu'un moment a vivre*
> *N'a plus rien a dissimuler* [1]
> Quinault, *Atys*

Sobre meu país e minha família, tenho pouco a dizer. Maus-tratos e a passagem dos anos fizeram com que eu partisse de um, e me afastasse da outra. Uma rica herança permitiu que eu tivesse uma educação acima do comum, e uma propensão para a reflexão possibilitou que eu metodizasse o conteúdo que os estudos de meus primeiros anos haviam diligentemente acumulado. Acima de todas as coisas, o estudo dos moralistas alemães dava-me grande prazer; não por causa de alguma admiração desaconselhável de sua loucura eloquente, e sim pela facilidade com a qual meus hábitos de rígida análise permitiam que eu detectasse suas falsidades. Costumo ser repreendido pela aridez de minha personalidade; uma deficiência de imaginação já me foi atribuída como um crime; e sempre fui conhecido pelo pirronismo de minhas opiniões. Realmente, receio que uma forte predileção pela filosofia física tenha afetado minha mente com um erro muito comum desta época; refiro-me ao hábito de submeter eventos, até mesmo os menos suscetíveis a tal submissão, aos princípios da referida ciência. Em geral, ninguém poderia ser menos propenso do que eu a se deixar levar para longe dos severos limites da verdade, pelo fogo-fátuo da superstição. Considerei adequado estabelecer estas premissas para que o conto inacreditável que tenho a relatar não seja considerado um devaneio de uma imaginação tosca, em vez da experiência positiva de uma mente para a qual as fantasias são vazias e nulas.

Após passar muitos anos viajando pelo exterior, zarpei no ano de 18-- do porto de Batávia, na rica e populosa ilha de Java, em uma viagem para o arquipélago de Sonda. Fui como passageiro, induzido apenas por um tipo de inquietude nervosa, que me persegue como uma assombração.

Nossa embarcação era um lindo navio, de mais ou menos 400 toneladas, fixado com cobre e construído em Bombaim, com madeira de teca da cos-

---

1 N. da T.: "Quem tem apenas um momento a viver nada tem a esconder".

ta do Malabar. Carregava algodão e óleo, das ilhas Laquedivas. Também levávamos a bordo fibra de coco, açúcar jagra, manteiga ghee, cocos e algumas caixas de ópio. O armazenamento fora feito de forma desajeitada, o que fazia com que a embarcação se inclinasse.

Partimos com uma brisa bem fraca, e passamos muitos dias ao longo da costa leste de Java, sem nenhum incidente para quebrar a monotonia de nossa viagem, exceto um encontro ocasional com alguns dos pequenos barcos vindos do arquipélago para onde nos dirigíamos.

Uma manhã, debruçado sobre a amurada, reparei em uma nuvem muito singular e isolada, na direção noroeste. Era notável por sua cor, assim como por ser a primeira que víamos desde nossa partida de Batávia. Observei-a com atenção até o sol se pôr, quando espalhou-se de repente para o leste e para o oeste, envolvendo o horizonte com uma faixa estreita de vapor, e assemelhando-se a uma longa linha de praia. Minha atenção foi logo atraída pela aparência avermelhada da Lua e pelo caráter peculiar do mar. Este último passava por uma mudança rápida, e a água parecia mais transparente do que de costume. Apesar de conseguir enxergar claramente o fundo, usei o prumo e descobri que o navio estava a 15 braças.[2] O ar tornou-se, então, intoleravelmente quente e carregado com exalações espirais semelhantes àquelas que solta um ferro quente. Conforme a noite caía, o vento sumiu por completo, e é impossível conceber uma calmaria mais absoluta. A chama de uma vela ardia na popa, sem o menor movimento perceptível, e um longo fio de cabelo, segurado entre o indicador e o polegar, pendia sem possibilidade de se detectar uma vibração. Contudo, visto que o capitão disse que não via sinal de perigo, e como estávamos flutuando na direção do litoral, ordenou que baixassem as velas e soltassem a âncora. Ninguém ficou de vigília e a tripulação, formada principalmente por malaios, deitou-se deliberadamente sobre o convés. Desci, e não sem um pressentimento de algo ruim. Na verdade, tudo me dava motivos para recear um vendaval. Contei meus receios ao capitão, mas ele não prestou

---

2 N. da T.: Unidade de medida antiga, comumente usada no meio náutico; 3 mil braças equivaliam a 1 légua.

atenção no que disse, e saiu sem nem mesmo responder. Entretanto, minha inquietude impediu-me de dormir e, por volta da meia-noite, subi para o convés. Ao pisar no degrau superior da escadinha, fui surpreendido por um barulho alto e murmurante, como o que causam as rápidas voltas de uma roda de moinho; antes que pudesse entender seu significado, senti que o navio tremia bem no centro. No instante seguinte, uma montanha de espuma empurrou-nos de lado e, avançando subitamente da proa à popa, varreu o convés inteiro, de uma ponta a outra.

A extrema fúria do golpe acabou sendo, em grande parte, a salvação do navio. Apesar de completamente cheio de água, devido ao fato de que seus mastros haviam ficado na horizontal, o navio ergueu-se pesadamente do mar, depois de um minuto, balançando um pouco sob a imensa pressão da tempestade, e finalmente endireitou-se.

Que milagre me fez escapar da morte é impossível dizer. Atordoado pelo choque da água, percebi, ao recuperar-me, que estava preso entre o mastro da popa e o leme. Com muita dificuldade, pus-me de pé e, olhando zonzo ao meu redor, fiquei chocado, de início, com a ideia de estarmos em meio à rebentação, de tão inimaginavelmente terrível que fora o redemoinho de oceano gigantesco e espumante que nos engolira. Após algum tempo, ouvi a voz de um velho sueco, que embarcara enquanto saíamos do porto. Gritei para ele com todas as minhas forças, e ele logo apareceu, cambaleante. Logo descobrimos que éramos os únicos sobreviventes do acidente. Todos os que estavam no convés, exceto nós dois, haviam sido arrastados para fora do barco; o capitão e os imediatos devem ter perecido enquanto dormiam, pois as cabines estavam inundadas. Sem ajuda, não poderíamos fazer muita coisa pela segurança do navio, e nossos esforços foram, de início, paralisados pela expectativa momentânea de um naufrágio. Nosso cabo havia, é claro, se partido como um fio, logo que a tempestade chegara, senão teríamos sido instantaneamente sobrepujados. Deslizávamos com uma velocidade assustadora pelo mar, e a água arrebentava sobre nossa cabeça. A estrutura de nossa popa havia sido completamente destruída e, sob quase todos os aspectos, sofrêramos danos consideráveis. Porém, para nossa extrema alegria, vimos que as bombas não estavam engasgadas, e que nosso lastro não se movimentara demais. A fúria principal do golpe já passara, e víamos poucos perigos na violência dos ventos, mas aguardávamos sem esperanças que cessasse por completo, acreditando que, em nossa condição destruída, inevitavelmente pereceríamos na tremenda onda que seria criada. Mas não parecia que esta preocupação, bastante compreensível, fosse se concretizar em breve. Durante cinco dias e noites, em que nosso único sustento foi uma pequena quantidade de jagra, obtida com dificuldade do castelo de proa, a embarcação voou a uma velocidade que desafiava qualquer cálculo, à frente de rajadas de vento sucessivas, que, apesar de não se igualarem ao primeiro arroubo da tormenta, ainda eram mais assustadoras do que qualquer tempestade que eu já encontrara. Nosso curso foi, durante os primeiros quatro dias, com poucas variações, sudeste e sul; e devemos ter descido o litoral da Nova Holanda.[3] No quinto dia, o frio piorou muito, apesar de o vento ter mudado mais para o norte. O sol apareceu, com um brilho amarelo-pálido, e subiu uns poucos graus acima do horizonte, sem emitir uma luz muito decisiva. Não havia nenhuma nuvem aparente, mas o vento aumentava, e soprava com uma fúria espasmódica e instável. Por volta do meio-dia, pelo que calculávamos, nossa atenção foi novamente chamada pela aparição do sol. Não emitia nenhuma luz, por assim dizer, mas um brilho opaco e taciturno, sem reflexo, como se todos os seus raios estivessem polarizados. Logo antes de afundar no mar túrgido, seu fogo central sumiu de repente, como se houvesse sido extinto às pressas por alguma força inexplicável. Transformara-se em um aro opaco, como que feito de prata, descendo solitário na direção do oceano insondável.

Esperamos em vão pela chegada do sexto dia: aquele dia não chegou para mim; para o sueco, não chegou nunca. Daquele momento em diante, ficamos envoltos por uma escuridão desigual, de modo que não conseguíamos ver nem um objeto que estivesse a 20 passos do navio. A noite eterna continuou a nos abarcar, sem o alívio do brilho fosforescente do

---

3 N. da T.: Antigo nome europeu para a Austrália.

mar, com o qual nos acostumáramos nos trópicos. Observamos também que, apesar de a tempestade continuar a rugir, com uma violência que não diminuíra, não se via mais nenhuma onda ou espuma, que até então nos acompanhara. Ao nosso redor só havia horror, uma escuridão pesada, um deserto sufocante de ébano. Um terror supersticioso começou a tomar conta, sub-repticiamente, do espírito do velho sueco, e minha própria alma estava envolta em um assombro silencioso. Deixamos de cuidar do navio, por ser mais do que inútil, e amarrando-nos o melhor que podíamos ao toco do mastro de popa, observamos amargamente o mundo de oceano. Não tínhamos como calcular o tempo, e tampouco podíamos adivinhar nossa localização. Entretanto, estávamos bastante cientes de que havíamos chegado mais ao sul do que qualquer navegador anterior, e estávamos atônitos por não termos encontrado os costumeiros obstáculos de gelo. Enquanto isso, cada minuto ameaçava ser nosso último; cada lufada de vento corria para nos sobrepujar. As ondas superavam qualquer coisa que eu imaginara ser possível, e o fato de que não fomos engolidos imediatamente é um milagre. Meu companheiro mencionou a leveza de nossa carga, e lembrou-me das excelentes qualidades de nosso navio; mas eu não pude deixar de sentir a absoluta desesperança da própria esperança, e preparei-me melancolicamente para a morte que acreditava que chegaria dentro de uma hora, enquanto os vagalhões dos mares estupendos e escuros tornavam-se mais sombrios e aterrorizantes, com cada nó que o navio percorria. Às vezes, respirávamos com dificuldade, em elevações acima do voo do albatroz; às vezes, ficávamos zonzos com a velocidade de nossa descida a algum inferno molhado, onde o ar ficava estagnado e nenhum som interrompia o sono do kraken.

Estávamos no fundo de um desses abismos, quando um grito curto de meu companheiro cindiu a noite.

– Veja! Veja! – exclamou ele, gritando em meu ouvido. – Deus do céu! Veja! Veja!

Enquanto ele falava, reparei em um brilho tênue e soturno de luz azul, que derramava-se pelas laterais do vasto fosso onde estávamos, e lançava um fulgor irregular sobre nosso convés. Lançando um olhar para cima, testemunhei um espetáculo que congelou meu sangue. A uma altura imensa, diretamente acima de nós, e bem na beirada da descida brusca, pairava um navio gigantesco de umas cerca de 40 mil toneladas. Apesar de encarapitado na crista de uma onda cuja altitude era 100 vezes maior que a dele, seu tamanho aparente superava o de qualquer transatlântico ou navio oriental existente. Seu casco enorme era de um preto profundo e denso, que não era aliviado pelas palavras costumeiras escritas nas laterais dos navios. Uma única fileira de canhões de latão projetava-se de suas escotilhas abertas, e suas superfícies polidas refletiam as chamas de inúmeras lamparinas de batalha, que balançavam de um lado para o outro, ao redor de seus cordames. Mas o que mais despertou nosso horror e assombro foi o fato de que estava com todas as suas velas abertas, nas presas daquele mar sobrenatural e daquela tormenta incontrolável. Quando o vimos pela primeira vez, só enxergáramos sua proa, enquanto erguia-se lentamente daquele golfo difuso e horrível debaixo de si. Por um momento de intenso terror, o navio pausara sobre o pináculo vertiginoso, como se contemplasse sua própria sublimidade, depois estremeceu, vacilou e... caiu.

Naquele instante, não sei que confiança tomou conta de mim. Cambaleando o quanto pude na direção da popa, aguardei destemidamente a ruína que estava prestes a abater-se sobre nós. Nosso próprio navio estava finalmente parando de lutar e afundando de cabeça no mar. O baque da massa descendente atingiu-a, consequentemente, na parte de sua estrutura, que já estava sob as águas, e o resultado inevitável seria lançar-me, com uma força irresistível, sobre o cordame do navio desconhecido.

Enquanto eu caía, o navio estava girando, e atribuo a essa confusão o fato de ter passado despercebido pela tripulação. Com pouca dificuldade, andei sem ser notado até a escotilha principal, que estava parcialmente aberta, e logo encontrei uma oportunidade de esconder-me no compartimento de carga. Por que o fiz, mal sei dizer. Uma sensação indefinida de assombro, que tomara conta de minha mente logo que vi os navegadores da embarcação, talvez tenha sido o motivo de minha ocultação. Não estava disposto a confiar minha pessoa a um tipo de gente que despertara, com a olhada rápida que eu lançara, tantas sensações de vago estranhamento, dúvida e apreensão. Portanto, achei melhor encontrar um esconderijo no compartimento de carga. Fiz isso removendo uma pequena parte das tábuas do convés, criando um conveniente recanto entre as enormes madeiras do navio.

Mal acabara de concluir meu trabalho quando passos no compartimento forçaram-me a usar o esconderijo. Um homem passou por mim, com passos débeis e instáveis. Não consegui ver seu rosto, mas tive a oportunidade de observar sua aparência geral. Dava mostras de idade avançada e enfermidade. Seus joelhos dobravam-se sob o peso de muitos anos, e toda a sua estrutura tremia sob o fardo. Murmurava para si mesmo, com uma voz que falhava, algumas palavras de um idioma que não compreendi, e remexeu em um canto, em uma pilha de instrumentos de aparência singular e mapas podres de navegação. Sua postura era uma mistura estranha da impertinência de uma segunda infância e a dignidade solene de um deus. Finalmente, subiu para o convés e não o vi mais.

*****

Um sentimento, para o qual não tenho nome, tomou posse de minha alma: uma sensação que não permite qualquer análise, para a qual as lições de tempos antigos são inadequadas, e para que receio que o futuro não esclarecerá. Para uma mente com a constituição da minha, esta última reflexão é insuportável. Nunca estarei satisfeito com a natureza de minhas conclusões, sei que não. Ainda assim, não é surpresa o fato de que essas concepções são indefinidas, visto que advêm de fontes tão absolutamente inusitadas. Um novo sentido; uma nova entidade é acrescentada à minha alma.

*****

Faz tempo desde que pisei pela primeira vez no convés deste terrível navio, e creio que meu destino esteja tornando-se mais discernível. Homens incompreensíveis! Absortos por meditações que não consigo adivinhar, passam por mim sem me notar. Esconder-me é uma tolice absoluta, de minha parte, pois as pessoas não me veem. Agora mesmo passei diretamente na frente do imediato; e, há pouco, ousei entrar na cabine particular do capitão, e de lá peguei os materiais com os quais escrevo e escrevi. Continuarei este diário, de vez em quando. É verdade que posso não ter a oportunidade de transmiti-lo para o mundo, mas não deixarei de tentar. No último minuto, colocarei o manuscrito em uma garrafa, e o jogarei no mar.

*****

Um incidente ocorreu, que me deu um novo assunto sobre o qual refletir. Será que estas coisas são controladas pelo destino sem controle? Fui até o convés e joguei-me no chão, sem atrair a atenção de ninguém, em meio a uma pilha de escadas feitas de corda e velas gastas, no fundo do iole. Enquanto matutava sobre a singularidade de meu destino, borrei sem querer, com um pincel de alcatrão, o canto de uma vela reserva corretamente dobrada, que jazia ao meu lado, em um barril. A vela reserva agora está amarrada sobre o navio, e o impensado borrão do pincel está espalhado sobre a palavra DISCOVERY.

Fiz muitas observações, ultimamente, sobre a estrutura do navio. Apesar de bem armado, não creio que seja um navio de guerra. Seu cordame, sua construção e seus equipamentos gerais contradizem uma suposição desse tipo. O que ele não é, consigo perceber facilmente; mas o que é receio que seja impossível dizer. Não sei como, mas ao examinar seu estranho modelo e seu conjunto inusitado de mastros, seu enorme tamanho e velas exageradamente grandes, sua proa severamente simples e popa antiquada, uma sensação de familiaridade lampeja por minha mente, sempre misturada com sombras indistintas de lembranças, memórias inexplicáveis de antigas crônicas estrangeiras, e épocas que há muito se passaram.

*****

Tenho analisado as tábuas do navio. É feito de um material que me é estranho. Há uma natureza peculiar sobre a madeira, que parece-me inadequada para os fins para os quais está sendo usada. Refiro-me à sua extrema porosidade, independentemente da condição corroída que é a consequência de navegar nestes mares, e além da podridão ensejada pela idade. Pode parecer uma observação um tanto quanto curiosa demais, mas essa madeira tem todas as características do carvalho espanhol, se este fosse distendido por meios antinaturais.

Ao ler a frase acima, lembrei-me repentinamente de um curioso apotegma de um velho navegador holandês, castigado pelo tempo: "É tão certo", costumava dizer, quando alguém duvidava de sua veracidade, "tão certo quanto a existência de um mar onde o próprio navio vai crescer de tamanho, como o corpo vivo do marinheiro".

*****

Há mais ou menos uma hora, criei coragem para entrar no meio de um grupo de tripulantes. Não prestaram a menor atenção em mim e, apesar de eu estar parado de pé em seu meio, pareciam completamente inconscientes de minha presença. Como o que primeiro vi no compartimento de carga, todos carregavam sinais de uma venerável velhice. Seus joelhos tremiam de fraqueza; seus ombros estavam dobrados pela decrepitude; a sua pele enrugada chacoalhava ao vento; a sua voz era baixa, trêmula e falha; seus olhos brilhavam com a reuma dos anos; e seus cabelos brancos balançavam terrivelmente na tempestade. Ao seu redor, em todos os lados do convés, estavam espalhados instrumentos matemáticos dos mais singulares e obsoletos.

*****

Mencionei, há algum tempo, que a vela reserva fora amarrada. Desde então, o navio, impulsionado pelo vento, continuou seu curso aterrorizante rumo ao sul, com todas as suas velas abertas acima de si, desde os garlindéus até as velas inferiores, o tempo todo com seus mastaréus e suas vergas expostos ao mais aterrorizante inferno marítimo que a mente de um homem pode conceber. Acabei de sair do convés, onde achei impossível parar de pé, apesar de a tripulação parecer enfrentar poucas inconveniências. Parece-me o mais estupendo milagre o fato de nosso enorme volume não ser imediata e eternamente engolido. Decerto que estamos condenados a pairar continuamente no limiar da eternidade, sem dar o salto final para dentro do abismo. Deslizamos para longe de ventanias mil vezes mais assustadoras do que qualquer outra que eu já tenha visto, com a facilidade de uma gaivota; e as águas colossais erguem-se sobre nós, como demônios das profundezas, mas como demônios que limitam-se a fazer ameaças, proibidos de destruir-nos. Sou levado a atribuir estas frequentes salvações à única causa natural que pode explicar este efeito. Devo supor que o navio está sob a influência de alguma forte corrente ou impetuosa contracorrente.

*****

Fiquei cara a cara com o capitão, em sua própria cabine; mas, como esperava, não prestou a menor atenção em mim. Apesar de sua aparência não exibir, para um observador casual, nada que o revele como algo mais ou menos do que um homem, sensações de reverência irrepreensível e assombro misturaram-se com a sensação de espanto com a qual encarei-o. É quase da minha altura, ou seja, cerca de 1,75 metro. Sua constituição é boa e compacta, nem robusta, nem excessivamente na outra direção. Mas é a singularidade da expressão que reina em seu rosto; a intensa, maravilhosa e emocionante evidência de idade avançada, tão completa, tão extrema, que desperta dentro de um uma sensação... um sentimento inefável. Sua testa, ainda que um pouco enrugada, parece carregar a marca de inúmeros anos. Seus cabelos grisalhos são registros do passado, e seus olhos acinzentados são profetas do futuro. O chão de sua cabine estava coberto por fólios estranhos e com capas de ferro, assim como instrumentos científicos apodrecidos e mapas obsoletos e há muito esquecidos. Sua cabeça estava inclinada sobre as mãos, e ele examinava, com um olhar coruscante e inquieto, um papel que imaginei ser uma comissão, e que, em todo caso, tinha a assinatura de um monarca. Murmurava para si mesmo, como o primeiro marinheiro que vi no compartimento de carga, algumas sílabas baixas e rabugentas em um idioma estrangeiro, e, apesar de estar logo ao meu lado, sua voz parecia chegar aos meus ouvidos de quilômetros de distância.

*****

O navio e tudo dentro de si estão imbuídos pelo espírito da antiguidade. A tripulação desliza por todos os cantos, como fantasmas de séculos enterrados; seu olhar tem um significado ávido e inquieto; e, quando seus dedos cruzam meu caminho, sob o brilho estranho das lamparinas, sinto algo que nunca senti antes, apesar de ter sido, a vida inteira, um negociante de objetos antigos, e absorvi as sombras das colunas caídas de Baalbek, Tadmor e Persépolis, até que minha própria alma tornou-se uma ruína.

*****

Quando olho ao meu redor, sinto-me envergonhado de minhas preocupações anteriores. Se tremi perante o golpe que sofremos anteriormente, não deveria ficar aterrado com uma guerra entre vento e oceano, para dar uma ideia para a qual as palavras "tornado" e "tempestade" são triviais e ineficazes? Tudo ao redor do navio é escuridão da noite eterna, e um caos de água sem espuma; porém, a cerca de 1 légua de cada lado, pode-se ver, indistintamente e a intervalos, muralhas estupendas de gelo, assomando-se até sumir de vista, no céu desolado, parecendo as paredes do Universo.

*****

Como imaginei, o navio está sobre uma corrente, se é que tal nome possa ser adequadamente atribuído a uma maré que, uivando e gritando ao redor do gelo, corre estrondosamente para o sul, com a velocidade de uma catarata.

*****

Conceber o horror de minhas sensações é, presumo, absolutamente impossível; ainda assim, um desejo de penetrar nos mistérios destas terríveis regiões vence até mesmo meu desespero, e faz com que eu aceite até mesmo o aspecto mais horroroso da morte. É evidente que estamos correndo na direção de alguma descoberta emocionante; algum segredo absoluto, cuja conquista significa destruição! Talvez esta corrente nos leve até o próprio Polo Sul. Devo confessar que uma suposição aparentemente tão tresloucada tem toda probabilidade a seu favor.

*****

A tripulação anda pelo convés com passos inquietos e trêmulos, mas seu semblante exibe mais a ansiedade da esperança do que a apatia do desespero. Enquanto isso, o vento ainda bate em nossa popa e, como carregamos inúmeras velas, o navio ocasionalmente é levantado das águas. Ah, horror dos horrores! O gelo abre-se repentinamente à direita, e à esquerda, e rodopiamos vertiginosamente, em imensos círculos concêntricos, dando voltas e voltas ao redor de um gigantesco anfiteatro, os topos de cujas paredes perdem-se à distância. Mas terei pouco tempo para refletir sobre meu destino... os círculos diminuem rapidamente... estamos mergulhando loucamente dentro das garras do redemoinho e, em meio a rugidos, uivos e estrondos de oceano e tempestade, o navio está tremendo... ah, meu Deus! E precipitando-se.

NOTA – "Mensagem Encontrada em uma Garrafa" foi publicado originalmente em 1831, e muitos anos se passaram antes que eu tomasse ciência dos mapas de Mercator, onde o oceano é representado caindo, através de quatro aberturas, no Golfo Polar (do norte), sendo absorvido pelas entranhas da terra; o polo em si é representado por uma rocha negra, que se assoma a uma altura prodigiosa.

O RETRATO OVAL

O castelo em que meu criado tentara entrar à força, em vez de permitir que eu passasse a noite ao ar livre, em minha condição desesperadamente ferida, era uma daquelas construções que misturam melancolia e grandeza, que há tempos olham carrancudas por sobre os Apeninos, exatamente como imaginado pela sra. Radcliffe.[1] Pelo que parecia, fora temporária e recentemente abandonado. Nos instalamos em um dos menores e menos suntuosos cômodos. Ficava em uma torre remota da edificação. Sua decoração era rica, porém gasta e antiga. Suas paredes eram enfeitadas por tapeçarias e inúmeros troféus armoriais, de todos os tipos, junto com uma quantidade incomumente grande de quadros modernos, muito espirituosos, em molduras de belos arabescos dourados. Esses quadros, que pendiam não só das paredes principais como também dos muitos nichos que a arquitetura bizarra do castelo tornava necessária, atraíram meu mais profundo interesse, talvez devido a meu delírio incipiente, de tal forma que pedi que Pedro fechasse as pesadas persianas do cômodo – pois já era noite –, acendesse a chama de um comprido candelabro acima de minha cama e abrisse completamente as cortinas debruadas de veludo preto que circundavam a cama em si. Quis que tudo isso fosse feito para que eu pudesse mergulhar, senão no sono, pelo menos na contemplação das pinturas, e na leitura de um pequeno volume que encontrara sobre o travesseiro, e que aparentemente continha críticas e descrições dos quadros.

Li longamente, e contemplei profundamente. As horas passaram rápida e gloriosamente, e logo chegou a profunda meia-noite. A posição do candelabro me desagradava e, esticando a mão com dificuldade, para não perturbar meu criado adormecido, coloquei-o de forma que sua luz caísse mais diretamente sobre o livro. Mas esse ato produziu um efeito absolutamente inesperado. Os raios das numerosas velas (pois eram muitas) caíram sobre um canto do quarto que até então estivera envolto por profundas sombras, lançadas por um dos dosséis da cama. Assim, vi sob a luz vívida uma pintura na qual até então não reparara.

---

1 N. da T.: Ann Radcliffe, autora de *Os Mistérios de Udolpho* e mãe do gênero gótico.

Era o retrato de uma jovem, prestes a transformar-se em mulher. Olhei rapidamente para o quadro, e então fechei os olhos. O motivo de ter feito isso não foi aparente, de início, nem mesmo para mim. Porém, enquanto minhas pálpebras permaneceram deste modo cerradas, considerei o motivo de tê-las fechado. Fora um movimento impulsivo, para ganhar tempo para pensar – para certificar-me de que meus olhos não haviam me enganado –, para acalmar e controlar minha imaginação, de modo que pudesse lançar um olhar mais sóbrio e certeiro. Dentro de poucos momentos, olhei fixamente, de novo, para a pintura.

Não podia e não iria duvidar de que, agora, estava enxergando direito, pois o primeiro brilho das velas sobre aquela tela pareceu dissipar o estupor onírico que tomava conta de meus sentidos e despertar-me imediatamente.

O retrato, como já disse, era de uma jovem. Mostrava apenas sua cabeça e seus ombros, no que é chamado, tecnicamente, de *vignette*,[2] assemelhando-se ao estilo dos quadros mais famosos de Sully.[3] Os braços, o peito e até mesmo as pontas dos cabelos radiantes misturavam-se imperceptivelmente na sombra vaga, porém profunda, que formava o fundo da obra. A moldura era oval, de um rico dourado, com filigranas em estilo mourisco. Como obra de arte, nada poderia ser mais admirável do que a própria pintura. Mas não podia ser a execução do trabalho, tampouco a beleza imortal do semblante, que me comovera tão veementemente. Muito menos poderia ter sido minha imaginação, despertada de seu estado sonolento, que confundira a cabeça com a de uma pessoa de verdade. Percebi imediatamente que as peculiaridades do desenho, das bordas difusas e da moldura teriam refutado instantaneamente tal ideia; teriam impedido, até mesmo, que eu a considerasse por um momento. Refletindo profundamente sobre esses pontos, passei talvez uma hora, meio sentado, meio deitado, com os olhos grudados

---

2 N. da T.: Pintura sem borda definida.

3 N. da T.: Thomas Sully, pintor anglo-americano conhecido por seus retratos.

no retrato. Finalmente, convencido de que sabia o verdadeiro segredo de seu efeito, deitei-me novamente. Descobrira que o feitiço da pintura era sua expressão absolutamente realista, que primeiro me causara surpresa, depois confusão, sujeição e espanto. Com um assombro profundo e reverente, recoloquei o candelabro na posição anterior. Tendo escondido o motivo de minha profunda agitação, procurei ansiosamente o volume que discutia as pinturas e sua história. Abrindo na página que se referia ao retrato oval, li as seguintes palavras vagas e singulares:

"Ela era uma donzela da mais rara beleza, tão adorável quanto cheia de alegria. E maldito foi o momento em que conheceu, amou e casou-se com o pintor. Ele, intenso, estudioso, austero, e já casado com sua arte; ela, donzela da mais rara beleza, tão adorável quanto cheia de alegria, toda júbilo e sorrisos, brincalhona como uma jovem corça, que amava e dava valor a todas as coisas, e odiava apenas a arte, sua rival; temia apenas a paleta e os pincéis, e outros instrumentos perversos que a privavam do rosto de seu amado. Foi, portanto, algo terrível para esta dama, ouvir o pintor falar de seu desejo de retratar até mesmo sua jovem noiva. Mas ela era humilde e obediente, e posou docilmente, durante semanas, na torre escura, no alto do torreão, onde a luz só entrava por cima, e caía sobre a tela branca. Mas ele, o pintor, orgulhava-se de seu trabalho, que prosseguia hora após hora, dia após dia. E era um homem intenso, indomável e taciturno, que perdia-se em fantasias, de modo que não viu que a luz, que batia de forma tão sinistra naquele torreão solitário, acabava com a saúde e a alegria de viver de sua noiva, que definhava visivelmente para todos, menos para ele. Ainda assim, ela sorria e continuava a posar, sem reclamar, porque via que o pintor (que tinha grande renome) obtinha um prazer fervoroso e ardente em sua tarefa, e labutava dia e noite para retratar aquela que tanto o amava, mas que ficava, a cada dia, mais infeliz e fraca. E, na verdade, algumas pessoas que viram o retrato comentaram sobre sua semelhança, em voz baixa, como se fosse alguma maravilha assombrosa, e prova não só dos poderes do pintor como também de seu amor por aquela que ele retratava tão bem. Porém, finalmente, quando o trabalho chegava ao fim, ninguém mais teve permissão para entrar no torreão, pois o pintor ficara incontrolável com o ardor de seus esforços, e desviava o olhar de sua tela apenas para olhar para o semblante da esposa. E não via que as cores que espalhava sobre a tela eram retiradas das faces daquela que sentava-se ao seu lado. Após a passagem de muitas semanas, quando faltava pouco a ser feito, além de uma pincelada na boca e um pouco de tinta no olho, o espírito da dama tremeluziu como a chama dentro do vidro da lamparina. E então a pincelada foi dada, a tinta foi posta, e o pintor, por um momento, ficou enfeitiçado pela obra que produzira; mas, no instante seguinte, enquanto ainda encarava a tela, começou a tremer, ficou muito pálido e chocado e, exclamando alto, 'Esta é, realmente, a própria Vida!', virou-se repentinamente para olhar sua amada – estava morta!"

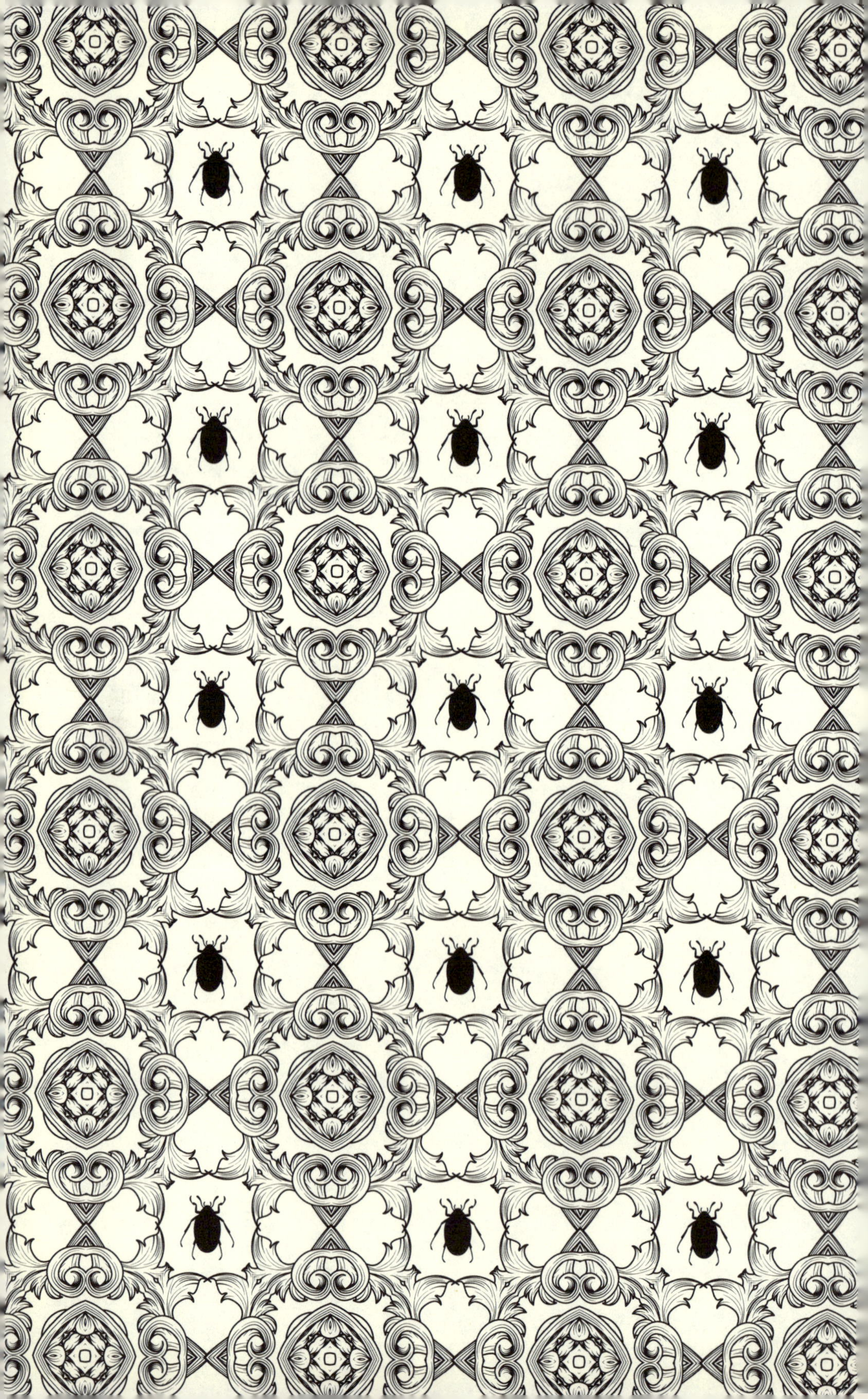